Seul dans la nuit polaire

SOCIÉTÉ DES EXPLORATEURS FRANÇAIS

Contrairement à une idée répandue, la grande aventure de la découverte du monde n'est pas close. Certes, l'exploration des vastes *terrae incognitae* d'autrefois est achevée, mais cet achèvement même a ouvert une page nouvelle de l'exploration contemporaine, celle de la quête des connaissances de détails dans de multiples disciplines scientifiques comme la botanique, la spéléologie, l'archéologie, l'entomologie ou l'océanographie. Un immense travail reste à accomplir dans ces domaines et dans bien d'autres. C'est pourquoi des décennies d'expéditions de terrain sur tous les continents et tous les océans seront nécessaires avant que nous puissions envisager l'idée même que notre planète ait révélé tous ses secrets. La notion d'exploration a donc gardé tout son sens en ce début de troisième millénaire, changeant simplement d'échelle.

À ce changement s'est ajouté de surcroît la nécessité de redécouvrir périodiquement des pans entiers de la planète, celle-ci ne cessant d'être façonnée et transformée par les mutations accélérées du monde moderne. Nous sommes donc loin d'en avoir fini avec ce métier étrange d'explorateur, qui consiste à toujours vouloir s'en aller questionner le monde par-delà les limites du connu. Bien sûr, ces limites semblent se rétrécir de plus en plus – ce pourquoi l'explorateur d'aujourd'hui est davantage un infatigable arpenteur de la fugacité des choses qu'un découvreur de grands espaces. Mais s'il reste attentif à porter un regard neuf sur les connaissances déjà acquises et sait mettre en œuvre son imagination pour les revisiter à sa manière, alors tout redevient possible.

Ces nouvelles orientations de l'exploration pourraient laisser croire qu'elles ont fondamentalement changé sa nature aventureuse. Il n'en est rien. Si les périls des temps anciens ont disparu, l'exploration du XXIᵉ siècle demande toujours les mêmes qualités humaines d'engagement et de dépassement, le même désir pour le divers et le lointain, le même goût pour la vie rude et simple des expéditions en terres incertaines. Toujours aussi, elle exige cette aptitude au risque sans lequel rien n'est possible.

Comme jadis, le face-à-face authentique de l'homme et de la nature caractérise l'exploration véritable et la distingue de la science pure. Elle demeure cet espace de liberté où s'harmonisent la recherche du savoir rationnel et la forme de vie intense qu'offre l'aventure.

La collection de la « Société des explorateurs français » veut être un prolongement de cet espace de liberté et de découverte. Elle s'est donc donnée pour vocation de rassembler les témoignages de ceux qui continuent d'aventurer la vie sur les routes inconnues de cette exploration moderne. Puisse-t-elle montrer à tous que notre monde est encore susceptible d'étonnement, et qu'il existe toujours d'exaltantes manières d'exister à travers lui.

Patrice Franceschi,
président de la Société des explorateurs français.

SOCIÉTÉ DES EXPLORATEURS FRANÇAIS

Seul dans la nuit polaire

Stéphane Lévin

ARTHAUD

À paraître dans la même collection :

Au-delà des dunes, Régis Belleville

Crédit photographique : © Stéphane Lévin/Max PPP, sauf mentions contraires dans le hors-texte.

© Arthaud, Paris, 2004,
26, rue Racine, 75278 Paris Cedex 06
Tous droits réservés
ISBN : 2-70039-592-1

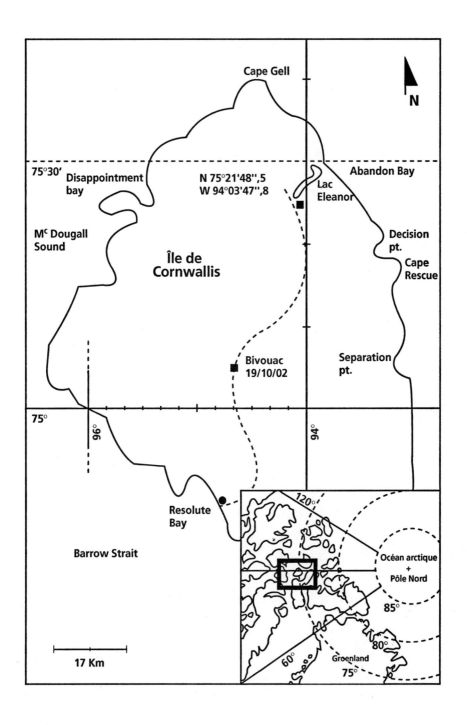

« N'attends pas que les événements arrivent comme tu le souhaites ;
décide de vouloir ce qui arrive et tu seras heureux. »
Épictète

Je dédie ce livre
à ceux qui rêvent...
à ceux qui croient en leur rêves...
à ceux qui les transforment en réalité...

Sommaire

Prologue

Pour la première fois depuis le début de l'expédition, je hurle ma souffrance. J'insulte la nature, je la somme de m'envoyer toute sa force et sa puissance parce que je ne partirai pas...

Et l'incroyable se réalise ce 5 janvier. Absolument impensable. Stupéfiant ! À 14 h 30, il fait − 33 °C. À 15 h 30, il fait − 18 °C. En une heure, la température est remontée de 15 °C. D'où vient cette bulle d'air « chaud » ? Je crois rêver. Mais les quatre thermomètres sont là pour le confirmer. Je fonce dehors. Au sud, deux nuages lenticulaires, indices de fort vent en altitude, semblent glisser l'un sur l'autre...

Il me semble discerner au sud-ouest, dans le fond de la vallée, un front de poussière qui avance, comme une vague de poudre blanche, poussée par un souffle violent. J'ai l'impression que quelque chose de fort fait route vers la cabane... Je ne me trompe pas ! À deux kilomètres environ, l'onde arrive, et elle arrache des volutes de neige au versant de la montagne... Dans trois minutes, la charge de la brigade légère sera sur moi ! L'avant-garde soulève la couverture neigeuse du permafrost, nourrissant ce tourbillon qui dévale la vallée et fonce sur Fort Eleanor. J'ai à peine le temps d'attraper ma veste et mon anémomètre. Inquiet, le chien fait deux fois le tour de la cabane et se met à l'abri du mur est ; la bourrasque me frappe à soixante

kilomètres à l'heure. Je suis comme envahi... C'est génial, surtout à cet instant très précis où, en une demi-seconde, je passe
du calme total à la gifle froide qui me bouscule, réponse mécanique de la nature au défi immatériel hurlé dans la nuit précé-
dente... Je me penche en avant pour résister à cette rafale d'un
air presque tiède à − 18 °C.

Le vent de sud forcit encore... Je ne peux pas perdre de
temps car c'est celui qui pulse la neige dans la cabane... Se libé-
rant péniblement de l'étreinte de la glace, les ailes blanches de
mon éolienne commencent à tourner lentement... Elles semblent bridées, sans énergie, comme dans ces cauchemars pendant lesquels on s'épuise à essayer de courir désespérément avec
des jambes de coton... Puis, soudainement relâchée par les derniers cristaux de glace surfondus, la voilure s'emballe, battant
énergiquement l'air qui la nourrit. Incroyable renversement de
situation. Il faut que j'en profite pour brancher rapidement la
batterie sous l'éolienne au régime désormais productif. Pour
atteindre la cordelette qui flotte cette fois au-dessus du toit, je
bricole une perche de circonstance. Je déchausse le manche
télescopique de la pelle à neige ; puis je libère de ses écrous
l'anse de portage de la lampe à essence, pour en faire un cro-
chet satisfaisant. J'attache solidement l'ensemble et je pars à la
« pêche ». Bousculé et plaqué contre le mur de neige par les
rafales de quatre-vingts kilomètres à l'heure, j'essaie de croche-
ter la ganse qui s'agite dans l'obscurité. Après quelques essais
infructueux, je ramène et bloque l'éolienne. Batterie montée, je
peux désormais me calfeutrer dans la cabane déjà colonisée par
la neige. Je jette un dernier coup d'œil aux tourbillons violemment pulsés par le blizzard qui ne mollit pas. Il fait vibrer ma
fière éolienne enfin libérée...

Mais à 18 heures, les coups de boutoirs sont encore plus
agressifs sur Fort Eleanor. Des hurlements lugubres passent au

travers de la porte et des matelas. Ces plaintes lancinantes et cadencées sont dignes de la meilleure bande son du plus noir des films d'épouvante.

À 4 heures du matin, ce 6 janvier, ce n'est plus un blizzard, c'est une tempête. Les armatures de bois de la cabane se tordent, gémissent et m'apparaissent progressivement de plus en plus fragiles... Je ne peux évidemment pas dormir, concentré sur le moindre craquement de mon abri d'eau et de bois...

À 6 h 30, je ne résiste plus. Une curiosité viscérale me pousse à sortir me mettre dans l'ouragan. Je suis attiré par les mélopées inquiétantes des violents assauts de la tourmente. Ces vagues répétées contre son vaisseau sont les ondes séductrices des sirènes démoniaques qui appellent, vers leur dangereuse obscurité, le volontaire déjà naufragé...

La claque est violente ! Je dégage de quelques mètres en arrière. Le souffle coupé, je suis saisi par le froid et la vitesse impressionnante de l'air glacé. J'ai les yeux et le visage transpercés d'aiguilles de glace. Impossible de tenir. Je rentre immédiatement me mettre à l'abri. Je mets un masque Néoprène et place mes grosses lunettes sur ma cagoule. Je referme au plus haut ma veste « grand froid » puis ajuste la lourde capuche renforcée par un arceau métallique à mémoire de forme.

À travers la lumière jaunâtre des verres antigivre, mes yeux écarquillés aux pupilles dilatées ne visualisent que des détails. J'ai l'impression que mon champ visuel est restreint ! Je n'entends que le sifflement du vent dans mes oreilles. Je suis ballotté dans un monde irréel à la couleur fantasmagorique. Ma lampe éclaire l'anémomètre : cent deux kilomètres à l'heure ! Je me sens comme le pilote de chasse sévèrement secoué par de soudaines turbulences ou le plongeur happé par un dangereux ressac. Embarqué par les violentes bourrasques, je ne trouve pas mon équilibre : arc-bouté, pour résister à la puissance incroyable du vent, je découvre qu'une de mes cantines a disparu. Où est-elle passée ? Comment savoir, dans cette obscurité ?

En longeant maladroitement la cabane sur ma droite, je découvre l'horreur. Les tripes tordues par la surprise. Mon mur ouest a été soufflé ! Il n'en reste presque rien, comme s'il avait été criblé de grenaille ou déchiqueté par l'explosion d'un obus de mortier. Même chose sur le mur sud, dont seuls quelques fragments tiennent encore. Le vent et ses projectiles de glace, car il ne s'agit plus de neige, ont tout simplement arraché ma construction ! Raclé, gratté, bombardé de billes de glace propulsées à plus de cent kilomètres à l'heure, mon bâti de neige n'a pas résisté. L'effet est surprenant : les blocs, pourtant solidement congelés, ont été ciselés en pointes fines et en lames dures... Il ne reste que des cubes évidés de leur cœur de neige plus souple. Les faces soudées ne tiennent plus que par des joints curieusement épargnés.

J'en ai assez vu ! Après une manœuvre extrêmement délicate, je débranche la batterie. La grosse résistance électrique est brûlante et semble donc avoir correctement joué son rôle. J'attrape dans la nuit un jerrican d'essence et m'extrais de cette tornade de neige. Les chiens ne sont même pas sortis... Le vent monte encore. Il doit atteindre cent vingt kilomètres à l'heure ou plus ! La cabane va-t-elle résister ? Le toit peut-il s'envoler ? Je dois tenir, tenir, tenir... Je sais que l'enfer est devant moi.

De l'équateur au pôle...

Né sur une plantation de café au Cameroun, pays magique d'Afrique où les gendarmes sont des oiseaux, les capitaines des poissons et les avocats des fruits, j'ai été très tôt marqué par un penchant pour l'aventure et un désir irrésistible de parcourir le monde.

Je vis ces merveilleuses premières années à l'école de la brousse avec ma mère, et goûte rapidement à l'autarcie, les « courses » vers Douala pour acheter les denrées de base ne se faisant que rarement...

Un potager fourni, des poules, des canards, des lapins et l'eau de pluie récupérée dans une citerne nous permettent de subvenir aux besoins élémentaires. Octroyé par mes parents, j'ai même « mon » lopin de cannes à sucre et quelques pieds de maïs. De temps en temps, je découpe en petits cubes une canne gorgée du breuvage tant convoité, avant de les mâcher et d'extraire des fibres blanchâtres le liquide sucré. Sur quelques braises, je fais parfois griller un épi de maïs, que j'améliore d'une noix de beurre qui crépite sur les grains presque brûlés.

Bâtie au cœur de la jungle, notre case est toutefois dégagée des arbres alentour, afin d'éviter que les fourmis et les serpents ne se laissent tomber sur le toit, puis pénètrent à l'intérieur. Tous les soirs à la tombée de la nuit, mon père met en marche le groupe électrogène qui nous fournit la lumière.

Des pythons aux insectes géants, des singes hurleurs aux rats énormes, hantise de ma mère, c'est donc au contact d'une nature extrême que je fais mes premiers pas. Je revois mon père détourner régulièrement les magnans, ces fourmis noires très voraces qui, sorties de nulle part, se déplacent en épaisses colonnes : elles dévastent tout sur leur passage et disparaissent, avalées par la jungle. Mon père déverse, sur plus de cinquante mètres, un jerrican d'essence sur ces colonnes infernales affamées, afin d'y mettre le feu et de stopper leur avancée vers notre case. Je me souviens du jour où nous avons retrouvé les cartilages, presque lovés, d'un python qui n'avait pas eu le temps de se dérouler pour fuir. Le magnan aurait pu passer par notre case et non par la grange où le reptile dormait !

L'odeur unique du café à peine brûlé sur les immenses grilloirs et celle de la jungle humide qui, en bordure d'une piste de latérite, se réveille aux cris de quelques singes joueurs, emplissent encore mes narines. De même, mon palais gardera jusqu'à la fin de mes jours le goût amer de la noix de kola, violette amande caoutchouteuse, que m'a un jour fait mâcher le sorcier du village...

Des longues inspections des caféiers magnifiquement rouges – je suis fièrement assis sur les genoux de mon père à bord de la Jeep – aux cabanes faites dans les lourds sacs de café en toile de jute empilés sous le hangar, ma jeune mémoire va imprimer à jamais les images fortes d'une enfance peu ordinaire. Mais c'est à cause des « études des enfants... » que cette époque prend fin et qu'un beau jour, je débarque du paquebot *Mermoz* sur les rivages du pays France. Je goûte alors au froid puis, ébahi, vois pour la première fois tomber de la neige...

Le scoutisme, des études de géologie et de biologie, une traversée du Sahara et des raids divers, les voyages tous azimuts, la mer et les bateaux, le sport et l'aventure vont susciter mon intérêt pour l'adaptation et la survie en milieux extrêmes : apprivoiser l'environnement, imaginer organisation, conservation et subsistance au plus proche de la nature, réagir aux imprévus...

Cette inclination à varier les pôles d'intérêt, à connaître un peu de choses sur tout, plutôt que tout sur une seule chose, à croire que rien n'est écrit, à suivre mes goûts plus que ma raison, va cristalliser des acquis sans jamais par ailleurs m'inciter à privilégier confort, prudence, aisance ou carrière – sinon, je ne serais jamais parti !

La soif de toujours apprendre en restant ouvert au monde m'a fait multiplier les expériences dans des domaines aussi divers que la géologie, l'océanographie, la gestion d'une société, le deltaplane et le parachutisme, l'enseignement de la plongée sous-marine, l'accompagnement de groupes à l'étranger, les repérages en solo en Amazonie ou dans le Grand Nord pour la création de produits touristiques et la direction de croisières de luxe et d'expéditions.

En juin 2001, négligeant la récupération physique après un raid de quatre cents kilomètres sur la banquise vers le pôle nord magnétique – en vingt-huit jours et en autonomie complète –, je décide de me lancer très activement dans une autre aventure. En effet, si cette dernière expédition s'est déroulée durant la période de jour permanent, pendant laquelle le soleil tourne dans le ciel sans jamais se coucher, je voudrais cette fois-ci « ...voir disparaître les derniers rayons du soleil, vivre la nuit polaire et être là, au même endroit, pour voir apparaître le premier rayon de soleil... ».

C'est au départ de Resolute Bay, dans le Haut Arctique canadien, plus précisément dans ce nouvel État créé en 1999, le Nunavut, « notre terre » en inuktitut, la langue des Inuit (prononcer « inouktitout »), que je veux réaliser en solitaire un hivernage de six mois... Sur ces terres gelées, je souhaite observer les cycles de l'eau, du vent, du soleil, tout en menant des recherches naturalistes, historiques, techniques, scientifiques et médico-physiologiques. Le cœur du projet est d'assister à un demi-cycle de rotation de la Terre autour du soleil et de vivre les conséquences de l'inclinaison de l'axe de la Terre par rapport au plan de l'orbite terrestre, le plan de l'écliptique, sur l'ensoleillement et la température. Mais c'est au-delà du cercle polaire que je veux voir la mer se figer petit à petit, devenir banquise qui va craquer, bouger, emprisonner les icebergs dérivant. Voir et ne plus voir...

Ma motivation est d'essayer de comprendre cette nature qui m'a déjà subjugué, l'interaction des merveilleux acteurs de notre environnement, et de revivre l'engouement des premiers explorateurs. Mais le plus important est de ramener non seulement des témoignages de cette expérience, mais aussi des résultats, aussi infimes soient-ils, « pour que cela serve à quelque chose... ». En effet, cette aventure peut présenter un incroyable terrain d'explorations et permettre d'aller plus avant dans la compréhension de certains phénomènes et mécanismes physiologiques liés à l'immersion d'un être humain en milieu extrême : isolement, autonomie complète, environnement hostile – températures pouvant atteindre – 50 °C, deux mois de nuit totale, la présence de l'ours blanc... Mais cette expédition pourrait également permettre de tester des vêtements et des matériels adaptés à la survie en conditions polaires. J'ai enfin envie de mieux appréhender, dans cette zone des quatre grands détroits – de Lancaster, de Barrow, du Prince Régent et du canal de Wellington, lieux mythiques liés à la recherche du passage du Nord-Ouest –, ce qu'ont enduré Sir John Franklin (1786-1847), ses officiers et ses marins à bord des navires, le *Terror* et l'*Erebus*, disparus corps et biens...

En fait, je rêve tout simplement de vivre en solo une authentique aventure extrême d'exploration, et surtout de mettre mon insatiable curiosité au service de plusieurs disciplines lors d'une même expédition...

Ayant ainsi déterminé le principe du projet et les objectifs, il va me falloir trois longs mois de travail sur les cartes de navigation aériennes et marines pour définir l'organisation générale et la logistique de l'expédition. Ainsi, dans ma petite chambre au centre de Toulouse, sous l'œil bienveillant et tendre de ma grand-mère, est née sur le papier mon aventure polaire...

De capteurs en électrodes...

oût 2001 : après quatre mois de nuits blanches, de lais-
ser-aller physique, de journées décalées et sans sport,
d'hygiène alimentaire inexistante, je réalise un bilan
médical avec le docteur Dominique Rivière, médecin du sport,
puis un test d'effort à la clinique des Cèdres de Cornebarrieu
en présence de François Gazzano, physiologiste de l'effort. De
cette rencontre va naître le premier protocole médical de l'aventure : extrêmement intéressée par le défi physique et physiologique que représente l'expédition, l'équipe décide d'apporter
son complet soutien à ce challenge. Elle met à ma disposition
son plateau technique spécialisé et ses compétences professionnelles dans l'évaluation physiologique et le suivi médico-sportif
d'athlètes de haut niveau. François, qui a fait ses études au
Canada, est diplômé en sciences du sport de l'université de
Montréal et certifié par la Société canadienne de physiologie de
l'exercice. Il mettra en place un protocole d'entraînement et de
suivi physiologique. Je suis au plus bas de ma condition physique, ce qui est très intéressant car cela va nous permettre de

donner un temps « zéro » à ma préparation et aux paramètres médico-physiologiques.

En attendant la première réunion de travail, je reprends des sessions de footing, très légères... et retrouve des sensations oubliées. Je souffre, je dégouline, me sens lourd, gras, vulnérable : quatre-vingt-dix kilos, 26 % de masse grasse, une fréquence cardiaque élevée au réveil. Tous ces chiffres attestent que je suis loin de mon état de « forme ». Mais, petit à petit, les douleurs vont disparaître, les muscles retrouver leurs fonctions, les différentes chaînes physiologiques s'activer. Simultanément, j'ai repris la musculation : le corps s'équilibre à nouveau, les haubans se tendent et libèrent des tensions malsaines accumulées pendant les mois d'inactivité.

Les contacts que je continue à prendre auprès des hôpitaux toulousains me font rencontrer le docteur Christian Bourbon, psychiatre, médecin du sport, spécialiste de la médecine du sommeil – et sportif accompli, amoureux de la montagne. Au cours de nos entretiens, il montre un intérêt grandissant pour l'aventure totale que je souhaite vivre. Il présente mon projet en septembre 2001, à Toulouse, lors de la réunion « Stress et environnement extrême » où sont réunis des spécialistes de l'Antarctique, des abysses, de l'espace... Pour Christian Bourbon, mon aventure pourrait très bien être l'objet d'une attention particulière, tant certains paramètres se rapprochent des conditions d'isolement que vont rencontrer les passagers de la mission Mars... J'exulte, je me mets à rêver... Et si... et si... l'espace ! Après tout, pourquoi pas ?

Nous convenons donc d'établir dans les meilleurs délais les protocoles à mettre en place et commençons par une séance de visualisation mentale dans les locaux du ser-

vice de neurologie et d'explorations fonctionnelles du système nerveux de l'hôpital de Rangueil, à Toulouse. Christian
Bourbon dirige la séance dans l'obscurité et le calme d'une
chambre du Laboratoire du Sommeil. Les yeux fermés, cet
apprentissage a pour but une prise de conscience du corps
par des états de relâchement et de contraction de parties
dissociées (muscles du visage, épaules, bras, mains, doigts,
jambes, cuisses, mollets...) et la maîtrise de la respiration
abdominale. En atteignant un état de relâchement et de
bien-être progressif, je peux ainsi aborder la visualisation
mentale d'un objet, d'une situation et projeter des émotions
positives sans pensées parasites. En les mémorisant, je vais
ainsi me constituer un capital d'énergies qui me seront utiles
au plus fort de la tempête, du froid, du stress et de la
solitude.

L'objet de la maîtrise de cette technique est précis :
le contrôle de soi par la visualisation mentale de tous les
stress que je vais vivre, afin de les anticiper (grand froid, nuit
polaire, ours, problèmes techniques...) et de prévoir déjà des
réponses à ces stress et aux imprévus auxquels je serai
confronté. Je pourrai ainsi réagir sans panique, tout en
consommant le moins d'énergie possible.

La séance se termine par une réactivation et une
remobilisation de la tonicité corporelle avant la réouverture
des yeux.

Le docteur Bourbon est passionné, passionnant.
Son enthousiasme pour l'aventure et le lien qu'il a établi
avec la mission Mars me remplissent d'énergie. Il m'enseigne
également à commander, par un contrôle mental volontaire,
une vasodilatation des vaisseaux de mes mains et de mes
pieds afin de gérer des flux sanguins, donc de chaleur, dans
mes extrémités – ce qui sera primordial par les grands froids

que je vais devoir affronter. Très rapidement, au fil des séances, je développe cette capacité à me relâcher presque instantanément, à ressentir les effets concrets de l'action volontaire de l'esprit sur le corps.

Le bien-être et le calme s'estompent vite malgré tout après les séances. Je dois de nouveau me replonger dans le feu de l'action car je n'ai pas encore de sponsor ni de partenaire financier pour l'expédition... Et il me faut développer une énergie colossale pour promouvoir, communiquer et convaincre.

Le mercredi 10 octobre 2001 sera très fort en émotion. Christian Bourbon me confirme que les conditions d'isolement, de solitude, d'obscurité, de stress et d'environnement hostile de longue durée dans lesquelles je vais me retrouver intéressent la prestigieuse Agence spatiale européenne (l'ESA) ! Elle a besoin d'études concernant le comportement psychique et vigile de l'individu lors de missions prolongées, et ce dans le cadre des futures missions spatiales interplanétaires.

Pour répondre au souhait de l'ESA, Christian Bourbon me précise le contenu des différents protocoles qu'il souhaite mettre en œuvre. Le temps presse, et il compte donc collecter au plus tôt des données-témoins pendant la préparation de l'expédition. Elles seront comparées aux résultats qui seront obtenus l'année prochaine, à la même période, durant la nuit polaire, puis à ceux que l'on enregistrera à mon retour.

Ces études concernent tout d'abord mon système veille-sommeil et sont, d'une part basées sur des explorations électrophysiologiques réalisées lors de nuits – appelées

« nuits basales » – à l'hôpital, au Laboratoire du Sommeil et, d'autre part, sur des agendas du sommeil, des tests d'évaluation sur la vigilance et des échelles de somnolence. Il sera effectivement très intéressant d'observer les variations de l'architecture de mon sommeil, les désynchronisations biologiques liées à la disparition progressive de la lumière, puis à l'obscurité permanente de la longue nuit polaire, et surtout leurs conséquences sur mon mental et ma forme générale...

S'ajoute à cette première étude une exploration médico-psychologique. Elle est fondée sur différents tests psychotechniques destinés à évaluer le tonus mental, la concentration, l'appréciation de l'anxiété, l'autoanalyse de l'humeur et l'évaluation de la dépression. Je dois également subir une batterie de tests psychomoteurs et répondre à de nombreux questionnaires de personnalité... Certains tests sont à effectuer tous les jours, d'autres une fois par semaine ou encore une fois par mois, et cela durant dix-huit mois. Le programme de ce deuxième protocole devra être maintenu jusqu'à trois mois après mon retour.

Ce matin, premiers tests psychomoteurs : je m'impose un réveil physiologique et musculaire en allant courir vingt minutes au Jardin des Plantes. Je sais que dans cette préparation, tous les questionnaires, tous les tests me révèlent un peu plus ce que je suis, ce que je vaux... qu'ils vont évaluer en temps réel mes capacités intellectuelles, psychologiques, physiques ; je prends le risque d'y découvrir des choses et d'accepter mes limites... Les médecins vont me découper, m'ausculter, m'analyser, me scanner sous toutes les coutures...

Première nuit dans la chambre du Laboratoire du Sommeil. J'observe, regarde ce « caisson » sous tous ses angles... Le lit, les arrivées diverses pour les branchements électriques, les arrivées d'oxygène... Les caméras infrarouges qui vont m'épier toute la nuit. Ce soir, je me sens déjà plus cobaye que patient...

Je me fais expliquer le protocole et la pose des électrodes : six sur la tête, autant sur le thorax, les muscles oculaires, le menton, un électrocardiogramme, un électroen- céphalogramme. Tous ces branchements sont reliés à une console centrale, ou « holter encéphalographique », qui va enregistrer le moindre mouvement musculaire du visage et permettre d'analyser en quantité et qualité cette nuit de som- meil et ses différents cycles : lent, profond, paradoxal...

Chez l'homme, comme chez la plupart des ani- maux d'ailleurs, le marqueur principal du temps est la lumière. Via la rétine, celle-ci va atteindre une petite glande hormonale située dans le cervelet, l'épiphyse. Avec d'autres structures cérébrales, l'hypothalamus et l'hypophyse, cette horloge interne va gouverner les grands rythmes biologiques principaux appelés circadiens – comme la température, le rythme cardiaque, l'activité motrice, mais aussi la vigilance et l'humeur, en liaison directe avec le rythme jour-nuit ou rythme nycthéméral.

En effet, lorsque le soleil se couche et que la nuit arrive, l'épiphyse sécrète un somnifère naturel, la mélato- nine : la température du corps baisse, la tension artérielle, le tonus musculaire et l'activité cérébrale diminuent. Les cycles du sommeil peuvent commencer.

Avec le retour des flux lumineux matinaux, la sécré- tion de la mélatonine cesse, puis des hormones sécrétées par les glandes surrénales réveillent l'organisme. Elles initient la remontée de la température, remettent le corps en route et le préparent à l'activité diurne, dans la joie et la bonne humeur... On sait, depuis Hippocrate, que tristesse, irritabilité, anxiété, mélancolie, troubles affectifs – voire épisodes dépressifs et même suicide – dépendent entre autres des rythmes saisonniers, donc des durées d'ensoleillement. Que va-t-il se passer, en ce qui me concerne, durant plus de trois mois sans soleil, plus de soixante jours dans l'obscurité totale, sans rythme jour-nuit, sans rythme social et sans le synchroniseur naturel qu'est la lumière...

J'ai entre-temps revu François Gazzano qui a remarquablement travaillé sur ma préparation. Après avoir analysé mes objectifs, mon profil physiologique, bioénergétique et neuromusculaire, mes capacités fonctionnelles et mon expérience sportive, il a sélectionné et planifié les méthodes d'entraînement et de récupération les mieux adaptées à la performance future.

Ayant exploité mes épreuves d'effort, il me remet un dossier complet sur la sélection des priorités des quatre prochains mois : c'est en fonction de toutes les mesures préliminaires de fréquence cardiaque, de poids, de taille, de composition corporelle, de pourcentage de masse grasse, d'aptitude aérobie, de consommation maximale d'oxygène (le VO_2 max) qu'il établit mon programme de reprise de l'activité physique.

Séances et exercices adaptés à mes objectifs, fiches personnalisées de suivi vont me permettre d'exploiter au maximum mon temps d'entraînement en évitant les erreurs, sources de blessures, contre-performances et stagnation des résultats. Même si j'ai un an devant moi, l'expérience en terme de préparation de haut niveau me fait dire qu'il faut toujours compter sur les aléas et les arrêts qui pénalisent la programmation...

Je suis heureux de l'investissement de François à mes côtés. Les objectifs de cette première partie sont simples : amélioration de l'endurance en développant l'efficacité du système de transport de l'oxygène, augmentation du volume sanguin et du VO_2 max, meilleure utilisation des graisses à l'effort, développement de la masse musculaire. Il faut également adapter progressivement les structures non musculaires (ligaments, tendons et os) au stress provoqué par un entraînement quotidien.

Les séances de footing, ou encore les sessions de raquettes à neige et de courses en côtes ou en montagne, sont de durée et d'intensité précises, de trente minutes à plusieurs heures, trois à quatre fois par semaine. Les séances de musculation sont également parfaitement détaillées en nombre de répétitions et de séries pour chaque mouvement, selon la dominante force ou puissance (squat complet, développé couché, tractions, tirage haut, épaulé, step-up, soulevé de terre, lombaires, abdominaux...), et il en va de même pour les sessions de récupération et de stretching.

Le plus dur, ce sont les séances de « portage lourd », c'est-à-dire les marches de deux à quatre heures avec un sac à dos chargé, au début à trente kilos, mais qui progressivement pèsera soixante-deux kilos, pour des entraînements de cinq à six heures, avant mon départ... Pour résister à de telles charges, j'utilise du matériel « spécial » : seul mon ami Robert Boursier, de Lowe Alpine, a pu m'équiper. Confectionné dans des matériaux ultra-résistants, étudié pour affronter sur le long terme les pires conditions et répondre aux critères très élevés du cahier des charges de l'armée, le sac à dos qu'il me fournit est un très gros porteur de grand volume principal, avec des poches latérales amovibles qui peuvent aussi être regroupées pour former un petit sac à dos.

Physiquement très pénibles, ces sessions sont aussi un véritable combat de l'esprit contre le corps qui souffre. Les épaules sont meurtries malgré le grand confort du matériel. Les pieds, le dos et les jambes se formatent peu à peu, mais voudraient bien s'arrêter... Ces épreuves sont d'autant plus importantes qu'elles jaugent aussi bien la capacité à souffrir physiquement sur le long terme que la volonté à se dépasser, à aller au bout, à ne pas s'écouter et à valider positivement le programme. Frôlant les limites de ces efforts supra-maximaux, le corps avance machinalement sur les interminables pistes de montagne, pas après pas, comme aimanté par un but imaginaire alors que l'esprit se met en veille, peut-être pour se reposer et attendre d'être à son tour sollicité... Puis, comme par un déclic programmé, l'esprit aiguillonne le corps lorsque celui-ci souffre, ralentit, criant à l'aide, perclus de courbatures et drogué par l'acide lactique qui l'immobilise progressivement comme un béton à prise rapide... Mais comment prétendre partir affronter l'extrême sans s'être imposé les pires contraintes ? Comment prétendre courir un cent mètres en dix secondes en s'entraînant sur douze secondes, sous prétexte que l'on s'économise pour pouvoir tout donner le jour de la course ? Erreur fatale... Alors, qu'il pleuve, qu'il vente ou qu'il neige, des talwegs rocailleux de la vallée d'Ars aux rafraîchissantes pistes forestières de Cominac, la sueur brûlant mes yeux malgré un bandana déjà imbibé, ce goût de l'effort ne m'abandonne jamais... Je suis toujours récompensé par les plus belles vues que cette magnifique région du Couserans et de l'Ariège offre au randonneur solitaire. Du cap Bouirex au tuc de la Coume, d'Ercé à Aulus-les-Bains, voilà quinze ans que j'arpente, depuis les granges prêtées par mes oncles et tantes, le pays des « oussaillés », les montreurs d'ours ! Curieuse coïncidence, dans

quelques semaines, je serai sur le territoire d'un autre plantigrade, le roi de la banquise : l'ours blanc...

Je me conforme précisément au programme de
haut volume d'entraînement de six à sept séances par
semaine. Je confirme, encore une fois, que ces deux
incroyables machines d'une complexité extrême que sont la
tête et les jambes peuvent œuvrer ensemble vers un but
ultime, l'une ou l'autre prenant le relais pour la survie de
cette symbiose. Le challenge est donc de partir en expédition
dans les meilleures conditions physiologiques et neuromusculaires... En clair, il me faut partir le plus « affûté » possible
et le rester le plus longtemps possible...

Souffrir n'est pas partir...

L e 21 octobre 2001, un mois jour pour jour après l'explosion d'AZF, je dois bien me rendre à l'évidence : la « Ville rose » est trop meurtrie pour m'accorder la moindre attention. Mon dossier de recherche de sponsor n'existe plus ! Mais il me faut, entre autres visions apocalyptiques, affronter – comme tous les sinistrés les plus proches du cœur de l'explosion – celle d'un logement en petits morceaux, soufflé comme un fétu de paille par l'onde mortelle... Malgré tout, un maître mot résonne encore et encore à mes oreilles... « Patience, patience, patience », la plus grande des qualités à mon avis quand on veut avancer, aller au bout de ses rêves. Mais patience aussi pour progresser physiquement, laisser le corps évoluer, laisser le temps au temps, ne pas emballer la machine. Il faut éviter la casse due au surentraînement qui vous fait, de façon aussi certaine, reculer et perdre le bénéfice de ce que vous avez jour après jour planifié, préparé, construit et acquis...

Heureusement, un contact pris quelques semaines plus tôt avec une entreprise de Caen débouche enfin sur un partenariat. Je suis remarquablement accueilli par les Labo-

ratoires Gilbert. Ayant une forte culture d'entreprise, ce laboratoire pharmaceutique souhaite associer tout son personnel
à un projet fort et fédérateur. Ils veulent également communiquer sur une gamme de leurs produits, les crèmes hydra-
tantes et baumes à lèvres « grand froid » Laino. Adéquation
de l'aventure scientifique et de la performance à la communication de l'entreprise, cycles de conférences et séminaires
de motivation que je dois réaliser : tous les bons ingrédients
nécessaires à un partenariat sont réunis. Les Laboratoires Gilbert me permettent d'entrevoir un petit bout de banquise...
Je tempère mon enthousiasme, car mon budget est loin
d'être bouclé, et je ne veux pas engager ces premiers fonds
tant que je n'ai pas l'assurance définitive de partir...

À la même période, je participe à un concours doté
d'une bourse de quinze mille euros, la bourse « Rêve de
Vue » des opticiens Visual : le but est de permettre aux
gagnants de réaliser leur projet et de le partager avec le plus
grand nombre... Je continue donc à rêver...

Novembre 2001 : je réalise un isolement en montagne afin de déterminer l'organisation matérielle, technique, alimentaire, psychologique, médico-physiologique de
la phase nuit arctique de l'expédition. Je pourrai ainsi établir
un emploi du temps prévisionnel de la journée, notamment
pendant les deux mois de nuit permanente et de froid
extrême. Cette expérience me permet en outre de contrôler
l'efficacité de certains matériels, d'en éliminer d'autres et
d'en tester de nouveaux.

Le lieu est une toute petite cabane de berger de six
mètres carrés, en pierres, posée à mille quatre cents mètres
d'altitude au cœur des Pyrénées, que j'atteins après une

marche d'approche de trois heures, portant un sac à dos de quarante-cinq kilos.

L'objectif est d'y vivre en autonomie complète, ne sortant qu'à la nuit noire. Toute l'expérience s'effectue donc en ambiance obscure totale, vingt-quatre heures sur vingt-quatre, durant sept jours, en n'utilisant que des bougies et des lampes de poche comme source lumineuse.

À l'arrivée, je calfeutre le moindre interstice de la cabane avec de la boue pour l'extérieur et des sacs de plastique noir pour l'intérieur. J'établis ensuite la zone où je vais prendre la neige pour mon alimentation. J'installe le thermomètre : la console principale est à l'intérieur de la cabane et la sonde reliée par un câble de trois mètres, à l'extérieur. Je suis donc en mesure de lire simultanément les températures extérieures et intérieures.

Je prépare les feuilles des protocoles à remplir tout au long de la journée et range mon matériel. L'expérience peut commencer ce dimanche 25 novembre à 18 h 30. La température intérieure varie de 0 °C à + 8 °C, la température extérieure de − 5 °C à + 11 °C.

Le planning est rythmé par les repas, le travail d'étude, les relevés de données, les tests à réaliser, les temps de repos, le sommeil et... les sorties.

« Le ciel est couvert, je ne sors qu'à la nuit... Des centaines de lumières scintillent à flanc de coteau, révélant une dizaine de hameaux habités, invisibles d'ici le jour. Je réalise que je viens de passer vingt-quatre heures sans lumière du jour dans ma cabane, je ne bouge pas et continue d'observer la vallée tout en m'imprégnant de sensations visuelles, olfactives et du moindre souffle d'air sur mes joues... Je projette ces sensations vers le futur, dans un an, jour pour jour, quand je serai plongé quelque part dans la nuit arctique, sa dureté, sa froidure maximale, seul au monde, loin de tout et de tout le monde... Je ferme les yeux et j'essaie de me représenter le lieu, la dureté des instants, la difficulté de l'expérience, parce que tente ou cabane, je serai sur le territoire de l'ours blanc... Il est surprenant de constater comment l'esprit peut se projeter dans un avenir imaginaire, en essayant de matérialiser l'inconnu à partir d'expériences passées bien réelles. »

Ma ration alimentaire a pour but de couvrir les dépenses énergétiques liées à mon activité, c'est-à-dire : sédentarité quasi-permanente, pas de sport, et principalement lutte contre le froid. C'est vrai que je n'ai pas très faim, et je recherche surtout la chaleur des mets que j'ingère. La ration quotidienne est de 650 grammes pour 2 500 kcal (glucides : 38 %, protéines : 12 %, lipides : 50 %). (Pour l'expédition « Pôle nord magnétique 2001 », la ration était de 5 200 kcal pour 1,2 kilos, et... j'avais perdu plus de 8 kilos en vingt-huit jours !) La répartition de la consommation est de 19 % le matin, 30 % à midi et 51 % le soir. Les rations pesées et portées s'entendent principalement en poids de produit déshydraté, les poids réellement ingérés dépendant du volume d'eau utilisé.

Pour cet isolement, l'essentiel de la ration quotidienne, d'environ 250 grammes déshydratés, est consommé avec en réalité 1,5 litre d'eau alimentaire. À ceci, il faut ajouter quelque 400 grammes de fruits secs, chocolat, barres énergétiques, céréales, fromage. Je bois peu, 1,5 litre au maximum dans la journée, ce qui porte la ration hydrique totale à 3 litres, alors qu'elle était de 6 litres pour « Pôle nord magnétique 2001 ».

Durant cette expérience, il me faut poursuivre tous les protocoles médicaux commencés il y a deux mois avec Christian Bourbon : exploration quotidienne du système veille-sommeil par l'étude des agendas du sommeil, couplée à une échelle de somnolence, mais également exploration médico-physiologique par l'échelle de BECK – autoquestionnaire d'évaluation de la dépression – et autres tests de concentration visuo-spatiale.

Psychologiquement, à J + 6, je suis en forme... Ni l'ambiance nocturne, ni le froid n'ont altéré mon enthousiasme. Sur cette durée, je n'ai pas eu de coup de blues, d'angoisse, je n'ai pas été maussade ni triste, j'ai vécu confortablement cette expérience...

En testant mes différentes sources de lumière, je réalise à quel point tout ou presque va dépendre « là-bas » de cette « lumière de remplacement » ! Ceci est à prendre très au sérieux pour la longue nuit à venir.

Parti avec un stock convenable de bougies, photophores, lampes frontales, lampes de travail multifonctions et les piles adéquates, je calcule soigneusement, pendant trois jours, leurs consommations et autonomies. Je détermine à partir d'un enchaînement d'activités (repas, travail, tests, lecture, sortie) quelle source lumineuse est la mieux adaptée, en tenant compte de l'optimisation de la consommation. Mes agendas me donnent les résultats suivants : les temps de sommeil et de repos dans le noir varient entre douze et quatorze heures par jour ; les temps de travail et d'activités diverses avec lumière entre dix et douze heures.

Dans les activités, il faut distinguer celles qui nécessitent des sources lumineuses puissantes et des faisceaux directionnels de qualité (écrire, lire, communiquer...), et celles qui peuvent supporter une ambiance lumineuse légère à très légère (repas, bricolage divers).

Mon temps inactif n'aura pas de conséquences sur mon temps de sommeil réel (dix heures trente), mais seulement sur mes temps de repos obligatoires (sans dormir). Il en aura, en revanche, sur mon alimentation, puisque je vais passer de 2 500 kcal à 1 800 kcal, et sur le plan cardiaque puisque les performances des tests diminuent...

Pendant cet isolement, j'ai eu froid, plus pendant les périodes de travail que durant celles de sommeil : en effet, rester immobile entre huit et treize heures par jour à 0 °C m'a été plus pénible que d'accomplir un raid sportif de trois heures à − 15 °C !

Concernant la préparation physique générale, j'ai réalisé avec François Gazzano, la veille du départ en montagne, un deuxième bilan complet avec test d'effort sur le plateau technique. Il m'a permis de contrôler l'évolution de nombreux paramètres physiologiques et neuromusculaires (cardio-pulmonaires, composition corporelle, force et puissance musculaire...) après huit semaines d'entraînement à dominantes endurance et force.

Une nouvelle batterie de tests sera effectuée à mon retour. Les objectifs sont la mesure des effets de désentraînement provoqués par une sédentarité forcée d'une semaine dans le froid, et leur estimation sur une période de soixante jours.

En conclusion, on a noté des diminutions de performances. Il va falloir maintenant les projeter sur la période de quatre mois d'isolement sédentaire forcé en Arctique... Le maintien d'un niveau d'activité physique minimal est indispensable pour conserver les adaptations physiologiques acquises lors de l'entraînement, et éviter une baisse trop importante de la condition physique nécessaire pour faire face aux situations d'urgence. Ce maintien sera réalisé grâce à un programme d'entraînement adapté aux exigences de la situation (grand froid, équipement limité, espace confiné, etc.).

Le 10 décembre 2001, le bilan général est très positif. J'ai vécu cent soixante-huit heures en absence de toute source de lumière vive et d'éclairage naturel ; le planning prévisionnel des protocoles a été respecté, les entraînements et l'isolement réalisés.

Les tests en conditions réelles sont donc incontournables, car seules l'expérience vécue et la mise en situation restent concrètement productives et positives...

Douze mois de préparation, c'est à la fois long, car il faut être assidu, tenir la distance et rester motivé, mais court quand on doit tenir compte de la préparation physique et de ses aléas, du contrôle du matériel et de ses adaptations.

Le retour dans l'action est brutal. Le premier trimestre 2002 est épouvantable ! Le rythme s'emballe. Je dois faire face aux fameux aléas et retards... et passe sur le « billard » à deux reprises, pour une appendicectomie et une hernie inguinale. Je vais perdre ma condition physique, mais je n'ai pas le choix... Partir et prendre le risque d'un drame au bout du monde ? Pas question... De toute façon, je suis au pied du mur. Le mal est là, je serais totalement irresponsable de ne pas en tenir compte et je tiens à me remettre au plus tôt au meilleur niveau.

En février, le bilan des actions réalisées est tout simplement incroyable : cent vingt sessions d'entraînement physique selon les programmes de François Gazzano, quatre tests d'effort en clinique, deux tests psychologiques et psychomoteurs en hôpital, six sessions de gestion du stress et visualisation mentale au Laboratoire du Sommeil avec Christian Bourbon, deux nuits basales à l'hôpital et trois nuits avec « holter » à domicile, huit bilans de préparation psychologique et d'analyse du sommeil tout en réalisant quotidiennement les protocoles demandés, onze bilans de préparation physique en clinique, quinze sessions de kinésithérapie, huit sessions d'ostéopathie, six bilans médicaux divers (radios, scanner, analyses, etc.). Sans oublier l'immense temps passé en déplacements pour des rendez-vous divers et variés, conférences, rapports, bilans et comptes-rendus !

Comme l'attestent mes agendas du sommeil, ces quinze à dix-huit heures de travail quotidien commencent à peser... Me battre, me battre encore tant que le budget n'est pas atteint, et que l'expédition ne peut partir ! Pas de place pour le découragement. Être convaincant pour convaincre. Comment peut-il en être autrement quand il s'agit de promouvoir la recherche scientifique au travers d'une expédition qui va porter au plus haut la notion d'engagement extrême et de survie... si l'on n'a pas d'échantillons ! Comment prétendre résister aux impondérables de l'action, incontournable caractéristique de l'aventure, si l'on ne surmonte pas ceux de la préparation ?

J'ai envie d'être libéré de cette chape de plomb, et de me consacrer uniquement à l'achat du matériel, à l'organisation de la sécurité et à la préparation physique.

Quand on sort du moule et de la conformité, que l'on se marginalise et que l'on veut donner un sens à sa vie, il faut l'assumer et s'attendre à payer plus cher le prix de la liberté... Mais les obstacles ne sont là que pour être surmontés et dépassés. Les échecs sont les meilleurs catalyseurs de la réussite future. « Ce qui ne vous tue pas vous rend plus fort. » Les soucis dans une existence ne sont pas des punitions mais des défis à relever... Il faut être constructif, spontanément « positiver » et toujours rebondir après une épreuve. Au lieu de s'effondrer et de s'apitoyer sur son propre sort... On a le choix...

Heureusement, je ne suis pas seul. Il y a tous ceux dont l'enthousiasme est le meilleur ambassadeur de l'expédition. Leur engagement à mes côtés depuis des mois, leur aide technique et logistique vont être formalisés par la création de l'association Sciences Aventures Extrêmes. Les charges administratives incombent au trésorier Michel Santin, montagnard averti à la solide corpulence, à notre secrétaire Maryse Labadie-Rodriguez et à mon ami Léo La Rocca, qui sera le coordinateur toulousain de l'expédition. Maryse, toujours élégante, les yeux en amandes éclairant un visage souriant aux fines lèvres, gère merveilleusement bien notre secrétariat. Léo, toujours vêtu de noir, longs cheveux en arrière, sourcils épais grisonnants, est un brillant touche-à-tout à l'allure sportive. Il dirige sa librairie toulousaine et s'adonne à ses passions : la musique, la peinture, le tennis où il excelle et, surtout, la cuisine...

Dans le feu de l'action, je ne laisse rien paraître de mes lassitudes, doutes et fatigues. Cette dépendance financière me pèse... Mais mon équipe est loin d'imaginer combien je suis touché par tant d'amitié, d'altruisme, d'amour même, et je la remercie encore d'avoir été à mes côtés.

Alors, je vais solliciter mes amis de Flashback, notre groupe amateur de rock'n'roll... Après avoir donné quelque soixante concerts ces dernières années, nous avions momentanément délaissé les instruments. Mais Alain, le guitariste, Jean-Pierre, le bassiste et clavier, puis de nouveau Léo, notre batteur, acceptent de se joindre à moi pour deux concerts uniques au profit du projet. Une petite répétition s'impose. C'est un vrai moment de bonheur, une parenthèse dans la tourmente. Nous retrouvons nos instruments, la sono et l'alchimie des quatre voix. Tout repart comme si notre dernier concert datait d'une semaine ! Je me régale avec le bon vieux son des « Stratos », de la batterie, du clavier et de la basse, nos « wap doo wap shoubidou wap wap », les improvisations, les reprises trop tôt ou trop tard et les fous rires !

Fin juin 2002 : après douze mois d'un travail acharné, aucune nouvelle d'un sponsor potentiel... Les nuits blanches se cumulent.

Les sessions avec Christian Bourbon continuent. Je n'ai pas toujours le temps de lui faire un bilan de la situation en cours qu'il éteint déjà la lumière ! Il me faut, en une minute, couper court à toute pensée, toute sensation, et me plonger au fond de moi-même. Je dois rassembler l'énergie nécessaire à ma concentration pour que cette séance soit efficace... C'est plus dur que d'habitude : position, mains, jambes, chaleur, rythme cardiaque, zone hypnogène... Mon esprit essaie à plusieurs reprises de s'échapper vers les heures insensées que je viens de vivre, mais je me force à revenir à la voix qui me guide. Le sujet est important. Le sujet est toujours important. Je constitue une réserve d'« outils » qui pourront me sortir d'un mauvais pas... là-bas.

Je prends le pouls de certaines puissances et énergies enfouies au fond de moi. Paradoxalement, elles me permettent de sortir de moi, d'être à côté de mon corps, de l'analyser, de le voir souffrir tout en le contrôlant même si je lui demande le maximum... Terrifiantes armes que me donne le médecin !

Dominique Rivière assure le suivi médical : il est toujours présent en cas de coups durs. Les séances de kinésithérapie me « reconstruisent », celles d'ostéopathie et de relaxation m'apaisent. Un programme adapté de réathlétisation de François Gazzano me remet dans le bain de l'entraînement. Cette phase de transition est marquée par un volume plus modéré d'entraînement, mais une augmentation progressive de l'endurance et de la résistance musculaire. L'entraînement devient plus intense.

Les dures sessions de courses sont là pour repousser un peu plus loin les limites physiques tout en conservant la capacité à analyser et à réagir correctement malgré la machine qui surchauffe. En course d'orientation, je suis vigilant à chaque pas, prenant garde aux pièges de la piste afin d'éviter une entorse. À chaque halte, il me faut retrouver très vite mon calme pour lire la carte malgré la vue qui se brouille, la sueur qui pique les yeux, pour prendre la bonne décision... Lors des entraînements au tir, je dois instantanément reprendre et contrôler mon souffle pour remobiliser très vite toutes les chaînes musculaires. Pendant de longues séances les yeux fermés, le corps a mémorisé la position de tir idéale, des talons aux cervicales et de l'épaule au doigt.

Que les poumons brûlent, cherchant désespérément à happer de l'air, que le cœur et les tempes explosent, ou que les doigts et le visage gèlent, il faut garder son calme, rester vigilant, pour agir sans conséquences fâcheuses...

Mes carnets d'entraînements sont la mémoire absolue de ma vie de sportif. Ils ne me quittent plus depuis des années, a fortiori celui de la préparation en cours. J'y consigne tous mes programmes et plannings mensuels. Je décortique toutes les séances et objectifs à réaliser et note les résultats à chaque session. J'y reporte également mes sensations, mes fatigues, mes douleurs et blessures, mes appréciations, ainsi que mes fréquences cardiaques et mon poids... Je note même les dates de changement de mes chaussures de course ! Compte tenu de l'objectif et des délais, je consigne scrupuleusement l'organisation et le suivi précis de ma préparation. Facile à consulter, il me renvoie à des performances réalisées, aux raisons d'une méforme liée à des erreurs qui ne devront plus être renouvelées, mais il valide aussi les progrès et les succès, véritables catalyseurs de la motivation. Même non planifiée, une belle balade en forêt avec des amis peut être un merveilleux moment de détente tout en restant une bonne séance de sport... Mais attention : à inscrire au retour dans le carnet !

Ma condition physique s'améliore nettement. Mon corps se transforme, et les chiffres sont là pour l'attester : quatre-vingt-deux kilos, 18 % de masse grasse et une fréquence cardiaque de quarante-deux pulsations par minute le matin au réveil...

Cette progression est aussi liée au troisième protocole scientifique et médical : l'alimentation. C'est avec les dynamiques et avenantes nutritionnistes Catherine Derache et Véronique Segria que nous travaillons sur la diététique de l'expédition. Attentif depuis des années aux stratégies nutritionnelles du sport et les partageant souvent avec mes amis et ma famille, c'est avec plaisir que je vais enfin mettre en œuvre celles nécessaires à ma préparation puis à mon expédition. Après avoir analysé mes habitudes alimentaires et réalisé différents bilans nutritionnels, nous établissons dans un premier temps la ration pertinente avec les besoins et objectifs de l'entraînement.

À partir des données de l'isolement dans les Pyrénées et la répartition de mes apports quotidiens, Catherine et Véronique rééquilibrent d'abord ma consommation en glucides, lipides et protéines : elles déterminent ainsi les valeurs nutritionnelles et énergétiques adaptées à mon rythme de vie. De bilans réguliers en réunions de travail, de pesées en mesures de masse grasse, puis de tableaux en données médicales, nous établissons des rapports techniques complets et précis. Les courbes et diagrammes nous permettent de suivre l'évolution de mes paramètres physiologiques et constituent, là aussi, des archives et une mémoire de valeur.

Compte tenu de la durée de l'aventure, mon intention est de partir avec la plus grande diversité possible de mets, afin d'éviter la saturation... Je veux éviter les produits lyophilisés, c'est donc avec des produits « grand public » achetés dans une grande surface que je vais composer mon alimentation. Les boîtes de conserve vont congeler, mais je prévoirai le carburant nécessaire, pour les longues sessions de bain-marie !

Pendant deux mois, chacun de notre côté, nous arpentons les hypermarchés et repérons tout ce qui pourrait être emporté en Arctique. Nous réalisons un véritable travail de fourmis, relevant sur les emballages toutes les valeurs énergétiques et nutritionnelles.

Chaque entraînement est l'occasion de tester des barres énergétiques, soupes, céréales ou fruits secs. Intégrant les conditions extrêmes de l'aventure mais aussi des notions de « thermorégulation », d'« assimilation » et de « métabolisme », le challenge est pris très au sérieux !

En conclusion, le programme alimentaire de l'expédition sera ainsi réparti en six prises quotidiennes : trois repas principaux et trois collations, pour un apport énergétique moyen de 4 500 kcal.

Durant toute l'expédition, il me faudra noter précisément chaque jour, sur des carnets préparés à cet effet, la composition de mes repas et les quantités ingérées. Les résultats définitifs de ce protocole seront établis à mon retour, d'après mes notes.

Par ailleurs, compte tenu de la disparition du soleil pendant une longue durée, puis l'arrivée de l'obscurité totale, une complémentation en vitamine D est programmée pour toute la durée de l'expédition. Des acides aminés et acides gras essentiels constitueront des apports de sécurité en nutriments et micronutriments indispensables.

En cette fin du mois de juin, le bilan est le suivant : de nouveaux partenaires me fournissent gratuitement du matériel, et d'autres me présentent des devis revus à la baisse. La société C. L. S. Argos me confie un intéressant protocole de test : elle me remet le prototype de la future balise Aventure qui va, pour la première fois, être testé dans des conditions de froid extrêmes.

Mais toujours point d'euros en vue... Et il me faut prendre la décision de retarder mon départ, initialement prévu pour la mi-août 2002. Je reporte donc à une autre fois la première partie de mon aventure : mes recherches des traces laissées, le long de l'île de Somerset, par les expéditions parties au secours de Franklin...

Je relis avec nostalgie mon dossier, le programme et les itinéraires prévisionnels, les cartes détaillées des parcours et des dépôts de vivres, et les documents sur lesquels j'avais travaillé... Je ferme une dernière fois les yeux et revois ces heures de travail sur les cartes, les ouvrages d'histoire et les archives...

Je ne renoncerai pas. J'ai pris une décision... Je l'assume... Je recompose un nouveau planning. Je serai toujours à même d'organiser plus tard une autre expédition archéologique, avec ma sœur cadette Sonia aux commandes des recherches.

Je repousse au 5 octobre 2002 la date limite d'arrivée à Resolute Bay, pour m'installer et vivre enfin mon rêve. Paradoxalement, cette décision m'apaise. Je me donne ainsi deux mois de plus. Pendant cette période, chaque coup de téléphone d'un inconnu, chaque courrier, chaque nouveau contact sera porteur d'espoir... Repartir un an après « Pôle nord magnétique » était-il un challenge trop ambitieux ? Non ! Il ne faut pas que les bonnes choses arrivent trop tôt ! Ces déceptions, je ne les contourne pas. Elles font partie du jeu comme les turbulences sous un parachute... Hors de question de baisser les bras, de se décourager, après tant d'investissement et d'actions engagées. Quand je perds, je ne perds pas espoir, et je n'oublie pas la leçon... Ne pas obtenir ce que l'on veut est parfois un merveilleux coup de chance !

J – 35...

Puis, en quinze jours, le bout du tunnel s'illumine... À l'issue d'une conférence au Palais des Congrès de Caen, le président des Laboratoires Gilbert m'octroie une subvention supplémentaire. C'est une immense bouffée d'air... Autre merveilleux coup de pouce : les membres de mon équipe font un important don à l'association. Et c'est en août que la situation se débloque définitivement... En effet, après un an de sélection, je suis le lauréat de la première bourse « Rêve de Vue »... Celle-ci devait être octroyée en février 2003, mais après examen et accord tout à fait exceptionnel du jury, compte tenu de mon départ imminent, elle me sera versée avant mon départ.

Je mets à mal mon forfait téléphone... Quand on rêve très fort, que l'on croit aux choses, elles se réalisent ! Cela paraît si simple, tout arrive. Mais pour pouvoir récolter, encore faut-il avoir semé...

Je rencontre peu après un nouveau partenaire : Patrice Dheu, de la société Francital, spécialisée dans les vêtements de randonnée et de montagne. Les équipements sont, certes, de plus en plus performants, mais on peut travailler à leur adaptation aux milieux extrêmes polaires : épaisseur, fermetures, fonctionnalité. Une fermeture Éclair qui gèle sous l'effet de la respiration devient inopérante. Si la poche d'une veste en laine polaire dans laquelle se trouve une barre énergétique ne peut être atteinte qu'après avoir enlevé les surmoufles, on s'expose à de sévères gelures aux mains...

Patrice Dheu va aimablement me fournir une veste et une salopette réalisées sur mesure, conformément au cahier des charges que je lui présente. Mon expédition est pour son entreprise un excellent terrain d'expérimentation. Fermetures, cagoule, poches et empiècements particuliers, nous concevons en commun ces vêtements très spécialisés dont j'ai besoin. Je concrétise un rêve de création qui me permet de participer aussi à l'évolution technique de matériel ultra-performant, dont tout le monde pourra un jour profiter...

Je revois encore Patrice Dheu esquisser au crayon ma future tenue... Il me l'enverra pour la conférence de presse que je donnerai avant mon départ et je l'exposerai fièrement.

Une grande partie de la logistique étant prête sur le papier, il n'y a plus qu'à lancer l'énorme machine : J − 35... Achat de tout le matériel, de l'alimentation, suivis administratifs divers, préparation du lancement à la Cité de l'Espace de Toulouse, dernières conférences, entraînements, ultimes sessions de travail avec Christian Bourbon, mise au point du dossier des procédures d'urgence et de la coordination. Tout va si vite...

Le samedi 7 septembre, l'approvisionnement en vivres dans la grande surface est un moment mémorable !

Patrick Deschamps, très accueillant responsable de ce secteur à Carrefour, est tout de même un peu affolé quand je lui annonce qu'avec Maryse, Cathy et Véronique, nous allons le dévaliser de trente-cinq kilos de céréales, quarante kilos de fruits secs, vingt-cinq kilos de plaquettes de chocolat, trente boîtes de lait en poudre... Il nous fait alors une proposition : nous n'achetons qu'un exemplaire de chaque denrée et nous lui fournissons la liste des quantités voulues. Il gérera ensuite la commande totale qui sera prête sous quarante-huit heures. Nous déambulons donc dans les travées avec nos chariots et sélectionnons, par catégorie, le plus grand nombre de mets différents, conformément au protocole défini sur la variété : quinze soupes, dix-sept barres énergétiques, douze céréales et trois chocolats en poudre pour le petit déjeuner, deux cafés, huit biscuits, cakes et pains d'épices, onze conserves de dessert, quinze conserves de plats cuisinés, douze conserves de légumes et de féculents, plus semoules et nouilles chinoises variées, thé, sucre, biscottes, lait en poudre... Puis tout ce qui existe en fruits secs : abricots, figues, bananes, raisins, dattes, mélanges salés divers, noix de cajou, cacahuètes, noisettes, amandes, cerneaux de noix, pâte d'amandes. Le passage des trois chariots à la caisse fait son petit effet...

Cette journée marque le début de trois semaines de folie. Nous procédons à un phénoménal travail de rangement, de conditionnement et de référencement de tout le matériel qui doit partir au Canada par transporteur. Pour préparer l'envoi de mon chargement, je passe la plus grande partie de mon temps dans le local qui m'a été prêté. Lieu de stockage, centre d'essai de matériel, de réunions, de passage des uns et des autres pour donner un coup de mains, je le baptise l'« igloo ». Il est au cœur de ces moments de tumulte permanent, étapes incontournables de la préparation d'une expédition. Je peux aujourd'hui avouer à mon équipe que j'y ai même passé quelques nuits imprévues pour gagner du temps... Mes check-lists sont précises : désignation du moindre article, poids unitaire, poids total... Tout est ventilé par thème dans chaque caissette, et chaque cantine est numérotée. Là-bas, il me faudra identifier et trouver instanta-nément le matériel dont j'ai besoin, pour ne pas perdre de temps et me geler les mains...

C'est au milieu des cantines et du matériel qui s'ac-cumule qu'arrivent les quelque trois cents kilos de vivres... Pour m'aider, Maryse, Cathy et Véronique se relaient en fonction de leur emploi du temps. Afin de gagner de la place et du poids dans les cantines, nous déconditionnons les vivres de leurs emballages d'origine quand cela est possible. Nous les reconditionnons ensuite dans des sacs congélation à fer-metures étanches, conformément aux poids établis pour les rations quotidiennes ou hebdomadaires. Ce sont des heures et des heures à peser sur nos balances les deux cent cin-quante grammes de céréales, les quatre cents grammes de lait en poudre, les quatre-vingts ou cent grammes de fruits secs, les semoules, chocolats en poudre... Nous rangeons ensuite avec précision ces rations prêtes à l'emploi et j'établis les précieuses listes de fret que je vais emporter avec moi. Je n'oublierai jamais ces fous rires, ces dégustations improvisées et les doigts qui collent... Et j'apprécierai bientôt, à juste titre, toute cette anticipation couchée sur le papier, cette prépara-tion colossale faite à la lumière du jour et des néons, mais surtout au chaud... Oui, au chaud...

À J – 15, c'est le lancement officiel à la Cité de l'Espace ! J'ai souhaité une présentation animée et interac-tive en présence de mes partenaires. Une partie du matériel d'expédition est exposée sur la scène : les balises Argos, les caisses et les cantines marquées aux couleurs de Sciences Aventures Extrêmes. Des mannequins artificiels sont engoncés des pieds à la tête dans les vêtements, cagoules, lunettes et masques que je porterai bientôt. Les drapeaux de l'expédition sont étendus de part et d'autre de posters géants. Tout le monde s'active comme dans une ruche. Puis la conférence se déroule comme dans un rêve : les interventions des scientifiques, médecins et techniciens, les questions qui fusent, l'auditoire qui vient toucher le matériel... Et il est déjà temps de remercier ceux qui ont fait le déplacement de Paris, Dijon, Pau... Sans oublier Mazères-sur-l'Hers, d'où vient un contingent d'amis et supporters indéfectibles...

Mardi 24 septembre : réveil à 5 heures et départ vers l'hôpital de Pau pour le dernier bilan sur l'état de ma vision avant le départ. Je suis crevé. Mes yeux vont souffrir...

Natalie, mon autre sœur, est chirurgien ophtalmologiste. C'est elle qui a conçu, avec l'aide du plateau technique du centre hospitalier de Pau, mon quatrième protocole scientifique et médical : une étude sur la vue. Le but est d'établir avant mon départ un état de ma vision et de constater les éventuelles modifications liées aux conditions extrêmes que j'aurai endurées. Souriante, sa queue de cheval dégageant un visage aux traits fins, Natalie réalise tous les tests qu'elle a programmés. Assise devant son microscope, aussi calme dans sa blouse blanche à maîtriser les technologies de dernière génération qu'elle sait l'être dans une combinaison de plongée, ou inconfortablement suspendue à un rappel de quarante mètres, elle m'ausculte avec rigueur et précision. Elle est déjà impatiente d'établir ses observations à

mon retour. La journée commence par des examens fonc-
tionnels sur l'acuité visuelle, la sensibilité aux contrastes et la
vision des couleurs. Ils sont complétés par des observations
anatomiques réalisées avec la lampe à fente et le tonomètre
(qui permet de mesurer la pression intra-oculaire). La « pa-
chymétrie » permettra de mesurer, par ailleurs, l'épaisseur
de la cornée grâce à des ultrasons. Je passe également une
échographie orbitaire. La fin de la matinée est occupée par
des examens paracliniques : une étude du champ visuel, un
électrorétinogramme et le « potentiel évoqué visuel » : ce
dernier mesure la qualité de l'activité électrique entre l'œil
et le cerveau, par le seul circuit potentiel qu'est le nerf
optique. Cette étude sera complétée, *in situ*, par un autre
protocole sur l'acuité visuelle en milieu obscur, mis au point
par Christophe Fontvielle, professeur d'optique et chercheur
au CNES.

Je m'endors presque... On me place des lentilles
reliées à des électrodes qui tombent et retombent sous mes
paupières. Elles sont si lourdes, je ne peux pas les retenir...
Je lutte... Je suis claqué... Je n'y vois rien de zéro à cinq
mètres, et dire que ce soir je présente la dernière conférence
avant mon départ...

Resolute Bay...

À l'aéroport de Montréal, un homme à la corpulence solide, cheveux courts poivre et sel, les yeux clairs illuminant le visage carré des hommes d'action, m'attend. Toujours aussi souriant, enthousiaste et chaleureux, Raymond Jourdain a la richesse intérieure et le calme communicatif de ceux auprès desquels on peut toujours apprendre, comprendre et aussi se reconstruire. C'est en expédition, au contact de la banquise, qu'est née mon amitié avec le capitaine Jourdain, commandant de bord et pilote des glaces canadien (*Ice Navigator*). C'est un spécialiste de l'exploration, de la physiographie, du climat, des courants et des marées, de la géographie et de la survie dans l'Arctique. Il est rompu à la navigation, au convoyage de navires dans les glaces et à toute assistance d'un bâtiment naviguant dans l'Arctique canadien. Depuis mon retour du pôle nord magnétique, Raymond m'envoie de très précieux renseignements, des documents et des ouvrages déterminants pour la préparation de l'expédition. Il a accepté d'être mon coordinateur pendant l'expédition et me remettra dans l'avion pour Paris à la fin de l'aventure !

Je retrouve également Guillaume, le fils de mon ami Rémy Marion. Rémy est lui-même voyageur polaire, conférencier et photographe. J'ai proposé à Guillaume de venir passer avec moi ces quelques jours de préparation avant le grand départ. Raymond nous emmène à Ottawa, d'où nous partirons pour l'Arctique le lendemain matin. Ce sont deux heures de discussion ininterrompue, sur l'expédition et à propos de l'éolienne qu'il pourrait me trouver... Nous prenons un rapide dîner pendant lequel je remets à Raymond le dossier des procédures d'urgence, et le voilà reparti vers Montréal...

Après avoir survolé le Québec et la baie d'Ungava, nous faisons une courte escale en terre de Baffin, à Iqaluit, anciennement appelée Frobisher Bay, puis repartons vers l'île de Cornwallis.

Il est 13 h 30, heure locale, ce samedi 5 octobre 2002, quand le 727 mi-cargo mi-passagers de First Air, la compagnie aérienne de l'Arctique, vire une dernière fois sur la pointe sud de l'île. Toutes les procédures de sécurité pour l'atterrissage viennent d'être crachées en anglais, en français et en inuktitut par un haut-parleur qui sature... L'avion s'aligne sur la piste tout juste libérée par les immenses chasse-neige. J'aperçois les quelques petites taches noires des bâtiments qui contrastent vivement avec le blanc aveuglant qui recouvre Resolute Bay. Le temps est splendide, et le ciel d'une pureté incroyable. Le soleil chauffe au travers des hublots, comme pour nous narguer une dernière fois avant le choc thermique à la passerelle. Le commandant a annoncé − 17 °C...

La première bouffée de cet air glacé est fantastique ! Le goût et l'odeur du froid viennent imprégner les muqueuses : j'attendais ce moment depuis un an et demi...

J'y suis, pas de doute, pas de peur, pas de machine arrière. Ces premières sensations sont formidables.

Nous sommes accueillis par Gary Johnson, le dynamique manager de la Coopérative, la « Co-op », comme on dit en deux temps en Arctique. Il m'annonce que mon matériel est déjà stocké dans le « garage », ce hangar de l'hôtel réservé à la logistique des expéditions.

Le moteur du gros pick-up Dodge qui nous attend tourne. À cause des grands froids, on ne l'éteint pas entre deux courses. La nuit, par des câbles qui sortent des bâtiments et qui sont réservés à cet effet, on recharge les batteries. Mais surtout, comme c'est l'habitude vitale dans ces contrées, on ne ferme jamais à clé les portières : si un ours rôde, il faut pouvoir se réfugier rapidement dans la voiture...

Tout au long des huit kilomètres qui relient l'aéroport à la petite base, un vent léger mais glacial soulève la neige qui ondule et rampe sur la route comme mille serpents. La puissante ventilation d'air chaud bruyamment pulsé couvre notre discussion débridée avec Gary : nos connaissances communes, le froid, les ours...

L'accueil de Diana Fisher est chaleureux. Nous avons échangé des dizaines de coups de téléphone, fax et mails pour préparer cette arrivée. Nous faisons un tour rapide du Qaussuituq Inns North : une miniréception fermant par un volet roulant, la salle à manger où l'on trouve en permanence café, lait et boissons diverses, ainsi que fruits et cookies faits maison pour les petites fringales. À l'étage, on trouve la salle de réunion, sa grande table, ses deux ordinateurs, le coin télévision et la bibliothèque. Puis les chambres confortables dont je vais profiter quelques jours... Ma première nuit est excellente. Cela faisait longtemps que je n'avais pas si bien dormi...

Le lendemain, nous commençons la journée avec Guillaume par la mise en œuvre des téléphones satellitaires Iridium et des balises Argos « Aventure TAT 3 ». Nous établissons les premiers contacts avec Maryse, Léo, Rémy et Raymond, puis avec le service des opérations de CLS. Celui-ci nous confirme bien l'arrivée des messages émis par les balises depuis Resolute Bay : 74° 43' nord-094° 59' ouest... Mes coordinateurs suivront l'aventure d'une part grâce aux vacations établies avec le téléphone et, d'autre part, grâce à la balise portative Argos, qui transmettra toutes les quatre-vingt-dix secondes des messages précodés via les satellites. Toutefois, en cas de réception du message d'alerte et de danger, le service des opérations de CLS n'est pas chargé d'assurer l'assistance : il localise l'utilisateur par satellite et prévient les coordinateurs qui mobiliseront la chaîne des secours préalablement définie.

J'en profite pour compléter mon dossier des procédures d'urgence et l'actualiser. Le rôle des coordinateurs et les caractéristiques de l'intervention en cas d'appel de détresse y sont exposés avec précision. L'évacuation se fera vers la structure hospitalière la plus proche : en l'occurrence, le petit dispensaire de Resolute. Ce sera la première étape avant l'hôpital d'Iqaluit, en terre de Baffin, situé à deux heures de vol en jet, puis Ottawa, Montréal et Toulouse...

L'après-midi, nous déconditionnons le matériel dont nous avons besoin pour les premiers entraînements et tests divers : tentes, skis, vêtements, harnais, *pulkas* (traîneaux en forme de petite barque). Lors d'une longue balade dans la baie de Resolute déjà prise par les glaces, nous croisons les premières empreintes de *Nanook* : l'« ours blanc » en inuktitut... Ce sont celles des grosses pattes, larges et bien marquées, d'un ours de belle taille qui arrivait du fond de la baie. En provenance de la décharge, il a probablement été effrayé par quelque chien et a subitement changé de direction. Il est reparti vers les collines de Prospect Hills, pointe sud de Cornwallis qui plonge dans le détroit de Barrow. Le temps se couvre, et les premiers picotements sur les joues, précisément à l'endroit des gelures de l'année dernière, m'indiquent qu'il est temps de rentrer. J'ai dix jours pour me préparer définitivement au grand voyage.

Mardi 8 octobre : réunion avec Franco Radeschi et Mike Turner, les officiers de la Royal Canadian Mounted Police – la prestigieuse police montée canadienne –, usuellement appelés les R. C. M. P. Ils ont en charge la sécurité de cette petite communauté de cent quatre-vingts Canadiens. Je leur fais un exposé précis sur le déroulement de l'expédition. Ils me demandent de remplir un dossier très complet : identité et détails morphologiques, itinéraires et références des cartes, dates et lieu de l'aventure, couleurs des tentes et des vêtements. Il me faut préciser les moyens de mise en place sur le lieu de l'hivernage, les moyens de communication et de sécurité, et aussi les personnes à prévenir en cas d'accident... Tout doit être noté : nombre de chiens, armement, quantité de vivres, mes expériences passées, mes connaissances sur le milieu et la survie en général. En cas de coup dur, Franco et Mike devront déclencher les opérations « *Search and Rescue* ».

Les journées défilent très vite. Achats de matériel, de vivres frais, entraînements... Il me faut monter la tente, seul, dans le blizzard, avec la plus grande efficacité et rapidement. Nous faisons donc des adaptations du matériel. Guillaume, avec grand soin, précision et patience réalise les tâches demandées. De bonnes idées en bonnes initiatives, son aide m'est précieuse. Pour gagner du temps au montage et au démontage, nous modifions par exemple les arceaux de la tente de façon à pouvoir les laisser emboîtés dans leurs fourreaux ; nous concevons aussi un système antidérapant, qui permet une bonne préhension du premier tronçon malgré le port des gants. À − 30 °C, il faut impérativement préserver les mains du froid : chaque seconde compte ! Pendant ces entraînements, je noue autour de mes hanches une solide ligne de vie, reliée à la tente par un mousqueton : elle empêche la tente de s'envoler. Sinon, en cas de maladresse, je serais à jamais démuni de mon bien le plus cher : mon abri ! Les essais, seul et par grand vent, sont concluants.

La préparation physique continue. Lors de mini-raids à skis autour de Resolute, Guillaume se rend compte que, par temps de blizzard, « dans ce milieu, ça ne joue pas... ». Bourrasques glaciales déstabilisantes, visibilité réduite, efforts à gérer, les mains et le visage qui gèlent rapidement, lui donnent un aperçu de ce qui m'attend. Mais le réconfort d'une chambre douillette, la promesse d'une douche chaude et les cookies de Diana sont à portée de mains.

Dans les rues de la base, le combat entre le blizzard qui déplace des tonnes de neige et les puissants chasse-neige est incessant. En quelques heures, le vent dresse des murs de poudre blanche solidifiée qui recouvrent tout et engloutissent les maisons jusqu'au toit. Décollées du sol, les habitations sont posées sur des pieux profondément ancrés dans le permafrost ou pergélisol, ces terres congelées en permanence en profondeur. Ainsi, en été, elles ne s'enfoncent pas dans la partie superficielle qui dégèle, formant d'épouvantables mares de boues. En septembre, elles échappent au froid de la terre qui, sous l'effet du gel, regonfle. Toutes les ruelles partent ou arrivent de la route circulaire qui ceint le hameau. Elles desservent la petite école, l'église anglicane Saint-Barnabas, la caserne des pompiers, le poste de police, le gymnase et, bien évidemment, la « Co-op »... La coopérative est l'unique magasin d'« alimentation-quincaillerie-prêt-à-porter-charcuterie-hi-fi-papeterie-cadeaux-poste-banque   et garage » de la communauté ! On y trouve aussi bien des vivres frais « selon arrivage », que des clous de charpentier, une parka « grand froid », le dernier CD de Michael Jackson et les guirlandes électriques pour Noël... Tout cela dans un parfum surchauffé, unique et inoubliable de fruits et légumes, bottes en caoutchouc, cire de bougies, graisse automobile, auquel s'ajoute celui des vêtements imprégnés des lourds effluves de chairs et de peaux de phoques... La « Co-op », rendez-vous commerçant, social et politique est le passage obligé de la journée. Tout le monde y est client et propriétaire. Elle appartient et est dirigée par ceux qu'elle sert. Toutefois, les Inuit (les « hommes » en inuktitut) exploitent toujours leur territoire pour subvenir à leurs besoins. Ils continuent de pratiquer la pêche, la chasse et le piégeage, car, compte tenu des coûts d'approvisionnement dans ces contrées hostiles, les denrées y sont deux à trois fois plus chères que dans le Sud.

Le bateau de ravitaillement a largué les amarres. Il ne vient ici qu'une fois par an, en septembre, et décharge en trois jours son ventre lourd. Les va-et-vient entre le dock, le village et l'aéroport ont cessé. L'automne est tombé sur Resolute Bay.

Les coques en aluminium des embarcations de pêche ont été remontées sur les berges, jusqu'à l'année prochaine : les Inuit les ont éloignées des mâchoires de glace de la banquise conquérante.

Les quads ont peu à peu été remplacés : en effet, les quatre roues sont devenues inefficaces dans les premières neiges molles. Ils ont laissé la place aux scooters et à leurs puissantes chenilles. Certains vont définitivement être jetés çà et là aux portes de Resolute ou au bord de la baie. On attend les subventions annuelles et le tout dernier modèle : grâce à une « attestation » d'accident faisant foi, on se fera remplacer le modèle volontairement abandonné ! Depuis l'avènement de ces mécaniques, le sol est jonché de carcasses d'engins motorisés. Paradoxe de cette nature sauvage. Les poubelles d'acier côtoient les ours, les narvals et les bélougas...

Les jours diminuent inexorablement, et le ciel s'assombrit sous les nuages menaçants chargés de glace en poudre. Je croise les gens emmitouflés dans leurs parkas, tête dans les épaules : ils conduisent leur scooter d'une main, l'autre au chaud dans la poche. Les enfants jouent avec leurs luges sur les immenses talus repoussés par le chasse-neige, et je ne peux m'empêcher d'imaginer que, dans quelques semaines, la vie tournera ici au ralenti. Elle sera toutefois rythmée par les danses, compétitions et jeux inuit organisés au gymnasium, puis par les fêtes de fin d'année. Resolute est une des premières escales vers le sud du Père Noël qui arrive du pôle Nord...

À la suite de longs entretiens avec Raymond, je commande mon éolienne. Il me la fera livrer après y avoir fait réaliser les adaptations nécessaires : en effet, elle fournit du courant en 110 volts, et mon Iridium se charge en 220 volts. Je vais réaliser mon rêve : communiquer grâce au vent ! J'appelle Léo et Maryse pour leur annoncer la bonne nouvelle et faire un point sur la situation. J'en profite pour répondre aux dizaines de mails envoyés par les élèves de l'école Montalembert, à Toulouse. J'ai fait dans cette école toute ma scolarité, du CM2 au bac. J'y ai été pion puis moniteur de colonie. L'*affectio* est donc fort. Depuis deux ans, nous avons développé un projet pédagogique avec une équipe de professeurs. J'ai déjà en tête de faire découvrir à quelques-uns ce monde surprenant...

Nous passons beaucoup de temps en entraînement et au « garage », pour préparer le matériel, faire les essais de consommation des réchauds et reconditionner les cantines en fonction des nouveaux achats : machette à glace, scie, gros clous de charpentier, lanternes à essence, manchons et globes de rechange, boîtes d'allumettes et briquets, réchauds de survie à alcool solidifié. Je présente aussi à tous ceux qui passent la logistique de l'expédition. Je rencontre certains regards dubitatifs qui me confirment que ce pari est fou. Mais je reste très attentif au moindre conseil dispensé par les Inuit, j'écoute les histoires... Je vis pleinement ces moments uniques de préparation, instants magiques où se mêlent l'enthousiasme de l'action et la tension du contrôle permanent. Dans quelques jours, c'est vrai, je serai seul pour de longs mois. Je n'ai pas le droit à l'erreur.

Mon corps s'adapte à cette nouvelle latitude, et l'hôtel me paraît de plus en plus surchauffé. Dans la salle de réunion, je commence un entretien sérieux avec Paul Amagoalik, à propos de mon nouveau lieu d'hivernage, puisque je ne vais plus sur Somerset comme je l'avais prévu... Paul, l'Inuk – singulier de Inuit –, au visage mat et sans âge, m'écoute. Ses yeux foncés, bridés et souriants, m'observent. Il a des cheveux noirs et raides, et des pommettes saillantes ciselées par le froid et le vent. Véritable fils du soleil et de la

glace, à la voix douce et au calme olympien. Ses coudes posés
sur la table, il entoure de ses deux mains – mordues par le
gel et brûlées par la neige – le bol fumant de café trop chaud
et dévisage à travers les vapeurs celui dont tout le monde
parle dans Resolute... Celui qui va partir « seul, dans la nuit
polaire »... Le silence et les regards vont sceller notre amitié
et notre respect mutuel. Je sais dès cet instant que c'est à
Paul que je vais demander d'organiser ma dépose.

De cartes marines en cartes aériennes, de longs
moments de réflexion en options commentées avec passion,
Paul me propose finalement de réaliser mon isolement à une
centaine de kilomètres au nord-est de Cornwallis. Au bord
du lac Eleanor se trouve une petite cabane de bois... Nous
devons organiser une odyssée en *skidoo* et *komatiks* (traîneaux
inuit). Je vais partir beaucoup plus au nord que prévu, au-
delà des 75 ° de latitude, vers un lieu sacré et protégé : *Inuit
Land*, la « terre des Inuit »...

13 octobre : Guillaume quitte à regret Cornwallis.
Il m'a bien assisté pendant cette longue semaine et il est
frustré de ne pouvoir m'accompagner jusqu'à mon lieu d'hivernage. J'espère qu'il repart satisfait d'une expérience
unique chargée d'émotions fortes, de relations enrichissantes
et de connaissances originales. Elles viendront valoriser un
peu plus sa besace de futur bourlingueur, en lui ouvrant
davantage les yeux sur le monde dont il fait partie. Il pourra
partager avec humilité une aventure dont peu de jeunes peuvent se prévaloir... à moins de vingt ans !

À J – 4 du départ, je vais à la recherche de mes
qimmiq, les « chiens », en inuktitut. Je suis décidé à en
prendre deux pour assurer ma sécurité contre les ours. Nous
partons en scooter avec Hans, propriétaire d'une meute atta-

chée au bord de la baie. C'est une cacophonie qui nous accueille ; une vingtaine de chiens hurlent. Presque tous tirent sur leur chaîne solidement ancrée au sol, espérant peut-être quelque pitance apportée par leur maître.

La distance entre chaque animal est étudiée : les chiens ne doivent pas pouvoir se battre, ni attraper la nourriture déposée devant un autre chien par l'Inuk. L'endroit est jonché d'excréments congelés et de restes rougeâtres de phoques déchiquetés De vieilles planches font office de niches pour des animaux qui semblent bien mal en point... Hans me parle et me montre çà et là des animaux, mais mon attention se porte sur deux magnifiques chiens blancs : au contraire du reste de la meute, ils sont attachés l'un près de l'autre. Ils se montrent dociles et affectueux à mon approche. Le courant passe tout de suite. L'Inuk m'apprend que ce sont le frère et la sœur. Je n'ai jamais eu de chien. Je ne sais pas si ces deux-là seront de bonnes sonnettes d'alarme contre les ours, mais mon choix est fait. Hans m'informe que la femelle, Michima – prononcer « Mi-tchi-ma » – va mettre bas dans deux mois... Il me demande de ne garder aucun chiot à la naissance. Je réponds : « Oui, mais on verra... » Je comprends bien qu'il ne veut pas que je ramène huit ou dix bouches de plus à nourrir, mais on verra !

Je baptiserai plus tard le frère sans nom.

Après quelques bonnes claques affectueuses données à « mes » chiens, nous repartons vers la « Co-op » où j'achète cent kilos de croquettes, paie Hans pour la location de ses bêtes, puis récupère les chaînes et harnais qu'il me prête.

J'en profite pour stocker au garage mes cent soixante litres de carburant et dépose dans la chambre froide de l'hôtel vingt kilos de plaquettes de beurre, grosses barres de fromage cheddar, saucisses sèches et saucissons à l'ail locaux, sachets de fromages râpés divers et variés. Ces vivres frais viennent compléter en laitages et protéines mes provisions pour l'expédition.

C'est sous un magnifique soleil que j'accueille à l'aéroport Rémy Marion. Notre complicité est née à bord des bateaux : des eaux tumultueuses de la baie d'Hudson aux icebergs dérivants du Labrador, de l'île d'Akpatok et ses ours blancs à la terre de Baffin. Depuis des mois déjà, nous travaillons à la préparation de cette expédition. Il en est le troisième coordinateur.

Rémy est venu « couvrir » l'événement de ma dépose au lac Eleanor. Il est accompagné par le très sympathique « envoyé spécial » de mes partenaires de Caen, Olivier de Marcellus, dont la surprise et le bonheur de goûter à l'Arctique n'ont d'égal que la gentillesse et le dévouement. Je les mets immédiatement dans l'ambiance, afin que tout le monde soit prêt le lendemain matin pour la grande aventure...

Je ferme une dernière fois les cantines, après avoir ajouté à ces huit cents kilos quelques livres et documents, ainsi qu'une partie du matériel photo que me prête Rémy. Assis sur les caisses dans la chaleur du garage, nous faisons ensemble un dernier point. Une mèche de cheveux bruns incurvée sur le côté droit de son large front, une moustache bien fournie descendant plus bas que la commissure des lèvres, Rémy me sourit au travers de ses lunettes et me demande si je suis prêt...

Après une nuit blanche, j'appelle la météo de Resolute. Malgré un ciel dégagé, elle annonce du blizzard... Tout le monde est sur le pied de guerre, mais Paul, plénipotentiaire, reporte le départ au lendemain. Nous profitons de cette journée de temps libre imprévue pour faire une belle balade en *skidoo* vers la banquise. Nous faisons des photos et suivons même un ours qui fuit. C'est sous un ciel menaçant et des bourrasques glaciales que nous rentrons à la base. Il n'aurait pas fait bon être dans la tempête au milieu de nulle part, sans visibilité, avec tous les risques encourus. La nature est la plus forte. Elle justifie ainsi la décision frustrante de ce matin, m'apaisant un peu. Patience... Le maître mot.

Le blizzard souffle toute la nuit et encore toute la journée suivante. Lancinante puissance mécanique qui cisèle la nature, soulève la neige et assombrit le ciel, il donne aux gens qui marchent l'allure de sauteurs à skis après leur envol. Il crée une impalpable tension... Patience et encore patience.

Et enfin, le moment tant attendu arrive. Samedi 19 octobre, la nature me donne son autorisation. Mon cœur bat très fort. L'agitation qui règne autour du matériel est telle que l'on ne fait pas attention au froid qui pique et aux onglées naissantes. On ne peut pas enlever les gants... Les cantines aux couleurs encore vives sont très sérieusement arrimées par Paul sur les *komatiks*. Les quatre *skidoos* sont regroupés, et les chiens attachés dans un traîneau. Les consignes de sécurité et l'ordre de progression sont répétés à l'équipe devant un dernier café : Paul ouvre le convoi, je le suis, puis vient Rémy ; Gary ferme la marche.

« Pas trop près les uns des autres, mais suffisamment pour garder un contact visuel. On ne s'arrête pas en côte sinon, plantés dans la neige, on ne redémarre pas... Si l'un d'entre nous se plante, le suivant doit être sûr de pouvoir redémarrer à son tour ; il ne s'arrête que plus loin, plutôt dans une descente, avant de venir aider l'autre. »

La communauté de Resolute est là. Les dernières embrassades, les dernières consignes, les derniers conseils et encouragements de Franco et Mike : « *Take care my friend.* » Les dernières boutades de mes amis canadiens sur ma date de retour, et les paris en cours... « *Seventy days* Stéphane, *seventy days !* » ou encore : « *See you for Christmas.* » Eux qui vivent au cœur du continent arctique n'imaginent pas que je puisse tenir plus de soixante-dix jours...

Les cagoules sont remontées sur la bouche. Les masques Néoprène et antigivre sont en place sur la tête. Les fermetures des vestes remontées sur les épaisseurs de laine polaire, les surmoufles vissées haut sur les avant-bras... J'exulte en silence sous le carcan des protections ! La caravane s'ébranle lentement sur les ruelles verglacées... À 11 h 30, nous contournons Resolute par le sud, avant de repiquer plein nord vers un paysage magnifique : un désert blanc, vallonné à perte de vue, balayé par ces borées qui font courir au sol une mince pellicule de neige. Nous sommes escortés un moment par Franco et Olivier qui, malheureusement, devra faire demi-tour pour prendre son avion, les yeux remplis de souvenirs uniques.

Très chargé, deux cent cinquante kilos derrière chaque scooter, on ne s'arrête pas pour les derniers adieux, levant à peine un bras en guise d'au revoir. On s'engouffre à fond, à cause de l'épaisseur de la neige, dans le V étroit d'un somptueux ravin aux parois de glace, décor féerique duquel surgit... un ours blanc ! Apeuré par la chevauchée mécanique, brassant la neige molle comme pour surnager dans cette eau de poudre sur laquelle nous ne pouvons pas non plus nous arrêter, son instinct le guide vers la première marche solide de permafrost. Le majestueux *Nanook* croise ma route à cinquante mètres. Le ton est donné..

Seul...

Je ne vois plus Rémy depuis un moment. Inquiet, je décide d'attendre le reste du convoi qui est sans arme, laissant partir Paul loin devant. Je suis immobile depuis une dizaine de minutes quand, enfin, les phares du scooter de Rémy apparaissent au détour des gorges de glace. Il me rejoint. Il est sans nouvelles de Gary... C'est beau la théorie des consignes de sécurité et de l'ordre de progression ! Je me sens tellement responsable de cette équipée... Finalement, Gary arrive au loin et nous fait signe de redémarrer ; on parlera plus loin, à la halte. Celle-ci est bienvenue après une heure trente non-stop. Gary nous raconte qu'il s'est renversé. Heureusement, pas de blessures. Les soucis continuent avec la motoneige de Rémy, qui peine : elle n'a pas de reprise. Les arrêts en côte sont incessants. Nous sommes engoncés dans nos vêtements, et les efforts pour faire repartir scooter et luge sont pénibles... Avec Gary, nous poussons la machine, la soulevons pour que la chenille s'emballe, morde dans la croûte de neige et reprenne appui pour permette à Rémy de repartir... On dégouline, imprégnant d'eau nos premières couches thermiques, dans ce pays où il n'est pas permis de transpirer... Ça, c'est du raid ! Mais ça « caille »...

Je décide finalement de prendre le scooter de Rémy. À partir de ce moment, je ne m'arrête plus. Comme convenu, à chaque point GPS de Paul, je lui tourne autour en décrivant de très larges cercles, car l'ensemble *skidoo*-traîneau n'est pas très manœuvrant ; il m'indique alors du bras la direction à suivre, et je prends la tête du convoi. Je fais mon propre point en alignant les repères de la nature, les collines et le soleil. Je suis euphorique. Je suis seul par nécessité devant le convoi, à toute vitesse sur cette étendue glacée. Le bonheur de l'action m'envahit, la liberté totale m'attend...

Dans les descentes, le *komatik* est si lourd qu'il rattrape le *skidoo*... Il faut en permanence évaluer l'état de la neige verglacée, la vitesse du *skidoo*, celle du traîneau et la bonne pente à prendre. Il faut parfois être à fond, poignées bloquées, dans des pentes de plus de 30 ° avec le *komatik* qui glisse... à côté du scooter !

Prise de risque maximale, aux limites des effets cumulés de la vitesse, de la machine et de la pente, il faut en permanence garder la corde d'amarrage tendue pour profiter, dès le fond du thalweg, de l'inertie et avoir suffisamment d'élan pour avaler le plus de côte possible vers la ligne de crête. C'est sport. Ce n'est pas de l'inconscience, ce n'est pas de la folie, mais peut-être une idée plus précise de ce qu'est le cran. Nous faisons cela pendant plus de trois heures jusqu'à l'épuisement total de la machine de Rémy ! Dans un site somptueux, ressemblant au cratère d'un volcan apaisé, sous un coucher de soleil explosif, le scooter rend l'âme... Il est 16 heures. On est obligé de le laisser sur place, avec des cantines de nourriture et du matériel, après avoir noté la position avec le GPS. Il sera récupéré au retour et posé sur un traîneau vide. Mon alimentation me sera livrée lors d'une autre rotation. La course contre la montre et le soleil est engagée. On ne perd pas de temps. Rémy embarque derrière Paul, je récupère mon scooter et nous repartons.

Deux heures plus tard, c'est l'engin surchargé de Paul qui montre des signes de faiblesse. Pas étonnant : il avance avec une seule bougie. Le convoi s'arrête pour la vingtième fois au moins... La lumière disparaît avec le soleil, mais on reprend la progression jusqu'à la nuit.

À 20 heures, la décision est prise. On monte le camp. Nous avons fait un peu plus de la moitié du parcours. Je libère les *qimmiq* de leur niche improvisée, tout en les laissant attachés à leurs chaînes. Paul et Rémy commencent des réparations sur le moteur, à la lueur des lampes frontales et des phares des autres machines. Gary et moi dressons la tente. La lune encore pleine surgit derrière nous, magnifiquement auréolée mais accompagnée d'une onde de froid qui nous saisit tous. À tour de rôle, on essaie de lancer l'engin en panne à s'en décrocher les épaules, mais rien n'y fait. Les mains souffrent, les chairs parfois brûlées par mégarde par le moteur encore chaud, ou la pulpe collée par le froid sur du métal qui a pris la température du moment : − 20 °C. Les onglées font mal. On s'installe au chaud sous la tente rapidement montée grâce aux astuces de la préparation. Ce moment de « camping » pas comme les autres est convivial. Nous échangeons les uns et les autres nos bonnes histoires ou évoquons nos traditions européennes, nord-américaines et inuit. Gauloises ou graveleuses, certaines blagues semblent universelles... Elles font rire les quatre commensaux réchauffés que nous sommes. Je suis décontracté, je n'ai plus de rendez-vous et c'est l'aventure ! La nuit est plutôt bonne, mais le réveil, lui, plutôt désagréable : le nez contre la toile de tente recouverte de givre sous l'effet de la condensation qui a gelé... Avant même de bouger, on racle l'intérieur de la toile pour éviter les chutes de neige sur les sacs de couchage et les vêtements. Le petit déjeuner à l'abri de ma grande caisse à *pulkas* est frugal. Nous transmettons à Resolute et à Toulouse la position du camp. Léo et Maryse doivent s'inquiéter en lisant l'écran : le difficile terrain nous a imposé de nous écarter de notre route. Ce matin, nous sommes noyés dans le « *white out* », cet épais brouillard blanc et aveuglant qui ne permet même pas de distinguer les reliefs. Tout est lait, coton, et les yeux ne savent pas où accommoder. Le *skidoo* de Paul redémarre, même sur une patte. Mais pour alléger l'engin, on doit laisser un traîneau de plus avec matériel, vivres, jerricans de carburant. Ah, si seulement j'étais mécanicien... Je conserve toutefois quarante litres de carburant et deux sacs d'alimentation pour chiens. À 10 h 30, nous repartons après un nouveau point GPS. Je suis épaté par la résistance des *komatiks*, ces longues luges de bois aux patins protégés d'une lame métallique. Les pièces ne sont reliées qu'avec de la cordelette : cela leur assure ainsi souplesse et mobilité. Sous de lourdes charges et dans les reliefs chaotiques, ils peuvent se vriller sans rompre : c'est le fruit de l'intelligence pratique, de la connaissance et de l'expérience des fils de la nature... Jadis, ils reliaient les pièces de leurs traîneaux avec des lanières de peaux de phoques ; ils enduisaient de temps en temps de boue ou de fanons de baleine ces patins soigneusement mouillés, afin de conserver la mince couche de glace qui leur permettait de glisser plus facilement.

Rémy embarque derrière moi. La navigation très lente se fait à l'aveuglette. Je colle à notre guide tout en me

retournant très souvent pour contrôler que Gary est bien là.
D'un signe convenu, il m'indique systématiquement que tout
va bien. De temps en temps, le brouillard se lève et laisse
apparaître un bout de ciel bleu et le halo aveuglant d'un
soleil caché qui essaie de percer ; puis, de nouveau, l'enveloppe de coton tombe sur le groupe qui ralentit, de peur de
frôler à trop grande vitesse les ravines abruptes de Cornwallis. Aucune lecture du terrain n'est vraiment possible. Il est
difficile de discerner le haut du bas. Il faut être concentré. Il
faut plisser et forcer les yeux à révéler un relief, sur lequel
on glisse lentement. Plusieurs points GPS sont nécessaires à
Paul. Puis, chaque fois, le convoi s'ébranle lentement. J'ai de
la buée à l'intérieur de mon masque. Rémy me passe le sien,
mais rien n'y fait : elle revient aussitôt. C'est exaspérant. J'arrache tout et remonte bien haut ma capuche pour me protéger le visage au maximum, car les pommettes et les ailes du
nez brûlent déjà.

Comme prévu au dernier point « topo », une
grande dépression apparaît devant nous, accouchant d'une
longue rivière, langue glaciaire qui se jettera dans le lac. La
chape de brume s'est dispersée. Le site est extraordinaire-
ment beau, mélange de glaces bleutées, de neige immaculée
et de rochers noirs qui laissent deviner à l'esprit imaginatif
des formes familières. Répondant parfois à mon bras qui
indique une direction, les borborygmes glacés d'un Rémy
cristallisé arrivent à peine à mes oreilles gelées. Nous ne
sommes plus très loin. Les skis et les chenilles accrochent sur
la rivière de glace et me rapprochent d'Eleanor Lake... La
vallée momifiée, encadrée des versants qui la protègent,
s'ouvre devant moi, titillant à chaque méandre mon impatience qui grandit. La cabane doit être là, quelque part, je la
cherche sans la voir et, subitement, au détour d'un mouve-

ment de terrain, récompense ultime accordée aux hommes qui ont souffert, réconfort promis aux peaux qui ont gelé, elle apparaît, juchée sur une terrasse alluviale. Elle domine de quelques mètres la rivière immobile et le lac prisonnier...

Tout en pilotant le « scoot », je ne la quitte pas des yeux. L'endroit est superbe, d'une beauté que peu de regards ont la chance d'embrasser dans une vie. Nous contournons la butte et stoppons enfin les machines. Des poignées de mains et des sourires silencieux scellent notre victoire, dans l'odeur du carburant pulvérisé en gouttelettes sur nos combinaisons par l'engin qui nous précédait.

Devant nous s'étend, sur sa plus grande longueur, le lac Eleanor. Gelé et recouvert de neige, il est étroitement encadré par deux montagnes qui le pincent au nord-est par un verrou glaciaire. Au-delà, c'est le détroit de Wellington et, plus au nord, l'océan Arctique ! Le ciel, pastel de bleus et de roses confondus sur les neiges des versants montagneux, vient magnifier un site déjà grandiose.

Maintenant, il faut agir, car il ne fait pas très chaud. J'attache les chiens à un chevron de la cabane, puis on enlève la grande planche de contreplaqué clouée sur la porte : elle protège les lieux des intrusions animales. Un rapide coup d'œil révèle, dans une semi-obscurité, deux lits métalliques qui occupent presque toute la longueur de la cabane, un petit guéridon crasseux, une chaise et quelques détritus sur le sol. Rémy prend des photos, et nous rejoignons Paul. Le pêcheur-chasseur a immédiatement été attiré par le lac nourricier... Aidé d'un lourd pic métallique et d'une grande tarière à mains, il a déjà percé les trente centimètres de la glace encore jeune, atteint l'eau sombre et jeté une première ligne. Il est accroupi très bas sur ses talons, dans une position ancestrale, la ligne posée au creux de la première phalange de son index sans gant. Il observe, lit la glace, les ombres et les frémissements de l'onde. Il attend, fait corps avec le lac... Il sait... Il sait encore, comme ses ancêtres le lui ont appris, s'adapter aux ressources limitées de ce milieu inhospitalier qui impose une lutte incessante pour l'existence. Peut-être fait-il partie de la dernière génération qui transmettra les traditions : chasser le phoque, le narval ou le morse, le caribou, le lièvre ou le renard pour en tirer sa subsistance et celle de ses chiens. Utiliser la moindre partie de son butin, pour fabriquer des vêtements, du combustible et les matériaux nécessaires à la construction des traîneaux et des embarcations... Il faut être ingénieux pour survivre dans le plus rude et le plus exigeant des milieux terrestres ! Mais ce mode de vie est en perdition. Les clous et les cordes de Nylon vont irrémédiablement remplacer les fanons de baleine et les lanières de peaux de phoque...

Je distribue à Gary et Rémy les lignes préalablement montées de mon kit de survie, soigneusement préparé avec mon ami et trésorier Michel, pêcheur et plongeur sous-marin. Après avoir cassé son trou de glace, chacun s'abreuve de cette eau pure et glacée, puis attend les premières touches... Les oreilles bourdonnent, et le corps vibre encore de ces heures passées à cheval sur nos mécaniques. Peu à peu, dans la fraîcheur qui se pose, les yeux au fond de l'eau, la sérénité s'installe. Le silence est redevenu total. Le temps ne compte plus maintenant...

C'est Rémy qui sort le premier poisson. Incroyable, dix minutes de patience, et les hameçons sans appât nous livrent notre repas ! Quelques boîtes de conserve cabossées et de vieilles soupes en sachet trouvées dans la cabane feront l'affaire avec les derniers sandwichs de pain de mie malaxés et écrasés au fond des sacs. Le début de ma survie est assuré en attendant la livraison de mes vivres abandonnés au milieu de nulle part.

La première soirée dans cet abri surchauffé par nos réchauds est inoubliable. Paul m'informe que les températures vont descendre très bas dans la cabane. Elles seront identiques à celles de l'extérieur ! Personne n'a, à sa connaissance, encore réalisé une telle expérience, et il me faudra chauffer pour survivre. Je lui fais remarquer que je n'ai pas prévu de vivre ici tous les jours à 25 °C : si cela avait été le cas, ce sont cinq cents litres de carburant que j'aurais emportés, et non pas cent soixante !

Il exprime une autre de ses craintes : il ne faudrait pas que je devienne fou, tout seul dans l'obscurité... Tout pour m'encourager !

Je referme la porte de la cabane sur les sons diffus de rires, de gamelles raclées et des crachotements du réchaud. Je vais nourrir mes chiens. Le ciel est magnifiquement éclairé par une lune puissante qui gomme l'éclat des étoiles. Je ne me souviens plus de ce que j'ai raconté à mes compagnons à ce moment-là, mais je me rappelle qu'ils m'écoutèrent avec attention pendant que je les caressais.

Sorti trop légèrement vêtu, j'ai les doigts et le visage qui commencent à piquer. Je rentre. La neige glacée crisse sous mes pas. J'inspire profondément une dernière bouffée de cet air si pur.

À l'extinction des feux, glissé dans mon sac de couchage, je valide mentalement le début de l'hivernage.

Lundi 21 octobre au matin : petit déjeuner rapide, rangement d'appoint, préparation du départ de Paul, Gary et, surtout, de Rémy : témoin privilégié, il va donner à l'équipe les premières nouvelles.

Le scooter de Paul est laissé sur place : il sera récupéré au prochain voyage. Les fermes poignées de mains et les grandes claques fraternelles dans le dos donnent le signal d'un départ proche. Les chiens sont attachés. Je ne voudrais pas qu'ils suivent les motoneiges jusqu'à Resolute... Paul ouvre de nouveau la marche. Il fait une grande boucle pour éviter l'à-pic plongeant dans la rivière, et le convoi des deux scooters s'éloigne. Les bras de mes amis restent levés le plus longtemps possible. Trop engoncés dans leurs vêtements, ils ne peuvent pas se retourner. Je ne les quitte plus des yeux, jusqu'à leur entrée dans la vallée qui cette fois les aspire...

Seul... Je suis seul ! Une vague de bonheur intense déferle dans la moindre cellule de mon corps et colonise la totalité de mon être. Elle tire du plus profond de mes tripes ce cri que je ne peux pas retenir et qui va résonner longtemps dans ces montagnes arctiques...

Je m'assois dans ce silence absolu. J'écoute, apprécie et regarde ce paysage à la beauté époustouflante. Peu à peu les belles images se brouillent, car je visionne en quelques minutes les mois qui m'ont conduit ici. Fabuleux, tout simplement fabuleux.

Puis, finies l'exaltation, la jubilation. Le plaisir s'estompe, et une sensation presque indéfinissable m'envahit... Peut-être est-ce cela, la sérénité ?

Les cent sommeils...

J e profite de ce que mes batteries de téléphone sont encore chargées pour faire un rapide compte-rendu à Maryse. Ces téléphones satellitaires sont d'une qualité incontestable. Ils permettent des communications du bout du monde, même si les voix sont transformées, comme mixées avec une chambre à échos dans un tube de canalisation.

Je pars ensuite chercher de l'eau au lac. Je prends avec moi le mâle, sans laisse. Je n'ai aucune idée de ce que va être son comportement, alors j'ai préféré laisser Michima attachée, au cas où son frère se ferait la belle. Ce sont des hurlements pendant une heure. La chienne ne supporte pas d'être seule et de nous voir au loin ; le chien reste près de moi ou court sur la glace. Même si je semble me désintéresser de lui, je l'observe de très près, curieux et impatient de savoir ce qu'il va faire... Ces chiens sont très importants pour moi, je suis presque tendu. Pourtant, j'ai l'intuition qu'il ne va pas s'échapper, qu'il va revenir à côté de sa sœur.

Je choisis un des trous et casse facilement la glace qui s'est déjà reformée depuis hier. J'y plonge un sac étanche en Nylon et le ressors rempli d'eau fraîche. Pour mon alimentation et ma boisson, ça ira plus vite que de faire fondre de la neige. Après avoir glissé dans mon sac à dos ces quinze premiers litres, je repars vers la cabane, carabine à la main. Le chien vient se mettre en boule à côté de Michima qui se tait instantanément.

    Je confectionne ensuite un « pêcheur automatique » à l'aide de bouts de lattes étroites trouvées sous des planches posées çà et là autour de la cabane. J'en prends deux que je lie avec de la cordelette en une croix qui s'apparente à un « T », et je repars au lac. Cette fois, le chien reste attaché et je pars avec la chienne. Il se met à hurler pendant que Michima court à en perdre haleine. Arrivé sur la glace, je fixe une ligne de pêche à mon « T » renversé, au bout de la branche la plus longue du côté de l'axe horizontal ; je dispose l'ensemble à plat, en travers du trou, laissant filer ma ligne aux multiples hameçons. Le principe est très simple : dès qu'un poisson mord, la traction relève mon pêcheur qui m'indique par sa position haute que mon piège a fonctionné ! J'installe à l'autre bout de la longue branche verticale une flamme de tissu orange : elle me permettra de voir depuis la cabane si ça a mordu... J'ai à peine fini de confectionner un deuxième automate que le premier me donne un petit cousin du saumon : un omble arctique de vingt centimètres ! J'installe de nouveau l'ensemble des deux lignes et repars vers la cabane. Je me sens terriblement bien, alerte, vigile, très confiant dans mon organisation. Je savoure dans le froid piquant cette première victoire du candidat à la survie que je suis. Michima est revenue toute seule près de son frère encore sans nom, qui, lui aussi, se tait immédiatement.

    Cette deuxième journée est passée à une vitesse folle, sans que je fasse attention au soleil qui a profité que j'aie le dos tourné pour disparaître. Mon premier dîner est un festin, en tête à tête avec une bougie et un poisson !

Je me souviens qu'en août 1999, j'étais sur une île de la baie d'Hudson où deux bélougas venaient d'être chassés... Rude loi de la survie en Arctique. Ces baleines blanches, comme le narval d'ailleurs, fournissent le *mattaq*, une peau très caoutchouteuse à l'aspect de blanc d'œuf dur, prisée par les Inuit, car riche en vitamines.

Mes thermomètres sont restés dans les cantines abandonnées à l'aller. Je n'ai aucune idée de la température qu'il fait, mais je passe une heure à contempler le ciel dans le calme absolu. Il n'y a pas de vent, pas de mouvement, seulement ma respiration et cette vapeur épaisse « choquée » par la froidure de l'air. Je m'aperçois que je respire « en carré », très posément, comme si je voulais n'émettre aucun bruit, aucun souffle. Cette respiration abdominale m'a été enseignée par Christian Bourbon, dans le cadre de nos sessions sur la gestion du stress : j'inspire de l'air et expire durant le même laps de temps. Dans la respiration « en rectangle », autre technique, on expire sur un temps plus long que celui de l'inspiration.

Mon visage et mes mains se refroidissent, les pans de ma capuche se rigidifient... Je rentre après avoir été caresser mes chiens, tous les deux encore attachés. Nous sommes partis pour vivre ensemble une très longue aventure.

L'organisation de ma couche est la même qu'hier : mon matelas autogonflant est installé sur des planches posées en travers des deux armatures métalliques rouillées et déformées. J'éteins à minuit et demi et m'apprête à passer ma première nuit seul... Seul au bout du monde, dans cet univers qui bientôt ne sera que de glace et de nuit. Je suis si bien, au fond de mon sac. Malgré le film des dernières semaines qui revient encore à moi, je dors d'un bon sommeil, celui d'une sérénité enfin trouvée et du calme total.

Mardi 22 octobre : la journée commence par du rangement. Je suis étonné de la saleté de la cabane : sacs poubelles éventrés, amas de planches dispersés à l'extérieur. Cela me déplaît. Je vais la nettoyer petit à petit et y mettre de l'ordre. Elle appartient à l'organisation des trappeurs et chasseurs de Resolute, à laquelle j'ai dû remettre un dossier et une demande d'autorisation spéciale. Sur la carte géologique qui m'a été remise, l'île de Cornwallis est découpée en secteurs d'exploitations minières et en zones protégées : ce bâti est érigé sur une de ces dernières : la « terre des Inuit ». Je suis sur une de ces terres sacrées et inviolables. La partie « exploitation » du dossier ne concerne donc pas mon lieu d'hivernage : tonnage et nombre de véhicules, recyclage des eaux et huiles usées, durée du chantier... J'ai demandé quelles étaient les dispositions à prendre pour mes détritus, mais la réponse a été bien vague. Peu importe, je brûlerai le maximum de choses, écraserai les boîtes de conserve et rapporterai la totalité des poubelles dans des cantines vides.

Vers 16 heures, j'entends au loin le ronflement des motoneiges de Paul et Gary qui me rapportent le matériel. À leur approche, je note qu'il me manque encore six cantines... Que dire ? Rien. Ils n'ont pu revenir qu'avec le seul scooter assez puissant pour tirer un traîneau : c'est vrai que l'on en a déjà cassé deux. Je dois m'attendre à la facture salée des réparations et de ces allers-retours. Je demande à Gary de n'organiser la dernière rotation que lorsque l'éolienne aura été livrée à la base.

Cette fin de journée est consacrée à une magnifique balade. On fonce sur le lac Eleanor, vers le détroit de

Wellington. Les patins avant du scooter tapent sur la neige dure, et les chenilles mordent profondément la piste de glace. C'est aux limites du raisonnable que nous approchons, sous les phares des scooters, de l'eau salée et des immenses glaçons dérivants, emportés par de forts courants. Le froid est saisissant. Le ciel est de toute beauté, le soleil couché et la lune déjà debout à 17 heures. Les abords du littoral sont pris par des glaces très travaillées de banquise côtière tourmentée, signe irréfutable d'un embâcle actif. Nous n'arrêtons pas les moteurs dans ce coin plutôt lugubre et truffé d'empreintes d'ours toutes fraîches ! Il vaut mieux ne pas caler maintenant au bord d'une de ces baies chargées d'histoire, aux noms si évocateurs : Cape Rescue (le « cap du Sauvetage »), Separation Point (le « point de la Séparation »). Dans la petite brise piquante qui s'est levée, le clair de lune se reflète sur les plaques de glace qui dérivent. Je vois comme dans un rêve le *Terror* et l'*Erebus* : les voiles claquent fièrement dans le vent, et les coques raclent crânement les plaques de glace du canal de Wellington... Ils glissent là, juste devant moi, arrivant sur tribord du détroit de Lancaster. Ils y sont entrés en juillet, nous sommes en 1845... Le 19 mai précédent, ils ont quitté la Tamise avec, à leur bord, les élites de la Royal Navy et de la marine marchande britannique. Ils ont trois ans d'autonomie en vivres et carburant. Leur mission : franchir le passage du Nord-Ouest et collecter le plus d'informations scientifiques et géographiques possibles. L'incommensurable fierté de l'Amirauté accompagne Franklin dont « le nom seul, bien sûr, est une garantie nationale ». Cap'tain Sir John Franklin n'ignore pas que les expéditions polaires ont payé un lourd tribut en vies, au nom de la géographie et de la recherche scientifique. Depuis le XVIe siècle, les grandes puissances d'Europe rêvent de découvrir un pas-

sage qui leur permettra d'atteindre au plus court le fabuleux
Orient : le « Cathay », la Chine magique et ses richesses,
l'Inde... Frobisher, Davis, Barents, Hudson, Baffin ont tous
recherché cette voie maritime des épices. Vers le nord-est ou
le nord-ouest, par le détroit de Béring... En les cartogra-
phiant, ils ont déjà laissé leurs noms aux plus célèbres pas-
sages, détroits, canaux et reliefs de l'Arctique.

      Les deux navires et leurs cent vingt-neuf membres
d'équipage passent devant moi. Ils abordent Abandon Bay
(la « baie de l'Abandon »), puis vont virer dans Mc Dougall
Sound, de l'autre côté de Cornwallis, devant Disapointment
Bay (la « baie de la Déception »). On n'entendra plus jamais
parler d'eux.

      Ce n'est que trois ans plus tard que des expéditions
de recherches vont quitter l'Angleterre et lancer des opérations de secours. De prestigieux bâtiments, l'*Enterprise*, l'*Inves-
tigator*, l'*Assistance*, l'*Intrépid*, et le *Resolute*... vont naviguer
dans toute la zone, du moins quand les conditions glacielles
le leur permettront.

      « Nous jetions tous les jours des barils contenant
des papiers pour faire connaître notre position à d'éventuels
survivants... Nous marquions les rochers... Nous prenions
vivants des renards blancs et rivions à leur cou la position des
navires et dépôts de vivres et les relâchions... Nous jetions à
la mer des tubes d'étain hermétiques pouvant contenir des
messages. »

      Ce n'est qu'en mai 1859 que l'expédition du
commandant M'Clintock rapporte le plus important témoi-
gnage sur la tragédie de Franklin, parti de Londres quatorze
ans plus tôt. Signé le 25 avril 1848 par le capitaine Crozier,
commandant du *Terror*, le message trouvé sous un cairn
indique que Franklin est mort le 11 juin 1847 : les bateaux

sont pris dans les glaces au nord-ouest de l'île de King William ; ils sont abandonnés par les cent cinq membres d'équipage encore vivants qui entament, le 26 avril 1848, une marche plein sud vers la Back River qui coule sur le continent canadien...

Seuls quelques autres vestiges et des ossements sont également retrouvés...

Que sont devenus le *Terror* et l'*Erebus*, et tous les membres d'équipage ? Comment les hommes aguerris d'une expédition aussi bien préparée et armée ont-ils pu mourir aussi vite, alors que les Inuit survivent depuis des siècles en chassant avec des armes dérisoires ? Le mystère de la plus grande tragédie polaire reste entier...

Le froid devient de plus en plus piquant dans cette obscurité ventée. Il nous faut rentrer vers la cabane... Une demi-heure plus tard, nous atteignons un point haut qui domine le canal de Wellington. Il révèle dans la pénombre les contours lointains de Devon Island, puis, au-delà encore, dans la baie de l'Ours, les premiers contreforts d'Ellesmere.

Paul nous a emmenés vers un monticule de pierres astucieusement érigé en forme de silhouette humaine. Avec deux pieds posés au sol, des bras écartés à l'horizontale et un caillou en guise de tête : c'est un *inukshuk* (prononcer « inoukshouk »), littéralement « qui ressemble à l'homme »... Sous les phares des motoneiges, l'effet est encore plus saisissant. Ces cairns balisent le territoire. Alignés sur les mouvements du terrain, ils facilitent ainsi les déplacements des Inuit dans un environnement où, surtout en hiver, il est difficile de s'orienter, car les buttes, les lacs et les arêtes rocheuses sont tous identiques sous la couverture de neige. Le plus surprenant est que, jadis dressés en nombre comme une armée figée, ces hommes de pierres, auxiliaires de ce brillant peuple de chair et d'os, avaient pour but ingénieux d'effrayer les animaux et de les guider de loin en loin vers des lacs ou des rivières, nasses inévitables, où ils étaient abattus par les chasseurs.

Gary et moi imitons Paul et reposons avec respect sur le cairn, chacun à notre tour, une pierre qui est tombée de l'édifice sous l'effet d'une tempête.

De retour à la cabane, les yeux pétillants de malice, Paul nous raconte comment il chasse le phoque. Il mime remarquablement bien, avec le bout de ses doigts et ses joues qu'il gonfle d'air, les bulles qui s'échappent du trou de respiration que sa proie a creusé dans la banquise... En regardant les bulles et leur forme, en écoutant leur bruit et la façon dont elles éclatent à la surface de l'eau, il lit la position du phoque méfiant quoique impatient de respirer. Il sait quand il va devoir tirer ou harponner...

Cette première semaine est marquée par le début de mon installation, les habitudes de vie avec les chiens, le respect des mesures de sécurité que j'instaure, ainsi que par un dernier aller-retour de Paul et Gary qui me livrent le reste de mon matériel et, surtout... l'éolienne !

J'ai hâte d'en découvrir le fonctionnement, car le froid décharge très vite les petites batteries du téléphone. Je ne peux plus réaliser que de très courtes vacations avec Maryse et Léo. C'est au Québec que Raymond a trouvé ce « *wind generator* » qui, grâce à la force du vent, va produire de l'électricité. Il va charger une grosse batterie de moto-neige de douze volts, qui me permettra à son tour d'alimenter le chargeur de l'Iridium. J'ai rêvé de ce challenge : une éolienne pour profiter des vents réputés de l'Arctique, m'intégrer harmonieusement dans les éléments et assurer silencieusement mon énergie ! Nonobstant le nombre et le coût que cela aurait représenté, j'aurais pu partir avec un stock de batteries de douze volts, mais *idem* : le froid les aurait déchargées très vite. Quant à un groupe électrogène, compte tenu du carburant nécessaire, des pièces de rechange, du bruit mais, surtout, de mes compétences « guerre du feu » en mécanique, j'ai tout de suite abandonné l'idée. Bien m'en a pris, de l'avis des professionnels de Resolute qui travaillent à la production de l'énergie de la communauté ; ils sont parfaitement au « courant » des problèmes causés par le froid, même aux plus performants groupes électrogènes !

J'ai donc arrêté mon choix sur une éolienne qui a déjà fait ses preuves au milieu des océans, dans les déserts, en haut de l'Everest et en Antarctique. Adaptée aux conditions extrêmes, elle est d'ailleurs utilisée par l'armée et les instituts de recherche. Je l'ai choisie légère – huit kilos – et petite, avec un diamètre de rotation autour de son axe inférieur à cinquante centimètres et un diamètre de rotor inférieur à quatre-vingt-dix centimètres : idéal.

Vendredi 25 octobre : je retarde un peu le moment du montage, comme pour me faire languir et me faire apprécier davantage le début des opérations. Je suis aussi excité que lors de l'ouverture de mon premier circuit automobile, quand, après avoir bien fixé la dernière plaque noire de rail, je vissais les balais de contact sous les voiturettes... J'ouvre enfin le carton et dispose avec attention toutes les pièces sur la grande planche qui fait office de sommier. Je remets sans les abîmer tous les emballages de protection dans le carton que je dois conserver pour pouvoir reconditionner le matériel à la fin de l'expédition. Avant de commencer l'assemblage, il me faut lire et traduire plusieurs fois la notice qui

est en anglais. Je ne connais pas la moitié des termes techniques mais, avec les schémas, je trouve les réponses, ou en
invente d'approchantes ! Avec l'excitation du « môme au circuit », je positionne ma boîte à outils, mes couteaux multifonctions, les pièces, les notices et commence le montage...
Je ne vais pas battre des records de vitesse ! Avec une lenteur
qui donne un goût exceptionnel à mes gestes, je progresse
entre les « *warning...* », « *caution...* » et autres « *very important...* ».

Je viens de préfixer les six pales sur le rotor et, avant
de serrer définitivement l'ensemble, contrôle bien leur
orientation conformément aux exigences du constructeur ;
je les aligne sur les marques et détrompeurs des mâchoires
qui les enserrent. J'assemble la queue de l'éolienne et monte
l'ensemble sur le générateur. Qu'elle est belle ! Il fait – 10 °C
dans la cabane et – 16 °C à l'extérieur : j'ai les doigts glacés.
Je ne m'en suis pas rendu compte. Je ne sens plus la pulpe
de mes phalanges et toucher mes outils métalliques me fait
mal. Je n'ai pas vu s'écouler les deux heures de cette première phase « facile »... Un thé chaud, une paire de gants en
soie, et je poursuis les opérations. Je suis plus concentré et
surtout plus tendu, car je vais commencer les connexions
électriques, et ça n'est vraiment pas ma partie. Ah, si seulement j'étais électricien...

Je ne voudrais pas commettre l'irréparable. Afin
d'éviter une surcharge de la batterie, l'éolienne ne peut pas
y être branchée directement. Je dois pour cela connecter à
la batterie une protection, composée d'un régulateur de tension et d'une très grosse résistance. Je comprends parfaitement bien « fil rouge », « fil noir », « positif » et « négatif »,
mais je relis au moins vingt fois le mode opératoire pour ne

pas me planter... Déjà les effets du froid sur l'esprit ? La batterie de 12 volts que j'ai achetée à Resolute est déjà chargée, et je ne veux pas me tromper dans les connexions. Ce n'est pas tout : il me faut maintenant également brancher sur cette batterie un convertisseur de courant continu en courant alternatif, lui-même relié à un transformateur 110 volts-220 volts. Je dois non seulement réaliser mes connexions à partir de fils dénudés et de prises « mâle » et « femelle », ce que je comprends, mais aussi, ce qui est plus délicat, réaliser des contacts plus « sauvages » de câbles dénudés sur les cosses de la batterie. Tout est prêt. La longue chaîne de l'énergie qui part de la batterie chargée, via tous les régulateurs, convertisseur, transformateur, adaptateur et chargeur est branchée... Je clippe la prise du chargeur au dos du téléphone satellitaire... J'appuie sur l'interrupteur du convertisseur. La petite diode électroluminescente verte du convertisseur s'allume dans un ronronnement rassurant, puis, un quart de seconde plus tard, celle du chargeur du téléphone. Enfin, l'écran affiche « batterie en charge » ! Je hurle de joie, saute sur place, bras levés, tel le judoka qui vient de marquer *ippon* sur son adversaire et entame une « skibouille » endiablée.

Note : la « skibouille » est une danse guerrière dont les pas sont un habile mélange des danses de la pluie des Indiens kawchodinne, des incantations samouraï au Fuji-Yama, de la danse du soleil des Inuit et du jeu de jambes, unique, du roi du rock'n'roll, le king Elvis.

Note : il existe aussi la « skibouille tropicale » lorsque l'on ajoute la torride ondulation du zouk *love* du sud des Grenadines.

Ce quart d'heure de folie dure... un quart d'heure. J'exulte. Les « bûchettes » qui indiquent le niveau de charge commencent à clignoter. Une, puis deux, puis trois, puis quatre... Lorsque la quatrième bûchette ne clignote plus, le téléphone est chargé. J'appelle immédiatement Toulouse.

L'étape « une » est franchie. Il me reste maintenant à fixer l'éolienne à l'extérieur, sur un mât en Inox de trois mètres. Quand la batterie de 12 volts sera à plat, j'irai la connecter sous l'éolienne aux premières ondes d'Éole qui la rechargeront.

Je range précautionneusement mon matériel. En déconnectant tout le système, je remarque la fragilité au niveau des branchements... Puis je vais faire quelques photos à l'extérieur. À 15 h 30, le soleil est très bas sur l'horizon, là-bas au sud-ouest, et je m'amuse à prendre un cliché original. Mon ombre fait plus d'une dizaine de mètres : elle est proje-tée sur la neige glacée, par des rayons presque tangents au géoïde terrestre. Les couleurs sont magnifiques, et le ciel dégagé. Le moindre relief alentour accroche la lumière oran-gée du soleil pour encore mieux définir les contours de mon environnement. En quelques minutes, l'astre majeur plonge dans l'échancrure de la vallée et disparaît. Il est 16 heures.

Les jours raccourcissent à vue d'œil, le froid est de plus en plus vif. Je pars chercher mon stock d'eau et relever mes lignes.

J'ai cette fois utilisé une technique interdite de pêche, quoique mon prélèvement sur la nature soit minime... J'ai lesté de cailloux arrachés au permafrost un bocal rendu étanche avec de la cire de bougie et du ruban autocollant. À l'intérieur, j'ai placé une petite lampe fluorescente : l'en-semble est clippé sur ma ligne et plongé à cinq mètres sous la surface de la glace. Les hameçons toujours sans appâts et mon piège lumineux me donnent deux poissons : j'en offre un aux chiens qui apprécient ce mets inattendu. En fait, j'ai plus de plaisir à partager le fruit de mes lignes avec mes compagnons. La chair rose saumonée de l'autre me régalera encore ce soir.

Même si j'entretiens régulièrement mon trou de pêche, la glace du lac se reforme de plus en plus vite et devient de plus en plus épaisse chaque jour. Le processus de congélation de l'eau douce est plus rapide que celui de l'eau salée. La salinité abaisse entre − 1,3 °C et − 2 °C la température de congélation et retarde donc la formation de la glace. Elle joue également sur la densité de l'eau en créant des mouvements de convection : les eaux plus froides deviennent plus denses au contact de la surface et s'enfoncent pour être remplacées par les eaux moins denses des couches inférieures, donc plus chaudes, qui, en remontant, vont retarder le processus de congélation. En revanche, l'eau douce a une densité maximale à + 4 °C. Lorsque la nappe d'eau atteint cette température sur toute sa profondeur, la convection cesse : l'eau se refroidit à la surface au contact de l'air froid, et la glace se forme à 0 °C.

Les nappes d'eau perdent leur chaleur au profit de l'atmosphère. En se formant, la glace crée un « manteau » qui les protège de l'air froid. C'est par-dessous que l'épaisseur augmente, en fonction de l'intensité du gel et de sa durée. L'eau congèle au fur et à mesure à la surface inférieure de la glace. Vers − 20 °C, l'épaisseur peut atteindre cinq centimètres en vingt-quatre heures. Entre − 30 °C et − 40 °C, on obtient dix centimètres par jour, donc vingt centimètres en deux jours, puis le taux d'épaississement de la glace diminue : il faut presque un mois pour qu'elle atteigne quatre-vingts centimètres. Pour qu'une personne puisse s'y déplacer en toute sécurité, il faut compter au moins huit centimètres de glace d'eau douce ou treize centimètres de glace de mer. Il existe des tableaux qui permettent de connaître l'évolution de l'épaisseur en fonction de la température, ainsi que les épaisseurs de sécurité pour une personne, un véhicule de deux tonnes ou de dix tonnes, ou même un avion de treize tonnes...

Mes « pêcheurs » automatiques ne fonctionnent plus normalement, mais je laisse mes pièges en place et casse la glace pour récupérer les poissons. J'aménage mon coin de pêche en construisant un mur de protection pour m'abriter du vent. J'utilise pour cela les belles caissettes bleues de la société Thales Avionics de Toulouse. À l'origine, elles servent à transporter des pièces sensibles (calculateurs...) des Airbus : ces précieux contenants isothermes m'ont permis de conditionner toute mon alimentation et mon matériel. Depuis mon arrivée à la cabane, j'en ai affecté une partie à un usage inattendu : je les remplis d'eau et les laisse sur place dehors toute la nuit. Le lendemain, ce sont des superbriques translucides congelées, de cinquante centimètres de long et trente centimètres d'épaisseur, que je démoule facilement. Elles me permettent d'ériger un mur hémisphérique, à l'abri duquel je m'installe sur un siège de glace, carabine posée contre le « mur », un chien libre en sonnette d'alarme. Je me consacre à la pêche tant qu'il ne fait pas trop froid : avec des gants étanches, je dois enlever régulièrement la glace qui se reforme à la surface de l'eau.

Ce matin, j'ai eu froid au réveil. Il fait un petit − 10 °C à l'intérieur pour − 25 °C à l'extérieur de la cabane. Pour la première fois, je relève avec mon anémomètre la vitesse du vent, soit trente-cinq kilomètres à l'heure. Ce qui, en soi, peut paraître anodin... Je consulte ensuite le tableau

« Indice de refroidissement éolien » qui m'a été remis par le service météo de l'aéroport de Resolute Bay. Ce tableau a deux entrées : température de l'air et vitesse du vent. Il donne, pour chaque température de l'air, la température apparente obtenue sous les effets de différentes vitesses du vent et ses conséquences sur les tissus exposés de l'organisme. On peut y lire : risque de gelures à partir de − 25 °C, gelures possibles en dix minutes à partir de − 35 °C et gelures en moins de deux minutes à partir de − 60 °C... !

La « météo » de la base met d'ailleurs à la disposition des habitants un répondeur automatique qui communique un bulletin actualisé. Il leur donne notamment la température, la vitesse du vent et... l'indice de refroidissement éolien (*wind chill factor*), les incitant à se protéger dès que les risques de gelures apparaissent.

Ce samedi 26 octobre, le tableau me donne donc une température équivalente de − 40 °C. Ce n'est pas la même chose pour les chairs exposées... Mais je suis loin d'imaginer à cet instant que les mâchoires du froid, combinées aux colères du vent, vont m'emmener bien plus bas dans les tréfonds de ces abaques, dans la réalité d'un enfer dont l'air seul fait exploser le sol...

La cabane, située à quelque trois cents mètres de la rive sud du lac Eleanor, est posée sur un lit de sédiments : façonné par l'érosion, il domine de dix mètres environ l'intersection des deux rivières qui, en été, alimentent le lac. À l'arrivée du dégel, ces rivières, surgies du creux des vallées ciselées par les anciens glaciers, se réveillent. Elles se transforment en de véritables torrents tumultueux qui arrachent débris glaciaires et sédiments, et les emportent vers le lac né de ces eaux, piégé par les moraines millénaires.

Aujourd'hui, tout cet ensemble figé n'est que glace et neige.

Mon abri, dont la position est 75° 21' nord et 094° 03' ouest, est un presque cube de trois mètres quarante de long et de deux mètres quatre-vingt de large, sur lequel est posé un toit à double pente dont la panne faîtière est à deux mètres quarante du sol. Cette couverture, renforcée par quatre chevrons, déborde légèrement de quarante centimètres sur ses deux longueurs, mais est à l'aplomb des parois, côté pignon.

Toute la cabane, sol et toit inclus, est construite avec des planches de contreplaqué de huit millimètres d'épaisseur... Elle est orientée nord-sud. Sa porte isoplane de soixante-dix centimètres de large et de deux mètres de haut s'ouvre vers l'intérieur... L'intérieur est tapissé de vieilles plaques de laine de verre rosâtres, coincées de haut en bas entre les montants du bâti, et maintenues par de grossières bâches de plastique agrafées. Deux petites ouvertures carrées de cinquante centimètres de côté laissent passer ce qui reste de lumière, par un Plexiglas de deux millimètres d'épaisseur.

Tel est le lieu, directement posé sur le pergélisol, que je vais investir pour les mois à venir... Je le baptise fièrement « Fort Eleanor » !

Je commence plusieurs chantiers : aménagement afin de gagner de la place dans cet espace exigu, stockage du matériel et d'une partie de l'alimentation qui est encore à l'extérieur dans les cantines, et construction d'un abri pour les chiens. Pour réagir contre le froid, je décide aussi de rentrer quelques planches entassées dehors, incrustées de blocs de glace et de neige sales : je les nettoie et les installe sur une hauteur d'un mètre vingt, contre les parois de la cabane, en guise d'isolation supplémentaire. Ce sera toujours ça de gagné. Je préfère être au contact du bois que des films plastique qui commencent déjà à se recouvrir d'une fine pellicule de glace...

Alors que je termine mon doublage de la moitié du pourtour intérieur, une bourrasque plus forte que les autres fait craquer les armatures de la cabane. Un fort coup de vent arrive de l'ouest. J'accélère le rangement. Je rentre grossièrement une partie de mes cantines, puis traîne à l'abri du mur est, sous le vent, les autres cantines, les jerricans de carburant et les caisses anti-ours. Conçues spécialement à ma demande, ces caisses sont l'aboutissement d'un autre projet technique. Elles sont prévues pour contenir de l'alimentation, du matériel fragile et du carburant, et répondent à un cahier des charges précis et longuement étudié. Elles doivent pouvoir résister à un ours qui, debout sur ses pattes arrière, se laisserait tomber pour les faire exploser, comme il le fait d'ailleurs sur la banquise pour casser les nids de glace des phoques. Elles doivent résister à l'écrasement par la puissante mâchoire et à la perforation par des crocs solides. Leur système d'ouverture et de fermeture ne laisse aucune prise possible aux griffes de l'ours. Quant aux poignées, elles sont indéformables et pourvues d'anneaux permettant un héliportage. Par ailleurs, le volume est celui qui permet le stockage de deux caissettes bleues Thalès. Les tests de perforation ont été réalisés avec une barre bétonnée de trois cents kilos à laquelle ont été soudés des pieux métalliques ; elle a été lâchée à deux mètres de hauteur sur différentes plaques en Inox. C'est finalement avec de l'acier Inox Marine d'un millimètre cinquante d'épaisseur que sont réalisées ces inattaquables caisses anti-ours. Elles pèsent vingt kilos à vide. Un ours pourra tout au plus jouer avec elles comme avec un gros cube qu'il déplacerait.

J'ai opté pour la compatibilité entre tous mes éléments de transport du matériel : j'ai organisé mon système de conditionnement afin de pouvoir porter et déplacer mes huit cents kilos de matériel tout seul. J'ai donc sélectionné des cantines métalliques, dont la taille permet de charger précisément quatre caissettes bleues Thalès. Si une cantine est trop lourde, ou si je suis fatigué ou blessé, je peux sortir les caissettes une à une, déplacer et reconditionner ainsi plus facilement mon matériel.

Le vent continue de forcir. Il atteint soixante kilomètres à l'heure et soulève à un mètre du sol la neige qui vient piquer mon visage. Je me bats contre lui. Je veux protéger l'ensemble du matériel avec une de mes grandes bâches à œillets pour éviter que la neige s'infiltre partout. Il fait très froid, et je ne vois bientôt plus à dix mètres. La tempête de neige soufflée engloutit mon environnement. Tout devient sombre. Ce vent, ce bruit, ce froid, c'est ce que j'ai demandé, et ça vient peu à peu... Une émotion m'envahit : ma petite cabane posée sur le blanc de ce nulle part est perdue au bout du monde. Je suis vraiment seul. Je me mets vite à l'abri, dans l'obscurité de la cabane, et me réchauffe avec un thé et quelques biscuits bienvenus. Les flammes des bougies qui donnent une douce lumière vacillent... En effet, côté sud, les à-peu-près de cette construction de planches laissent s'engouffrer le vent par des ouvertures sifflantes. Si je ne veux pas rester dans cette soufflerie lugubre, je dois réagir immédiatement. Grâce à mes sacs-poubelle et aux mousses isolantes des caissettes, je calfeutre peu à peu ces entrées aux mélopées sinistres. Plus tard dans la soirée, lors d'un contrôle de routine autour de la cabane, dans cette tourmente de neige qui ne cesse pas et me bouscule, j'ai la surprise de découvrir deux mamelons blancs, côte à côte, sans forme précise, coques de coton d'où émerge à peine un pavillon auriculaire... Mes chiens se sont laissés recouvrir de neige ! Instinct de survie, comportement génétiquement programmé, ces merveilleux animaux adaptés au milieu hostile et à la dure vie de l'Arctique se protègent du froid. Ils utilisent la meilleure isolation qui soit : la neige poudreuse composée de 90 % d'air. J'ai envie de leur parler, de les caresser, de les réconforter. Je suis attendri. Mais je préfère ne pas les déranger, briser pour rien, par pur égoïsme et stupidité, ce nid de « chaleur » qui les entoure. Le combat pour la survie est tellement rude...

Dimanche 27 octobre 2002 : journée mémorable, découpée en tranches de vie aux émotions fortes.

Le jour est long à arriver, écrasé encore à 10 heures par les teintes sombres d'une aube qui n'en finit pas... Le soleil s'est levé. Il est quelque part au sud-est, masqué par la montagne qui me fait face. Le ciel est merveilleusement bleu, dégagé. Le silence est revenu. Les chiens sont sortis de leurs nids, la tempête de la nuit est oubliée. Mais la neige gourmande recouvre tout mon matériel et monte à l'assaut des murs de la cabane... Le froid est vif, c'est presque bon. J'avais besoin de ce contact charnel avec cet air glacé ; il me manquait terriblement...

Je dois raccourcir le mât en Inox épais de l'éolienne qui est bien trop long. Pour ajuster la hauteur, je dois l'écraser et le déformer pour le couder. Je le pose sur un gros caillou et tape dessus comme un forcené avec le dos de la hache. C'est simple : le rotor de l'éolienne doit pouvoir tourner autour de son axe, quelle que soit la direction du vent, et sans jamais toucher le toit. Je plaque donc le mât contre le mur sud, à gauche de la porte quand je la regarde, précisément à l'aplomb du toit. Je le fixe en m'aidant de taquets de bois que j'ai sciés, de clous et de cordelette. Je viens ensuite caler le coude contre le bas du mur avec les trois lourdes cantines qui me serviront de marches pour atteindre les câbles... Puis, moment magique, je prends l'éolienne déjà assemblée. Je la tiens précautionneusement à bout de bras pour ne pas casser une pale. En équilibre sur mes cantines, je l'enclenche sur la tête du mât et verrouille l'adaptateur, pièce pivot qui referme ses mâchoires autour du tube par un écrou. Je lance doucement les pales. Elles se mettent à tourner dans un léger bruissement. Je fais accomplir à l'éolienne un tour complet autour de son axe : fabuleux ! Il n'y a pas un souffle d'air, mais c'est fabuleux. Le montage me paraît solide... Je fais courir le long du tube les deux câbles de branchement qui sortent du générateur et les fixe en plusieurs endroits avec du tissu autocollant. Je suis prêt à venir réaliser ma première connexion, dès que le vent se lèvera... Je note à ce moment précis que travailler avec des gants en permanence n'est pas facile.

J'en ai assez pour aujourd'hui. J'ai envie de prendre des photos du soleil. Quelque chose me dit que je dois en profiter... À 15 h 33, il apparaît au sud-ouest dans l'échancrure formée par le versant ouest de la montagne, qui plonge à 45 ° devant moi, et le fond de la vallée où coule la rivière Eleanor. Il est très bas, comme posé sur l'horizon courbe des montagnes lointaines. Les couleurs sont magnifiques, brûlantes, incandescentes, aveuglantes comme le cœur d'une forge qui blanchit le métal en fusion. Elles évoluent vers un dégradé de jaunes et d'orange. Elles s'estompent vers le plus haut du ciel dans des rouges, feux de volcans, coincés par les volutes menaçantes de nuages qui roulent. Mon regard ne cesse d'aller du soleil à ses éclats ocre sur le bois des planches de la cabane. Les arrière-plans de neige et de glace se colorent aussi d'orange, surlignant toutes les ruptures de pente, mamelons, échancrures du fjord qui borde le lac. À 15 h 40, le spectacle est à son apogée. Les pales de l'éolienne se teintent de cuivre. Les caisses anti-ours en Inox s'enflamment. Les plaques de glace collées au double toit de la tente absorbent le rouge du feu lointain. Je tourne sans cesse entre cabane et soleil. La montagne, la vallée et le lointain se noircissent dans le contre-jour, contrastant encore plus ce coucher de soleil somptueux, coincé entre l'horizon déjà noir et le haut du ciel déjà bleu nuit.

À 15 h 45, comme la goutte d'eau impatiente qui se décroche d'une feuille, le soleil plonge à quatre cents kilomètres à l'heure et disparaît... À 15 h 47, seuls quelques tisons continuent d'illuminer mon Sud rougeoyant. Puis tout vire au bleu, au blanc autour de moi, les couleurs s'estompent, les contrastes s'affaiblissent. Au loin, une dernière braise finit de brûler sans éclat ni chaleur. Je dépose mon appareil en me faisant la promesse d'être là pour le soleil de demain. D'après tous mes calculs, l'étude des diagrammes de durée du jour aux hautes latitudes, je ne suis pas loin du dernier rayon et je veux être là pour le premier rendez-vous de ce début d'aventure : il est hors de question de le manquer, je serai là...

J'ai vu le soleil douze minutes ! Mais je ne sais pas encore que je ne le reverrai plus avant une centaine de sommeils. J'ai assisté à la première étape déterminante de ma nuit polaire : la disparition du soleil de mon lieu d'hivernage, le dernier rayon à 75 ° de latitude nord... Par instinct, j'ai immortalisé cet instant unique de mon aventure et de ma vie... C'est sur cette promesse sans lendemain d'une lumière solaire qui ne reviendra plus que je repars au lac... Terminé. Le spectacle est terminé. L'astre majeur a tiré sa révérence, comme impatient de quitter la scène, fatigué d'avoir tant donné pendant tous ces mois...

Les larmes de glace...

Avant de rejoindre le lac, je prends une décision. Cela me démangeait depuis quelques temps : je libère les deux chiens à la fois... Après tout, qu'est-ce que je risque ? Qu'ils partent au loin chasser quelque renard ? Qu'ils ne reviennent plus, me laissant seul avec mon arme comme unique défense contre les ours ? J'aimerais tellement les voir courir, libres...

Je joue le coup et j'assume ! Encore un moment de bonheur... Ils cavalent et se roulent dans la neige comme des fous. Ils se frottent le poitrail contre la glace du lac... Ils se mordillent, font la course sur le lac vers des objectifs imaginaires aussitôt disparus. Ils décrivent de larges cercles, ventre à terre, à des vitesses qui leur font perdre l'équilibre et les embarquent dans de comiques glissades incontrôlées. Vexés, ils s'ébrouent comme si rien ne s'était passé. Ils se désaltèrent en mangeant de la neige, puis reviennent vers moi, probablement très surpris d'une liberté qu'ils ne connaissent pas... Je joue avec eux, les caresse et leur parle. Ils ne sont pas partis. Ils ne m'ont pas abandonné ! Je serre très fort le mâle contre moi. Désormais il s'appellera Chuchi : prononcer « Tchou-Tchi » ! Ce moment est merveilleux. Je récupère ma carabine posée contre mon abri de glace et, dès que je me dirige vers la cabane, ils foncent côte à côte sur ce chemin du retour qu'ils empruntent, libres pour la première fois... et m'attendent en haletant devant la porte !

Après cet essai, je ne me laisse pas aller à une trop grande faiblesse. Je les attache et leur donne rendez-vous au petit matin suivant, pour l'atelier « croquettes ». Je les lâcherai définitivement quand ils seront totalement inféodés à ma main nourricière !

Même si le soleil a disparu, il fait encore jour : la rencontre avec un ours est probable... J'en ai déjà vu une quinzaine à Resolute avant mon départ, j'ai assisté à deux chasses avec les Inuit, un gros mâle est passé devant nos scooters à cinquante mètres lors du raid de mise en place, et j'ai repéré des traces au bord du lac, à un kilomètre de la cabane. Il est donc légitime que je sois vigilant. L'ours polaire est le plus grand carnivore terrestre au monde, sans autre prédateur que l'homme. Sa force est colossale, un mâle adulte pouvant peser sept cents kilos : il peut facilement tuer un phoque de deux cent cinquante kilos d'un simple coup de patte. Un petit ours de soixante kilos est plus puissant que n'importe quel humain... Il n'est pas seulement grand et fort, il est aussi vif et agile. Il peut parcourir plusieurs centaines de kilomètres en quelques jours de son efficace marche balancée, et il est capable d'accélérations soudaines à trente-cinq kilomètres à l'heure, qui lui permettent de distancer n'importe qui. L'ours polaire est aussi un nageur et un plongeur expérimenté. Il a un remarquable odorat pouvant le guider vers une source de nourriture distante de plusieurs kilomètres.

Pour en finir, son ouïe est très développée, et sa vue comparable à celle des humains.

Ses attaques sur l'homme ont le plus souvent été mortelles... Mon attention doit être permanente, car la zone est référencée « dangereuse » par les Inuit : de nombreuses rencontres ont déjà eu lieu, précisément dans la vallée, au bord du lac et autour de la cabane... Le stress est donc réel. En effet, le site de mon hivernage présente toutes les caractéristiques propices à une rencontre : une cabane, de l'activité, de la nourriture et des ordures. De larges zones de congères peuvent servir de niches aux femelles gravides qui se mettent ainsi à l'abri des rigueurs de l'hiver et vivent sur leurs graisses stockées. Je suis sur une zone de passage, le lac aboutissant directement à l'océan Arctique et à ses zones peuplées de phoques, à sept kilomètres de là... Ce qui me concerne plus particulièrement chez ce prédateur, c'est qu'il est extrêmement curieux, sans peur et, surtout, imprévisible. Il s'intéresse à n'importe quel objet, odeur ou bruit. Il est guidé par un seul objectif : trouver le plus de nourriture possible ! La rencontre peut donc se faire par hasard ou parce que l'ours aura été attiré par Fort Eleanor. Il ne faudrait pas que sa curiosité se transforme en faim à cinquante mètres de moi... ! Il se pourrait qu'il ne soit nullement intéressé par mon camp, mais, dans le cas contraire, attiré par mes cantines et mes ordures, je pourrais avoir du mal à m'en défaire ! J'ai précautionneusement stocké mon alimentation à l'extérieur de la cabane dans les cantines métalliques et les caisses anti-ours, mais j'ai malgré tout un stock de denrées à l'intérieur. Le problème est qu'un ours, une fois qu'il a trouvé son bonheur, peut associer l'endroit qu'il traverse à de la nourriture et associer ensuite tout le site à une source d'alimentation ! Il va progressivement perdre sa tendance à m'éviter, dès qu'il aura compris que le trappeur que je suis signifie pour lui « repas »... Une fois ancrées, les habitudes des ours sont difficiles à rompre. À Resolute, ils viennent fouiller les abords de la communauté et se brûler les moustaches au dépôt à ordures qui se consume en permanence. C'est d'ailleurs près de la décharge que les chasses auxquelles j'ai assisté ont eu lieu. Les ours ont été abattus, sans aucune chance d'en réchapper. Les hommes armés sur leurs motoneiges font courir l'ours. Mais la merveilleuse « bonbonne isotherme », qui peut résister aux pires conditions, surchauffe et se fatigue jusqu'à ne plus pouvoir bouger. Épuisé par la meurtrière randonnée imposée par les hommes assis sur les scooters, *Nanook* ne peut plus se défendre : sans aucun risque, au moment voulu, les chasseurs descendent de leur machine et, à parfois moins de vingt mètres, l'abattent... Il vaut mieux que la carabine ne s'enraye pas à ce moment, comme je l'ai vu, mais il reste toujours l'issue de fuir en scooter !

Pour moi, les conditions sont totalement différentes. Je dois prendre des précautions et user de bon sens pour éviter tout problème. Avoir stocké de la nourriture et faire la cuisine à l'intérieur n'est pas recommandé, mais je compte sur les chiens pour me prévenir.

L'élimination des odeurs est essentielle. Il faut brûler les ordures jusqu'à n'avoir plus que des cendres et les enterrer à deux cents mètres du camp, à au moins un mètre de profondeur. Les enterrer sans les brûler n'élimine pas les odeurs ! Je les brûle tant qu'il reste un peu de lumière, mais, durant la nuit polaire, je ne prendrai pas le risque d'incinérer les détritus dans un bain d'odeurs attrayantes et ébloui par le feu... Mes ordures seront stockées dans des sacs-poubelle que je déposerai à l'intérieur d'une cahute posée au bord du lac, à trois cents mètres de ma cabane. Cette accumulation ne sera pas la meilleure solution mais m'exposera moins directement.

À compter de la disparition du soleil, pour tout déplacement dans ce relief aux mille pièges, je décide de porter un harnais et d'y attacher un des chiens, tandis que l'autre se promène aux alentours, en éventuelle sonnette d'alarme. Lorsque je suis sur le lac ou à mon trou de pêche, situé à cinquante mètres du rivage, je suis moins tendu, car j'ai une visibilité totale : aucune approche d'un ours ne peut se faire par surprise. Bien évidemment, comme les Inuit, je ne me sépare jamais de ma carabine. Jusqu'à la fin de l'expédition, la tension liée à l'ours restera permanente et m'imposera ces mesures de sécurité. En faire fi serait du suicide.

Cette première semaine, les activités diverses m'ont occupé à plein temps. Si je veux passer le plus dur de l'hiver dans les meilleures conditions, l'installation va durer au moins un mois, tant les choses à réaliser sont nombreuses. J'en profite pour faire un bilan psychologique superficiel, état des lieux momentané sur mes sensations depuis mon arrivée. Je n'ai pas vraiment fait d'évaluation quotidienne mais une analyse régulière de ce que je vivais et ressentais. Mon état d'esprit a changé. La situation a évolué. La page de la préparation de l'expédition, de ses stress, ses anxiétés, ses inquiétudes, est tournée. Je gère ma vie tout seul. Je n'agis plus sous tension, même si je reste concentré sur mes travaux.

Quels que soient les obstacles, les désagréments et les difficultés, je persévère et m'en tiens à mes intentions du début. Je ne fais plus ces rêves très forts qui troublaient mon sommeil ces derniers mois. Je ne me réveille plus la nuit à cause de mes préoccupations. Un rythme de vie s'installe loin du feu des préparatifs et de leur stress.

Les choses qui me préoccupent ne sont plus les mêmes et ici je suis le seul à avoir les réponses. Tout ne dépend plus que de moi. Même si je suis dans un univers aux contraintes exceptionnelles, il n'y a pas d'impossibilités relationnelles, administratives, juridiques ! À un coup reçu, un coup donné. Une réaction possible !

La deuxième semaine débute sous le signe d'Éole... Je branche enfin la batterie sous l'éolienne. Le simple fait de connecter les câbles du générateur à ceux de la batterie crée des étincelles et agit comme un frein : l'éolienne ralentit et se met à charger la batterie. Ce lundi, à l'heure convenue dans le dossier des procédures, nous réalisons avec Maryse la vacation téléphonique qui est l'occasion de faire un nouveau point complet sur la situation. Je sens son enthousiasme, tout en sachant qu'il lui est difficile de visualiser ce décor. Au mieux, elle imagine au travers de mes descriptions précises. Elle me transmet ensuite les messages d'encouragements de mes amis, de ma famille, de mes partenaires, puis note le nom des personnes auxquelles j'adresse des pensées. C'est sur la date du prochain appel que l'on se quitte.

Une deuxième tempête de neige déferle durant quarante-huit heures. J'ai installé mes thermomètres comme suit : le premier est fixé au-dessus de la porte et me donne, par une fine sonde, la température extérieure. L'autre est amovible et me permet de relever dans la cabane toutes les températures que je souhaite, quel que soit l'endroit. La température intérieure continue de descendre : il fait − 18 °C ce matin. Mon stock d'eau a congelé dans le sac étanche cette nuit... Il me faut casser des blocs de glace pour les mettre dans la bouilloire, les faire fondre et obtenir l'eau dont j'ai besoin pour mon alimentation : lait, céréales, soupe, thé. Mon réveil a été difficile. Mon corps a besoin de dormir, de récupérer plus, mais je me force à me lever et à quitter le sac de couchage déjà alourdi de cristaux de glace... Mes mains, si elles ne sont pas protégées, brûlent aussitôt. La vapeur qui s'échappe de ma bouche masque ma vue. À 10 heures, il fait encore nuit dehors. L'aventure « extrême » commence...

J'ai froid aux pieds, mais je pars de nouveau au lac pour chercher de l'eau : casser la glace qui s'épaissit de jour en jour est de plus en plus long. Je dois utiliser le lourd pic à glace pour briser le bouchon qui s'est reformé. Je suis content de mes sacs étanches en Nylon, tissu plus souple et plus résistant à ces températures que le vinyle, qui se fissure. Dès que j'atteins le liquide convoité, j'éclabousse mes bottes et le bas de ma salopette : l'eau gèle aussitôt et forme une gangue de glace qui verrouille mes lacets et fermetures. Ce mercredi 30 octobre à midi, s'il fait toujours − 22 °C à l'extérieur, la température a encore chuté à l'intérieur : − 20 °C ! C'est comme si je n'avais pas d'abri ! Je repense à Paul : « Les températures vont descendre très bas et seront identiques à l'intérieur et à l'extérieur... » C'est clair qu'avec huit millimètres de contreplaqué... Il me faut beaucoup de temps pour m'équiper, mettre en route le réchaud, chasser l'humidité et la glace qui progressent dans la cabane. Les hublots sont recouverts d'un millimètre de glace, les bâches se couvrent de fines couches de givre. Il fond dès que j'allume le réchaud et se transforme en gouttes d'eau : elles tombent sur mon sac de couchage et mes affaires, puis regèlent immédiatement...

Il ne fait jour qu'à partir de 10 h 30, et nuit noire dès 16 h 30. Le froid s'installe progressivement. J'ai l'impression que je me suis enfermé dans un piège. Il va me falloir prendre une décision rapidement. Même si je suis équipé pour le froid, la situation est désagréable et, surtout, précoce...

J'ai trois options. Soit je m'installe sous la tente, ce qui représente un faible volume à chauffer ; dans ce cas, j'organise une protection contre le vent avec toutes mes caisses, cantines, puis des murets de blocs de neige. Soit je construis un igloo. Soit je tente de bâtir une coque de neige autour de la cabane ! Je l'enveloppe totalement de blocs pour la protéger ainsi des froids et des grands vents à venir. Je choisis cette solution. La neige, composée de 40 % à 90 % d'air, est le meilleur isolant thermique naturel qui soit : je vais donc en profiter. Il me reste environ trois semaines d'une lueur qui décroît tous les jours : j'ai donc le temps de bien avancer ce chantier. Surtout, c'est l'option la plus difficile. Ce challenge me séduit car il va me rendre actif !

Le temps est magnifique, je m'accorde un moment de répit. Vers 15 h 30, je note une intense lueur vers le sud-ouest. Les trois derniers jours, le ciel était couvert, il neigeait... Mais aujourd'hui, je n'ai pas vu le soleil. C'est-à-dire que je ne le reverrai plus avant l'année prochaine ! J'ai bien photographié mon dernier rayon de soleil, le dimanche 27 octobre à 15 h 45... Le compte à rebours avait donc bien commencé ! La course contre la montre est désormais lancée pour la construction de mon abri de neige. Les journées continuent à progressivement raccourcir... Le crépuscule s'installe. Dans quelques « jours », la nuit sera totale et permanente. J'y suis, j'y reste...

Le vent dominant vient de l'ouest depuis mon arrivée. C'est donc de ce côté que je commence mon bâti. Armé de la scie, d'une lourde machette à glace et de ma pelle, je vais découvrir petit à petit l'art de construire un igloo. Paul, l'Inuk, m'avait simplement dit : « Il faut minimiser les efforts, tu dois sortir un bloc en trois coups de scie... », et aussi : « Tu sauras quand tu auras trouvé... » J'ai gardé ce conseil en mémoire. La recherche de la « bonne » neige n'est pas si aisée ! Celle-ci doit être compacte, solide, ne pas s'affaisser sous les pieds, ne pas casser quand on manipule le bloc, ne pas être formée de plusieurs couches de résistances diffé- rentes, ne pas être poudreuse ni formée de billes de glace... Je la touche, je la sonde avec la scie, je la goûte et la croque pour discerner la grosseur des cristaux. J'y plonge la machette et cherche une consistance que je ne connais pas encore... Je vais longtemps marcher sur des neiges pou- dreuses dans lesquelles je m'enfonce, d'autres dont la croûte superficielle cède sous mon poids.

Je vais finalement trouver un banc de neige qui ne crisse pas, ne fait pas de bruit et sur lequel mes pas ne laissent pas de traces ! Étonnant, mais c'est là que je vais trouver mon bonheur. J'utilise une longue scie égoïne dont la lame fait soixante-cinq centimètres de long et dont la poignée est assez grande pour pouvoir y passer la main avec des gants et des surmoufles. Je tâtonne encore un moment avant de trouver la bonne position, le bon outil et le bon mouvement. Rien ne sert d'aller trop vite. Le plus difficile est de sortir le pre- mier bloc après en avoir déterminé la taille et la forme. Après l'avoir découpé, je glisse à plat l'épaisse lame de la machette sous le bloc pour le « choquer », c'est-à-dire le soulever d'un petit coup sec car il a déjà été ressoudé par la glace. Ainsi, je peux le faire glisser vers l'avant, passer la pelle dessous et accoucher en douceur cette première brique de neige... Le chantier est ouvert. Avec la pointe de la machette, je marque sur la neige glacée la trace de mes blocs et les tronçonne ensuite tous les quarante centimètres. Le plus dur reste à venir : me mettre à genoux, dans une position inconfortable, pour placer la lame à l'horizontale bien à plat et scier toute la bande sur environ quatre mètres. Je glisse ensuite la machette sous le deuxième bloc qui vient plus facilement, puis le troisième et ainsi de suite... Ils font soixante centimètres de long, sur quarante de large et trente d'épaisseur. La « mine » étant amorcée avec des faces claires et dégagées, il est ensuite plus facile d'exploiter le filon. Alors, je transporte délicatement ces blocs compacts de quelque dix kilos vers la cabane et monte mon mur comme on le ferait avec des parpaings, agençant en quinconce les briques de neige directement contre les planches de contreplaqué.

Paul avait raison pour les trois coups de scie ! Mais encore faut-il trouver un banc de neige dont la surface est parfaitement plane, constituant d'office la sixième face du parallélépipède... De plus, il faut dégager à la pelle tout le devant du filon qu'on veut exploiter. Là est le secret... Économie, économie... Tout cela paraît si simple. Mais la dépense d'énergie est énorme, tout comme l'effort pour découper cette neige glacée. J'ai chaud et transpire alors qu'il ne le faudrait pas. Je retire quelques épaisseurs de sous-vêtements, mais conserve mes vêtements coupe-vent faits sur mesure : je ne peux pas en effet m'affranchir de ce rempart contre le vent glacial, sans lequel une coque de chaleur n'existerait pas.

J'apprécie aujourd'hui toutes ces innovations techniques personnalisées. Leur fonctionnalité facilite incontestablement mon travail dans ce milieu hostile. Des crochets sont cousus sur le devant de la veste : je peux y fixer mes surmoufles afin qu'elles ne s'envolent pas à tout jamais. De grandes poches me permettent d'attraper facilement des barres énergétiques sans enlever les gants. Grâce à de larges manches, je peux ôter ma veste tout en gardant les moufles. Si les fermetures Éclair sont prises par la glace, de solides bandes Velcro ferment la veste au plus haut.

Commencé à la pénombre, mon travail ne s'arrête qu'à la nuit. Mes pauses repas sont forcées, car je n'ai pas faim ; mais je m'impose ces recharges en énergie et en eau. Dans la journée, je m'alimente dans la cabane comme si j'étais en raid. Engoncé dans mes vêtements et gants congelés, je ne veux pas perdre du temps à me déshabiller pour me rhabiller. Alors je mets au point une technique : je jette dans mon quart de thé brûlant mes barres énergétiques congelées et mes portions de fruits secs (abricots, figues, noisettes). Je mange et bois à la petite cuillère cette mixture fondue et ressors aussitôt. J'attrape scie, machette, chiens et arme, puis repars à la « mine »...

Vendredi 1er novembre : réveil pénible. La température continue de chuter : − 22 °C à l'intérieur. Jusqu'à combien cela va-t-il descendre ? Dehors, − 26 °C ! Je suis pris par la poigne du froid, et pourtant il me faut continuer. Ce matin, je décide de me faire aider par les chiens. Ma première « source figée » est tarie : il me faut changer de coin. J'ouvre une nouvelle carrière à cent mètres au nord-est, dans une congère tassée, compactée par le froid et le vent. Très dure, crissante, craquant comme du grès fin quand je la croque, cette nouvelle neige résonne comme de la pierre ponce remuée dans un sac. Elle me convient parfaitement. Je récupère une planche que je scie à ma convenance et la pose sur ma *pulka*, improvisant un pick-up sur lequel je vais pouvoir installer mes blocs. Ficelée par les sangles de serrage et les cordons de rappel élastiques de la *pulka*, ma planche est solidement fixée. J'installe les cordes de traction à l'avant du traîneau, puis je vais chercher les harnais dont je m'apprête à équiper les chiens pour la première fois. Je tâtonne, tourne, inverse, bloque, mélange, retourne ces harnais, aidé par l'immobilité et la docilité totale de Michima et Chuchi... Patte en l'air au travers d'une sangle, tête coincée dans le mauvais passage, retournés dans tous les sens ou en équilibre comme des chiens de cirque marchant sur les pattes avant, mes amis me font rire.

La gymnastique que je leur impose est inimaginable. Pas un grognement, pas un mouvement, même pas la menace d'une morsure. Ils me regardent patiemment, semblant rire de ma maladresse et se demandant qui leur a donné un « maître ès harnais » aussi peu expert ! Finalement, dès que nous sommes prêts nous partons ou, du moins, nous essayons ! Il est clair qu'ils connaissent bien leur travail. Mais nous ne nous comprenons pas encore ! Le bruit de la *pulka* sur la neige et sur les cailloux glacés du permafrost semble les gêner, à moins que ce ne soit ma position par rapport à eux. Faut-il que je sois devant, derrière, à gauche, à droite, au milieu ? Aucune idée ! Mais je sais qu'ils attendent des ordres ou des mots que je ne connais pas ! Alors j'y vais de mes : « Allez ! allez les chiens ! yeh, yeh... » Ça fonctionne plus ou moins bien, mais ils s'habituent vite à mes cris et à la corde qui leur caresse les reins à l'occasion. Dès que nous sommes arrivés à la mine, ils s'arrêtent instantanément, se couchent et se remettent en boule. Le chargement des blocs effectué, je « choque » la *pulka* d'un coup vif sur les cordes pour libérer les patins saisis par la glace et tire avec eux pour lancer le mouvement : les « allez, allez les chiens » font le reste. Michima et Chuchi vont directement à la cabane ! Je suis tellement heureux du résultat que je les félicite et les caresse affectueusement. Lorsque je veux qu'ils s'arrêtent, l'ordre est peu à peu devenu : « Pas bougé ! » Original... Ils se couchent alors, comme s'ils avaient peur que je les batte à mort. Aplatis au plus près de la neige, tête entre les pattes, oreilles rabaissées, yeux mi-fermés, épaules en protection, queue et train arrière ramenés sous le ventre, ils attendent peut-être la raclée que leur mémoire de chien de traîneaux a imprimée... Il doit bien y avoir une raison. Je vais la comprendre très vite : avec ce froid, il est hors de question de se geler les mains en perdant du temps à équiper les chiens. Les Inuit obtiennent donc avec quelques raclées formatrices la servilité totale de leurs équipiers.

Comme dit un proverbe arctique : « Un chasseur sans chien est un demi-chasseur... » Mais les chiens arctiques dépendent bien aussi des hommes... Des ossements de chiens ont été trouvés sur un site « paléo-eskimo » vieux de quatre mille ans. Ils étaient probablement utilisés comme des partenaires de chasse et non comme des animaux de trait, car les vestiges de harnais et de traîneaux n'apparaissent qu'il y a environ mille ans... Ces découvertes « technologiques » vont transformer la vie des Inuit. Ils vont pouvoir désormais voyager plus loin, plus vite, plus chargés...

Cette caravane sur laquelle je place jusqu'à huit blocs m'est très utile. Mon dos est déjà rudement sollicité. En effet, genoux à terre, il me faut prendre dans les bras ces grands blocs de neige dont j'ai augmenté la taille, me relever et les déposer sans les casser sur la planche. C'est très éprouvant et je fais la journée continue !

Cet après-midi, pour le deuxième mur exposé plein nord, j'améliore la technique de construction de mon igloo ! Je dépose les blocs à vingt-cinq centimètres des planches de la cabane et comble de neige molle l'espace ainsi aménagé.

Je tasse ensuite ce doublage jusqu'à ce que le niveau atteint soit celui du bloc et ainsi de suite. L'isolation sera maximale. L'air glacial ne pourra pas passer à travers les blocs, l'isolation et la cabane... Impossible ! Ceci dit, il me faudra attendre d'avoir terminé l'ensemble, toit inclus, pour en ressentir les effets. Ce travail multiplie par deux mon temps passé sur la neige. Non seulement il me faut scier, dégager, porter, tracter et monter mes blocs, mais il me faut en plus trouver, creuser, transporter, placer et tasser à la pelle des mètres cubes de neige... Pour ce dernier travail, je ne m'éloigne pas trop et jette de loin la neige pelletée dans une barkhane qui se trouve à trois mètres de mon chantier. Comme les barkhanes des déserts de sable, les monticules de neige accumulée ont la forme de croissants qui, pointes en avant, progressent avec les blizzards.

Lorsque je m'arrête, à la nuit, ma tête n'est qu'un bloc de glace ! Les 27 °C en dessous de zéro et le vent permanent de vingt-cinq kilomètres à l'heure ont cristallisé toute l'humidité de ma transpiration et de ma respiration. Mes cagoules sont rigidifiées par des gangues de glace. Les différentes couches de cagoules et les masques en Néoprène disparaissent sous une grosse épaisseur de givre ! Cette coque rigide entoure mon visage, du menton jusqu'au front, accrochant aussi ma chapka. Le gel autour de mes cils a la forme de grosses larves blanchâtres qui alourdissent mes paupières. La peau du visage brûle et commence à rougir... Le rouge, ce n'est pas encore très grave. Je surveille de près qu'il ne se transforme pas en blanc, puis couleur cire macabre, puis en gris, puis en noir...

Rentré à l'abri, c'est un seul bloc de glace et de tissu que j'arrache et que je jette sur le plancher. Dans la chaleur relative de la cabane, – 23 °C, mon visage se met à brûler... La température est encore descendue. Je suis attaqué par la glace de toutes parts. Je ne perds pas de temps. J'allume les deux bougies, ma lampe et le réchaud. Je me déshabille après avoir passé un sale moment à brosser, gratter mes vêtements pour enlever la moindre trace de givre et de glace. C'est fastidieux, mais il faut le faire, sinon, en quelques heures, la veste restée en boule et la cagoule laissée à l'abandon ne seront plus que deux amas de glace inutilisables. Je les étends tout de suite sur le « sèche-linge » qui traverse la « maison » : au-dessus du réchaud, le givre fond, et les vêtements posés sur les cordelettes sèchent petit à petit.

J'attrape mon Thermos. Je laisse un peu de pulpe de mes doigts collée sur l'enveloppe métallique externe ! J'ai oublié de remettre une paire de gants... Avant toute chose et pour ne pas différer cet « atelier », j'entreprends de recouvrir mes deux Thermos d'une épaisse couche de tissu autocollant. Il en va ainsi. Il ne faut rien remettre à plus tard. J'installe la même couche de protection sur le manche de ma pelle à neige, sur la poignée de la porte, sur la bonbonne du réchaud... bref, partout où l'attaque du froid sur le métal met mes doigts en danger...

Mon visage se réchauffe progressivement. Je décolle ensuite doucement les larmes de glace de mes cils et les dernières billes de gel prises dans ma moustache. Puis je prépare un chocolat chaud dans la lumière tamisée de mon abri.

La journée a été bonne. Le mur ouest est terminé et j'ai bouclé deux rangées du mur nord. Le froid est terrible.

Je dois me changer et revoir mon système « multi-couches » composé de plusieurs épaisseurs de sous-vêtements. Je ne suis pas satisfait. Je quitte la première épaisseur en synthétique, dans laquelle j'ai beaucoup transpiré et qui est très humide. Je la remplace par deux gilets bien secs, composés de deux tiers de laine mérinos et un tiers de fibres synthétiques. Je me change complètement, de haut en bas, avec la même matière, en superposant deux paires de chaussettes, deux caleçons longs et une cagoule. Chaque vêtement a une épaisseur de tissu de deux cents grammes par mètre carré ! Par-dessus, j'ajoute un caleçon long, mais en quatre cents grammes par mètre carré, et la veste en six cents grammes par mètre carré ! Tout de suite, je me sens mieux. L'air se réchauffe entre les différentes couches de laine et me protège ainsi du froid. La laine est une fibre naturelle poreuse, dont le pouvoir d'isolation thermique est incomparable. J'ai testé de nombreux sous-vêtements en fibres synthétiques, mais aucun n'a cette capacité de la laine à absorber la vapeur d'eau évacuée par le corps. La conductibilité de chaleur de l'eau est vingt-cinq fois plus importante que celle de l'air : il est donc très important que les fibres puissent absorber l'humidité, l'évacuer et garder la peau sèche. Sinon... on a froid ! Mes vêtements ont par ailleurs une coupe particulière, sans coutures longitudinales. Que ce soit le torse, les manches ou les jambes, des pièces tubulaires assurent un confort et une protection maximale. Sur la surface intérieure, de petites bouclettes de fibres très fines créent, à même la peau, une deuxième couche isolante d'air (en plus de celui emprisonné par les fibres de laine). Grâce à la chaleur emmagasinée, celle-ci accroît encore l'isolation thermique et la capacité du vêtement à sécher rapidement.

Pour la nuit, je garde deux épaisseurs de sous-vêtements thermiques « haut et bas ». Pour la journée, je varie en fonction des efforts programmés et de la température extérieure. Me voilà paré de ce côté !

La lutte contre le froid, c'est aussi la lutte contre l'humidité, la condensation, la transpiration, la vapeur...

Bref, l'eau sous toutes ses formes, liquide ou gazeuse. Car ici, l'étape suivante, c'est la glace ! À − 20 °C, le froid cherche et trouve immanquablement la moindre particule d'eau et la cristallise... Dans ce combat de tous les instants, la prévention est encore la meilleure arme. L'allumage du réchaud, s'il est synonyme de repas ou d'eau bouillante, veut aussi dire « atelier séchage » ! Tout y passe ! Chaussettes, chaussures, chaussons de feutre, gants, surmoufles, sac de couchage, veste et salopette... J'essaie de garder mon parc de vêtements le plus au sec possible. J'évite de perdre la chaleur sans prix du sèche-linge naturel qu'est... mon corps !

Pour les sorties rapides et dans ce seul cas, car je ne veux pas encore m'y habituer, j'enfile ma salopette et ma veste « grand froid » : je peux les enfiler en moins d'une minute sur une simple couche de sous-vêtements sans avoir froid dehors !

D'ailleurs, pour tous mes vêtements, je recule le jour où je dois m'équiper un peu plus. Je me force à m'accoutumer au froid et à garder en réserve les couches supplémentaires. Il me reste des vestes et des caleçons en fibres polaires, une combinaison intégrale en laine de quatre cents grammes par mètre carré, des chaussettes en huit cents grammes par mètre carré et toute une panoplie d'accessoires – cagoules, mitaines, moufles en laine.

Dans le même ordre d'idées, dès que j'ai fini de boire un chocolat chaud, un thé, ou de manger n'importe quel mets, je fais la vaisselle sans attendre la fin du repas : c'est-à-dire que je prends du papier toilette et m'applique à nettoyer et sécher au plus vite mon quart, ma tassette ou la gamelle. Ceci afin d'éviter une transformation immédiate en glace de la moindre particule ! Sinon, que celle-ci soit à l'intérieur ou à l'extérieur de la gamelle, elle va presque instantanément congeler et coller le récipient à la table, la cuillère à la tasse ou le couvercle à la bouilloire ! Ce cérémonial du nettoyage me fait consommer beaucoup de papier toilette, mais il n'est pas question que je fasse la vaisselle à l'eau chaude.

Ceci dit, cela fonctionne très bien. Ma cuisine est impeccable !

Piège d'eau

Je prépare de nouveau le montage miracle pour la vacation du lendemain. Dès que j'appuie sur l'interrupteur, la lumière rouge du convertisseur s'allume, et une alarme inquiétante se déclenche. Ma gorge se serre, je suis très inquiet. Rien ne se passe... Je ne comprends pas. Je recommence vingt fois les branchements, mais toujours rien. Je suis angoissé comme l'enfant qui a cassé son jouet ! Qu'ai-je fais ? Je recommence encore et encore, mais quelque chose a claqué. Je n'y connais rien en électricité, si ce n'est réaliser les branchements que les schémas m'indiquent et changer un fusible. Les câbles de sortie du convertisseur sont tous les deux gainés de noir. Ai-je permuté deux polarités ? Tant pis, j'appelle Jean Guy, d'Oceanic Navigation Electronic, au Québec, quitte à paraître ridicule : c'est lui qui a conçu l'adaptation du convertisseur de courant 110 volts/220 volts. Il me faut une solution. À son avis, j'ai bien fait un court circuit avec les câbles noirs du convertisseur, et le fusible a fait son travail : il a sauté. Il me fait remarquer :

« Un des câbles porte des inscriptions blanches sur la gaine. C'est le négatif ! »

Je contrôle. Mais ces inscriptions très fines étaient invisibles ! Lui le savait, un électricien l'aurait vu, su, contrôlé, mais c'était écrit tellement petit. De plus, dans cette pénombre... J'en ai presque les larmes aux yeux et mal au ventre. Le jouet est vraiment cassé. Tout d'un coup, je lui pose une question :

« Et du papier aluminium pour bricoler le fusible, ça pourrait le faire ?

— Oui, ça devrait marcher ! »

On raccroche et je fonce dans les caissettes attraper la première tablette de chocolat qui me tombe sous la main ! Je sors le fusible, l'enrobe d'une petite lamelle d'aluminium et refais le branchement, correctement cette fois-ci, sur la cosse négative de la batterie. Je connecte à nouveau le système, allume et retiens mon souffle... Lumière verte, ronronnement, « batterie en charge » ! La première « bûchette » commence à clignoter... Ça marche ! Enthousiasme maximal et « skibouille » endiablée... Je fais un point rapide avec Jean Guy sur ce montage de circonstance qui fera l'affaire.

La première fois, le hasard avait bien fait les choses...

Je m'empresse de différencier tous les câbles et toutes les gaines du montage avec des papiers autocollants de couleurs différentes.

C'est bon pour aujourd'hui ! Une soupe de volaille brûlante, de la semoule et du pâté de jambon préalablement décongelé au-dessus du réchaud, et je glisse dans mon sac.

2 novembre, début de « week-end » : Léo m'appelle pour la vacation de midi. Il est 18 heures à Toulouse.

La communication n'est pas de bonne qualité. Je transcris un extrait de la conversation :

« Allô, ça va le pote ?

— Allô, comment ça va ? Ici Radio Cabane. Donne-moi ton prénom ! D'où appelles-tu ? Que fais-tu dans la vie ?

–... (rires) Je vois sur l'écran du Minitel qu'il fait − 32 °C. Putain, c'est pas possible !

— Si, si mon pote, j'ai attaqué les − 30 °C hier, et j'ai − 22 °C dans la cabane ! On parle de réchauffement de la planète, mais j'ai l'impression de commencer une nouvelle ère glaciaire...

— − 22 °C dans la cabane ? Comment vas-tu ?

— Je vais bien ; je travaille à fond sur les murs de l'igloo... »

La communication saute sans arrêt, et nous raccrochons. Léo vient de me confirmer que la balise Argos émet bien : elle est suspendue à l'extérieur, à un chevron du toit, côté est. Grâce à un code d'accès, il consulte tous les jours sur son Minitel, non seulement la position, mais aussi les températures. Il imprime tous les relevés et me constitue ainsi des archives très précieuses.

Je ne sens pas d'inquiétude chez Léo à ce moment, tout au plus une tension, mais ce n'est que le début...

La température continue de descendre. Je repars à la mine... À cause du vent d'ouest et du froid, je change d'organisation : je découpe d'abord un maximum de blocs, puis je fais de nombreux allers-retours avec les chiens pour constituer un stock au pied de la cabane. Comme j'ai attaqué le mur est, je travaille ensuite plus longtemps à l'abri du vent.

Finir le haut des murs est très éprouvant. Je dois déplacer mes lourdes cantines et monter sur ces marches improvisées glissantes. Surtout, je travaille les bras en position haute, ce qui diminue l'irrigation sanguine de mes mains qui gèlent plus vite... Les couleurs de braise des ultimes ondes lumineuses des couchers de soleil que je ne vois plus depuis bien longtemps sont magnifiques. Les jours sont de plus en plus courts. Ils commencent vers midi et demi et finissent très tôt, vers 15 heures. Très pâles, presque sombres, totalement encadrés par l'obscurité qui est en train de tout avaler... Il n'y a plus de matin ni d'après-midi. Le ciel se referme comme un diaphragme. Juste quelques heures de lueur en sursis. À l'intérieur de la cabane, l'obscurité est totale et permanente depuis le début de l'aventure.

La troisième semaine commence par ces mots de Léo : « Un jour ou un an ou un siècle ? C'est la même chose. Atteindre le but, voilà ce qui compte ! T'as réussis à réaliser ton rêve, fais quand même gaffe et, surtout, regarde derrière toi... Reviens en forme pour raconter. » Léo, Maryse, les enfants et professeurs de l'école Montalembert, ainsi que certains de mes partenaires m'ont remis avant mon départ de nombreux petits mots, lettres et messages à ouvrir à dates précises ou à la demande, en cas de blues. Ils vont baliser mon chemin jusqu'au bout. Je les répartis dans mon agenda sur les semaines et les mois à venir, comme des rendez-vous fixés que je ne manquerai pas.

Après avoir fait le mécanicien, l'électricien, le maçon et le menuisier, je dois aujourd'hui faire le vétérinaire. Michima est blessée à la patte avant droite. Elle boite bien bas. Je ne sais pas d'où lui vient sa blessure, mais je pense à un vilain accroc sur un clou qui dépassait d'une planche cachée dans la glace autour de la cabane. Ou, plus improbable, une morsure de son frère.

La chienne refusait de rentrer dans la cabane. J'ai dû la porter de force. Maintenant elle est docile, allongée sur le plancher glacial et se laisse faire sous le faisceau bleuté de la lampe frontale. J'observe, palpe, nettoie, désinfecte et panse en utilisant ma pharmacie de bord et ses médications pour humains. Je découpe les poils ensanglantés et la désinfecte avec de la Bétadyne que j'ai décongelée dans une tasse d'eau chaude. Puis, après avoir fait son bandage, je lui administre, via un morceau de cake, un cachet d'antalgique. Lorsque je la relâche, elle se met en boule devant la porte aux côtés de Chuchi que j'ai attaché à sa chaîne pour la nuit. Elle n'a pas l'air très en forme.

C'est avec Natalie et mon beau-frère Christophe, médecin à Pau lui aussi, que nous avons préparé la très complète pharmacie nécessaire à une telle expédition. Nous avons longuement annoté, étiqueté et préparé ensemble les différentes boîtes d'antalgiques, antibiotiques et autres anti-inflammatoires de base. Quand cela a été possible, afin de diminuer l'utilisation d'eau, nous avons sélectionné des comprimés orodispersibles, c'est-à-dire qui se délitent rapidement dans la bouche grâce à la salive. On a aussi prévu les médications les plus fortes en cas d'infections, traumatismes ou accidents graves. Dans ce dernier cas, je dispose d'un minibloc opératoire avec injections anesthésiantes, scalpel, fil pour suture et toute une panoplie de compresses.

Les crèmes, pommades, collyres, lotions, gels, doses stériles sont congelés ! Afin de pouvoir les utiliser, je dois les placer au-dessus du réchaud ou dans des bains-marie.

J'ouvre ensuite mes carnets de suivi de l'alimentation et du matériel. Des tableaux précis me permettent de contrôler au jour le jour l'évolution du stock et les rythmes de consommation de toutes les denrées alimentaires, des piles, des bougies et du carburant. Dans ce milieu extrême, les consommations échappent aux règles usuelles. Il est très important de bien savoir estimer ses besoins. À Fort Eleanor, le plus dur reste à venir. Je vais bientôt affronter deux mois d'obscurité totale. Mes consommations vont très largement dépasser celles du moment.

Que ce soit les moyens d'éclairage ou l'alimentation électrique des appareils divers, je suis ravi de la précision des calculs réalisés l'année dernière après l'isolement dans les Pyrénées.

Les deux appareils photo, les deux lampes frontales à ampoules, le GPS, le Walkman, le minidisque et le réveil fonctionnent avec des piles AA LR06 de 1,5 volt au lithium, qui résistent mieux dans le froid que les piles alcalines ; leur autonomie est supérieure, et elles sont aussi plus légères. J'en ai pris deux cent soixante. J'ai par ailleurs remplacé les grosses piles plates alcalines de 4,5 volts de mes lampes à ampoules par trois petites piles AA LR06 de 1,5 volt au lithium, logées dans un adaptateur ; la puissance est incomparable, le poids et le volume total également ! En revanche, j'ai choisi de ne pas mettre des ampoules halogènes pour éviter une surconsommation : avec une ampoule standard (3,8 volts-0,22A), l'autonomie de trois piles au lithium est de huit heures, avec une ampoule halogène de deux heures trois quart !

Pour les deux thermomètres à sonde et les trois lampes frontales à LED (diodes électroluminescentes), j'ai emporté cent vingt petites piles AAA LR03 de 1,5volt : ce modèle n'existe malheureusement pas encore au lithium. J'ai adopté les lampes à LED, pour leur légèreté, leur résistance (les diodes ne tombent pas en panne) et leur efficacité. Pour lire ou écrire, la lumière bleutée de leurs faisceaux est très agréable.

J'ai aussi un stock important de trois cent vingt bougies. Une bougie standard de vingt centimètres brûle en quatre heures. J'ai prévu d'en utiliser trois par jour. Quant aux lampes à essence, l'autonomie est d'une dizaine d'heures pour un réservoir de six cents millilitres.

Comme j'ai besoin de douze heures de lumière par jour, mes moyens sont suffisants et, de temps en temps, je peux cumuler toutes ces sources.

Je commence un nouvel aménagement intérieur de la cabane. Dans cet espace exigu, je cherche à combiner au mieux les coins nuit, travail, bricolage, cuisine et cellier en tenant compte de la sécurité. Je me régale à tout chambouler pour concevoir un agencement pratique et confortable. Bricoler ne me fait pas peur. J'ai tout ce qu'il me faut sous la main – planches, clous, outils, cantines et caissettes –, pour m'organiser comme à bord des bateaux où chaque millimètre compte, où le fonctionnel rivalise avec le confort, et où l'astuce défie souvent la logique.

J'ai placé contre le mur sud, à droite de la porte, trois cantines en position verticale. Elles me servent d'armoires pour l'alimentation. Peu importe vraiment l'emplacement des vivres en terme de chaleur, puisque dans la journée, en partant du sol vers le plafond, il fait de − 25 °C à − 15 °C. Alors, étage congélateur ou rayon surgelés ! Toutefois, je range au plus bas les produits secs, les déshydratés qui ne subissent pas les effets du froid, ainsi que les vivres frais comme le jambon, le fromage ou le beurre. Plus haut ce sont les boîtes de conserve : elles sont déjà gonflées par le gel. Je les place donc en « préchauffage » : elles seront moins gelées à − 10 °C qu'à − 25 °C ! Au milieu, j'ai disposé ce que j'utilise le plus souvent : les vivres pour le petit déjeuner (céréales, lait en poudre, biscottes, thé, sucre, café, chocolat) et quelques variétés de soupes. À droite de ce cellier, en continuant dans le sens des aiguilles d'une montre le long du mur ouest, j'ai rangé les fruits secs, barres énergétiques et biscuits variés. Encore à droite contre le mur nord, dans l'angle de la cabane, j'ai installé sur des planches le « bureau-atelier-laboratoire scientifique-bibliothèque ». On y trouve le système de branchement de la batterie, le matériel du protocole sur la vision et mes anémomètres, GPS, thermomètres, jumelles, dossiers scientifiques, carnets, cahiers, ainsi que blocs-notes et papeterie diverse. J'ai aussi installé là une partie de mes outils : cordelette, stock de bougies, réchauds à alcool solidifié, rouleaux de scotch de largeurs et épaisseurs variées. Afin de gagner de la place, j'ai construit de petites étagères à l'aide de planchettes posées sur des tasseaux et arrimées aux montants de la cabane par de la cordelette.

Fixés à la paroi dans une pochette étanche se trouvent la carte et le tableau d'indice de refroidissement éolien : je peux ainsi les consulter en permanence. Dans une caissette isotherme, j'ai placé mes appareils photo, les objectifs et une partie des pellicules. Dans une autre, le téléphone, un baladeur-enregistreur de son numérique et ses minidisques, mon Walkman, une collection de CD, ainsi que des piles et des chargeurs divers.

Tout de suite à droite de l'atelier, occupant la deuxième partie du mur nord et la presque totalité de la longueur du mur est, se trouve ma couche. Je l'ai surélevée pour échapper au froid du sol. Posés à cheval sur les deux montants de l'armature métallique du lit, deux madriers et une grande planche de contreplaqué font office de sommier. J'ai installé deux matelas en mousse isolante, puis mon matelas autogonflant épais de six centimètres et demi. Ma couchette est dorénavant située à plus de quatre-vingt centimètres du sol. Contre le mur, j'ai fixé une planche sur laquelle se trouve la carabine, directement à portée de mains depuis mon sac de couchage.

Sous le lit, j'ai rangé une partie des sacs de douze kilos de croquettes pour les chiens et quelques caissettes de céréales, de semoule, de tablettes de chocolat et de nouilles chinoises. Du côté de la porte, j'ai accroché au mur les harnais des chiens et ceux du traîneau, ma corde de trente mètres, les deux scies, la hachette et la pelle à neige.

Pour échapper également au froid, j'ai mis en place, à quarante centimètres du sol, une estrade constituée de panneaux de contreplaqué posés sur des cantines vides. Elle ne fait guère qu'un mètre carré et constitue le cœur, la tour de contrôle de mon minuscule « vaisseau glacial »... J'y ai installé le guéridon qui fait office de « cuisine », sur lequel j'ai posé mon réchaud, mes gamelles, les bouilloires et les Thermos.

Pour le moment, cet agencement très fonctionnel me convient. Il me permet, dans ce petit volume, de tout attraper quasiment sans bouger de ma chaise. Il sera toujours temps de le modifier.

Satisfait du travail réalisé, je prépare une soupe des pêcheurs, des pâtes aux quatre fromages (je n'ai pas honte d'y rajouter cent grammes de cheddar râpé), six quenelles de brochet et une petite crème de marron. Ensuite, à la douce lumière de la lampe à essence, tout en croquant quelques carrés de chocolat blanc, je dessine sur mes cahiers les plans de mon organisation. Ces pages constitueront la mémoire de cette aventure. J'utilise des crayons, car toute encre gèle...

Je m'habitue à l'obscurité relative de la cabane.

Une des premières adaptations « maison » a été de fixer mes crayons à de longues cordelettes clouées à la paroi :

cette innovation me permet de les trouver tout de suite et de ne plus avoir à ramper sous l'estrade pour les récupérer. J'ai également reconverti les premières boîtes de conserve en bougeoirs.

À quelques heures de l'extinction définitive des feux, le chantier igloo est presque fini.

Enrobée dans sa coque de neige, la cabane désormais toute blanche a quelque chose d'irréel... de surprenant, que les yeux n'ont pas l'habitude de voir. Elle est magnifique. Je ne suis pas peu fier de cette réalisation. À l'intérieur, le thermomètre approche les − 7 °C pour − 20 °C à l'extérieur. Les effets de l'isolation se font sentir. J'ai bien fait de m'accrocher à mon idée.

Pour couvrir le toit, j'ai enfin trouvé la solution qui me convient. Je place des blocs de neige en ceinture le long des arêtes et vide au milieu de cet espace des sacs entiers de neige molle que je tasse avec le dos de la pelle. Avec les vents quasi permanents, le travail à l'extérieur, dans la pénombre, est devenu très difficile. Je me gèle. Afin de pouvoir travailler, je prends des risques. Je monte sur trois cantines posées les unes sur les autres et je m'aventure à genoux le long des chevrons. Je suis gêné par mes vêtements. Je bois ou avale la neige soulevée par le blizzard. En cas de glissade, je n'ai aucun moyen pour me retenir. Je garde en mémoire une belle chute du haut des cantines recouvertes de givre qui ont glissé l'une sur l'autre. Depuis, j'utilise un harnais, une corde et une poulie autobloquante pour éviter un drame stupide.

Le jour est pincé au sud-ouest par l'obscurité qui gagne du terrain, et dure moins de deux heures. Parfois, le ciel s'embrase de lueurs de feu, sublimes lentilles sanguines écrasées par une atmosphère sombre, presque lugubre. Depuis la disparition du soleil, la nuit permanente s'installe minute après minute. Dans un combat sans violence, à l'échéance programmée, le jour s'incline dans l'arène du lac Eleanor oppressé par l'onde noirâtre sûre de sa victoire. Les étoiles ne s'éteignent plus dans le ciel. Les constellations tournent autour de moi, comme si elles prenaient la cabane pour axe de rotation.

Je décide de retourner au lac pour sortir de l'eau quelque pitance protéinée. Mais la tâche est plus ardue que prévue. Il me faut casser avec le lourd pic à glace la gangue de protection qui s'est formée à la surface et qui, surtout, a progressé par-dessous. Ce n'est plus un simple bouchon qu'il faut faire sauter : il y a plus d'un mètre d'épaisseur ! Je dois découper un large entonnoir d'un mètre cinquante de diamètre à la surface, pour pouvoir obtenir, près de l'eau, un trou de vingt centimètres de diamètre. L'effort est intense. Je transpire anormalement. Je creuse et façonne des marches sur lesquelles je prends appui. Je continue à descendre dans la glace. Haletant et expirant une lourde vapeur blanche dans cette ambiance sombre, je veux aller au bout de l'effort. Je suis plutôt tendu, presque mal à l'aise. Je perce avec cœur le dernier bouchon de glace et... c'est un puissant geyser, mais d'une eau glacée et surcomprimée par des tonnes et des tonnes de glace, qui jaillit du lac ! Je n'ai absolument rien anticipé. Stupide, bête, je n'ai pas réfléchi, sûrement trompé encore par les effets du froid. Je perds l'équilibre et tombe dans cette nasse mortelle qui m'engloutit jusqu'aux hanches. Assis dans une « baignoire sabot », je me débats sans accroche possible sur les parois lisses... Je sens immédiatement l'eau de glace me saisir. Je m'agrippe à la nuit. Adaptation vitale, mon cœur pompe le sang à son rendement maximal. Mes tempes explosent. Les éclaboussures dansent sous le faisceau de la lampe et se mêlent à la vapeur que

j'exhale, souffle cristallisé de la vie en suspens... Le temps
s'est arrêté. Mon bras attrape au ralenti le pic à glace heureusement posé à côté du trou. Je m'en sers de barre d'appui.
Dans un état second, comme sorti de mon corps pour le voir
agir, je rampe finalement à l'extérieur de ce piège d'eau...
Trempé jusqu'aux os, la gorge serrée, des crampes au ventre,
je récupère chien et arme et cours vers la cabane. Une pellicule de glace rigidifie déjà mes vêtements et mes chaussures...

Il fait − 33 °C !

Je m'insulte. Je me libère de ce carcan de glace
aussi vite que je le ferais si j'étais dans une combinaison en
feu. J'installe rapidement mon atelier séchage. Ce stupide
incident aurait pu être dramatique. J'aurais pu me casser la
jambe, m'évanouir. Pire, rester coincé... conscient ! Je n'avais
avec moi ni balise, ni téléphone. D'ailleurs, à quoi auraient-
ils servis ? Prisonnier, j'aurais lutté contre le temps et le froid.
La glace se reformant instantanément à la surface du piège,
j'aurais simplement pu, ultime recours, faire glisser avec le
pic à glace la carabine vers moi... J'en ai froid dans le dos... !

Le lac qui a failli m'engloutir dans l'obscurité porte
un nom terrible : Eleanor. Le prénom de la fille unique de...
Sir John Franklin !

Je suis au cœur de la tragédie...

Je ne suis pas superstitieux, mais cet épisode
marque l'arrêt définitif de mes balades au lac pour pêcher
ou prendre de l'eau. La nature m'indique fermement,
comme un avertissement, qu'« à la nuit tombée, à la cabane
je dois rester » !

Cette rude leçon confirme qu'en solitaire, les
erreurs se paient très cher. La fourmi va se préparer « pour

quand la bise fut venue », à affronter, dès ce 18 novembre, la longue nuit polaire.

Le froid est tombé comme une chape mortelle. La température extérieure a chuté de 13 °C par rapport à la veille. Ce qui me semble énorme... Dehors, je ne peux m'empêcher de tousser. Les poumons repoussent l'air glacé venu conquérir les fragiles alvéoles. Mon environnement a changé. La neige poudreuse des derniers jours a recouvert de blanc tout le site. Le jeu de lumière de la pleine lune qui tourne autour de moi sans se coucher est incroyable. Il me donne l'impression d'avoir changé de planète. Je ne suis plus sur la Terre. Je suis bien dans un autre monde, minéral et glacial... seul dans la nuit polaire... !

À l'intérieur, je note que je n'entends plus les vents les plus faibles, ni leurs effets sur les boiseries. La neige de mes blocs fait office d'isolation phonique et masque un peu plus le bruit discret de l'éolienne.

Voilà un mois que je suis arrivé. Je ne suis pas encore complètement installé : il me faut finir l'étanchéité de ma cabane. Mes mains et mes pieds ont beaucoup souffert.

Au fur et à mesure que ma coque se referme sur la cabane, je dois faire face à d'autres dangers : ceux qui sont liés à l'utilisation du carburant dans un environnement confiné ! Le *white gas* ou « essence blanche » est extrêmement volatile. Le manipuler est très dangereux... Invisibles et explosives, les vapeurs peuvent être enflammées par une source d'ignition placée à une grande distance. Un des risques majeurs dans la cabane est donc l'incendie. L'explosion étant pire que l'incendie... Je ne laisse jamais rien allumé lorsque je pars à l'extérieur. Quand je fais le plein des réchauds et des lampes tempête, j'essaie de faire attention aux éclaboussures et aux réservoirs qui débordent. J'établis une chronologie des gestes à enchaîner. Je frôle souvent la catastrophe, d'autant plus que ma vigilance est altérée par le froid et la fatigue, et qu'avec mes gants je suis maladroit. Mais le plus dangereux reste, sans conteste, l'intoxication au monoxyde de carbone. Ce gaz est pernicieux, invisible, indolore, mortel ! C'est en étant extrêmement vigilant que je vais y échapper.

Très rapidement, j'apprends à déceler sa présence grâce à de nombreux signes : une odeur âcre de mauvaise combustion du carburant ; des yeux qui piquent et des éternuements ; des douleurs derrière la nuque qui écrasent mes trapèzes ; les bougies qui « étouffent » et ne donnent plus qu'une lumière jaunâtre ; le manchon de la lampe normalement aveuglant qui, petit à petit, devient terne et ne fournit plus qu'une lueur bien pâle...

Au premier de ces signes, j'ouvre la porte en grand. Je laisse un air glacial à − 30 °C envahir la cabane ! Mais il est pur et oxygéné. Il plonge immédiatement celle-ci dans un brouillard épais dû au choc des températures. Il nettoie mon espace vital de cette atmosphère viciée et dangereuse, et redonne comme par miracle de l'éclat aux lampes et aux bougies.

Je passe ensuite cinq bonnes minutes à l'extérieur pour m'oxygéner abondamment ! Si je n'ai pas réagi à temps, j'ai mal à la tête, je me sens nauséeux, je respire difficilement. Ces symptômes durent longtemps après que je me suis couché. J'ai du mal à trouver mon calme. Je remue sans cesse dans mon sac pour trouver une position confortable. J'ai la désagréable sensation d'étouffer...

Compte tenu de ces risques omniprésents, j'ai constitué à l'extérieur de la cabane un stock de survie. Si la cabane flambe, il me permettra de camper pendant plus d'un mois, même dans l'hypothèse où je ne pourrais rien récupérer à l'intérieur. J'ai pris ces dispositions pour parer à un drame éventuel. C'est le minimum pour prétendre non seulement survivre momentanément dans ce milieu hostile, mais poursuivre cette aventure et les protocoles scientifiques coûte que coûte. Je ne dis pas que ce serait facile, mais j'y suis prêt.

Dans mes solides caisses, j'ai tout d'abord placé des sacs étanches contenant le double du dossier des procédures d'urgence, le deuxième téléphone satellitaire, des batteries de rechange ainsi qu'une deuxième carte de la région. On trouve ensuite une tente d'expédition, un deuxième sac de couchage « grand froid », le double du matériel de cuisine incluant réchauds et gamelles mais aussi bougies, lampes frontales, lampe tempête, stock de piles, pelle, scie, mousquetons, broches à glace, cordelette, matelas, bâches diverses, feux de signalisation et kit de survie. J'ai stocké des vêtements polaires, quelques livres, une pharmacie ainsi que des sacs de croquettes pour les chiens. L'alimentation est conditionnée dans les caisses anti-ours et un peu plus loin sont entreposés mes jerricans de carburant. Ayant donc ventilé mon matériel et ma nourriture aussi bien à l'extérieur qu'à l'intérieur, je suis rassuré. J'estime que je suis paré ainsi pour le plus dur de l'hiver.

Je fête la fin de ce premier mois avec un chantier très attendu : me laver à l'eau chaude ! J'en profiterai aussi pour laver mon linge de corps. Quelle organisation ! C'est encore une caissette bleue qui va cette fois me servir de lavabo. Je la remplis au fur et à mesure que le réchaud et la gamelle de deux litres me fournissent l'eau brûlante issue de la fonte de la neige. Il me faut plus d'une demi-heure pour obtenir deux litres d'eau bouillante, qui refroidissent très vite dans ce lavabo improvisé. Il fait − 12 °C, et − 30 °C à l'extérieur. Mais je suis patient. Au bout d'une heure et demie, je commence mes ablutions dans un effroyable brouillard.

Un moment de bonheur dû à six litres d'eau chaude... Le contact sur les mains d'abord, puis sur le visage, est exquis. Quel régal ! J'en profite pleinement, mais les bonnes choses ont une fin. Je me sèche, puis commence la lessive dans l'eau du shampooing : nettoyage, rinçage, essorage. Tous les programmes de mon Lavomatic fonctionnent ! Puis phase essentielle : j'étends au-dessus du réchaud mon linge qui sent bon. Je dois tout faire sécher au plus vite, sinon, dans la soirée, ma garde-robe sera pétrifiée.

Pour chauffer dix litres d'eau au total, laver deux paires de chaussettes, trois caleçons longs, deux gilets de corps et me faire un shampooing, il m'a fallu cinq heures !

Dans la soirée, je réalise à quel point mes mains ont déjà souffert. Je les regarde de plus près. Je comprends ce que je ressens depuis quinze jours déjà. Elles sont gonflées, craquelées ; des bouts de peau se détachent... Des crevasses ont traversé l'épiderme et jouent avec la sous-couche de chairs douloureuses. Le sang est prêt à jaillir des lèvres qui ne se referment pas. Les extrémités de mes doigts sont insensibles. Ces petits riens ne sont pas inquiétants, mais ils me font terriblement souffrir lorsque je me cogne, me pince, me coince et que par mégarde, ce qui est toujours le cas, j'appuie là où ça fait mal !

Cette journée m'a fait le plus grand bien. Se laver est un acte régénérateur. C'est comme prendre un nouveau départ, recharger les accus.

Le lendemain, je m'octroie une journée de repos. Mes mains ont pris une curieuse couleur... Le dos est blanchâtre, dépigmenté. J'ai perdu les poils sur le dessus. La dernière phalange de chaque doigt est plutôt marron, très plissée, vieillie, marquant ainsi les zones qui ont le plus souffert...

À midi, il fait aussi sombre qu'à 18 heures un soir d'hiver à Toulouse ! Le ciel est très bas, neigeux, l'atmosphère humide. Il n'y a pas de vent, le baromètre continue à descendre vers les 990 millibars... Une dépression arrive.

Ce soir, coq au vin, semoule de couscous et noix de beurre, pâte d'amande.

Mes besoins quotidiens en eau pour l'alimentation et la boisson varient de cinq à sept litres. Comme je ne vais plus m'approvisionner au lac, c'est la neige qui me fournit le liquide vital. Je la fais fondre dans une gamelle posée sur le réchaud. Ensuite, je porte à ébullition l'eau obtenue que je stocke dans mes Thermos. C'est très long. Pour faire des économies de carburant, mais aussi pour gagner un temps considérable, je dois chercher et trouver la « neige au meilleur rendement », celle qui me « donnera » le plus d'eau possible.

La poudreuse, composée à 90 % d'air, ne donne que 10 % d'eau : c'est-à-dire que, pour obtenir mes sept litres d'eau quotidiens, il me faudrait faire fondre soixante-dix litres de neige... Ça vaut donc le coup de chercher un bon filon et de ne pas se contenter de la neige venue s'accumuler devant la porte.

C'est dans la congère située à trente mètres au sud de la cabane que j'ai trouvé la meilleure neige. Tassée, compacte et glacée, elle me donne 57 % d'eau, quasiment 60 % par excès ! Autrement dit, avec quatre litres de neige j'obtiens près de deux litres et demi d'eau ; vingt litres stockés dans mon sac étanche me fournissent environ douze litres de liquide. Je dois donc me réapprovisionner tous les deux jours au minimum, car je dois tenir compte aussi de l'eau nécessaire aux incontournables bains-marie.

Je connais maintenant parfaitement mes consommations et les temps pour obtenir de l'eau bouillante : trente-cinq minutes pour les deux litres de la grosse gamelle en titane, vingt minutes pour le litre et demi de la bouilloire en aluminium.

Le titane est un métal très solide : il permet de réaliser des gamelles plus minces donc plus légères que l'acier et de très bonne conductibilité thermique. C'est un matériau idéal pour les expéditions engagées. Quant à l'aluminium, matériau standard des équipements de cuisine d'expédition, il assure une répartition rapide et uniforme de la chaleur, qualité importante en conditions extrêmement froides.

Chaque soir, avant de me coucher, je prépare le petit déjeuner pour gagner du temps le lendemain matin. Un buffet, afin de stimuler au réveil mon envie de manger. Trois ou quatre variétés de céréales, du pain d'épices, des biscottes, des tranches de cake aux fruits... Je multiplie ainsi les combinaisons afin de ne pas saturer ; je veux pouvoir déjeuner le plus rapidement possible dès la sortie du sac, afin de contrer l'emprise terrible du froid.

Pour les autres repas, je sélectionne le matin les boîtes de conserve gonflées par le gel. Je les positionne en hauteur dans la cabane et commence ainsi à les décongeler progressivement. Un repas classique commence le plus souvent par une soupe, que j'améliore d'un morceau de fromage ou d'une grosse noix de beurre. Le plat principal peut être une conserve, des pâtes ou encore de la semoule accompagnée d'un jambonneau préalablement décongelé. Pendant que je déguste la soupe, le réchaud tourne à fond pour faire bouillir de l'eau dans ma grosse gamelle ; j'y plonge ensuite la conserve fermée. Il me faut environ vingt-cinq minutes, parfois plus, pour obtenir un cassoulet, une choucroute, un poulet basquaise ou encore un petit salé aux lentilles. Je dois répéter la manœuvre du bain-marie si je souhaite des haricots verts, des carottes, des salsifis, des haricots blancs ou encore des flageolets. Le soir, pendant que je mange mon dessert – fruits au sirop divers, crème chocolat ou riz au lait –, je lance la fonte de la neige pour remplir les Thermos d'eau bouillante. Au matin, elle sera encore brûlante. En effet, à − 25 °C au réveil, il n'est pas question d'attendre : il est essentiel de pouvoir se réchauffer immédiatement avec une bonne tasse de liquide très chaud.

Ainsi se déroule un repas qui peut durer deux heures, vaisselle non comprise ! En expédition, c'est un moment privilégié. Récupération, recomposition d'énergie, plaisir, réflexion... Tout en soufflant sur une bonne soupe des pêcheurs trop chaude, le regard posé sur la douce flamme de la bougie, les pensées s'envolent...

Conformément au protocole sur l'alimentation, je continue à noter sur mes carnets la composition de mes repas.

Dans ces conditions extrêmes, s'alimenter est une question de vie ou de mort. Le réchaud est donc un des matériels les plus importants. Il est indispensable qu'il soit fiable. Celui que j'utilise est extrêmement puissant malgré le froid. Il brûle presque tous les carburants existant sur Terre : kérosène, diesel, essence automobile, carburant pour avion ou white-spirit... Il suffit simplement d'adapter le bon gicleur.

Le fonctionnement du réchaud est simple : le carburant est mis sous pression dans une bouteille-réservoir de 650 millilitres grâce à une petite pompe que l'on actionne à la main. Il est ensuite vaporisé dans un tube générateur au bout duquel il est enflammé après s'être mélangé à l'air. Le démarrage et l'entretien sont faciles. L'essence blanche a une combustion plutôt propre qui évite l'encrassement que créent les autres carburants, plus gras.

En conditions polaires, il faut généralement prévoir 300 millilitres par jour et par personne pour transformer la neige en eau, puis 150 millilitres pour porter cette eau à ébullition – ce qui fait 450 millilitres de carburant par jour. Sachant que je vais vivre une aventure hors norme, j'ai tout simplement doublé ces prévisions. J'ai donc emporté 160 litres d'essence, soit un litre par jour pour cent quarante jours, plus 20 litres de sécurité.

Souffrir ou partir...

Aux premières heures de la nuit permanente, je commence le protocole sur l'acuité visuelle. L'installation du matériel est longue, mais le plus dur reste à venir : les tests qui nécessitaient une heure à Toulouse me prennent deux heures et demie dans la cabane. Je note systématiquement l'éclairement à chaque exercice : la cellule photo-électrique me donne cent à deux cents lux, ce qui représente très peu de lumière. Je réalise tout d'abord des tests sur l'acuité visuelle de près (quarante centimètres) et de loin (deux mètres cinquante). J'utilise des panneaux à fort contraste, avec des caractères noirs, ou à faible contraste, les caractères étant gris. Je dois essayer de discerner dix pictogrammes sur une ligne : un panneau comporte treize lignes, de A à M, de la plus grande vers la plus petite. On teste un œil puis l'autre, puis les deux. Je mesure également la convergence motrice : je dois maintenir le plus longtemps possible la lecture d'une échelle que je fais coulisser sur un guide ; je la rapproche de mes yeux et note la distance à partir de laquelle ma vue se trouble. Un autre encore mesure ma capacité à accommoder au travers de prismes différents. Le test des couleurs détermine, lui, ma capacité à discerner dans l'obscurité quinze pigments faiblement colorés et à les ordonner du plus foncé au plus clair : l'exercice est chronométré. Je fais ensuite un exercice particulier. Il s'agit de lire et de mémoriser des séries de nombres à plusieurs chiffres : ils sont écrits sur des fiches qui passent à différentes vitesses à travers la fenêtre d'un appareil : le tachytoscope. Il faut être très concentré. Au début, mémoriser des nombres de trois chiffres libérés au vingt-cinquième de seconde est facile, mais des nombres de cinq chiffres au centième de seconde est très difficile, surtout dans des conditions de faible luminosité. De plus, comme le gel bloque les mécanismes de l'appareil, je dois l'utiliser au-dessus de la lampe tempête ! Pour finir, j'ai à réaliser un test sur l'éblouissement et le temps de récupération après une minute d'exposition des yeux à la lumière vive d'une lampe frontale. Je ne le fais que lorsque les conditions de sécurité sont suffisantes : c'est-à-dire que les chiens sont à l'extérieur et que l'un des deux est attaché. L'exercice est stressant, car il me laisse « aveugle » entre trois et cinq minutes... J'imagine mal comment je pourrais utiliser ma carabine dans ces moments-là !

Le froid rend très éprouvante la réalisation de ce protocole. La vapeur dégagée par la respiration m'empêche de lire correctement les lignes de caractères, surtout lorsque je dois masquer un œil. La buée dégagée givre sur les prismes et lentilles diverses, et m'oblige à les gratter sans cesse. Je dois donc effectuer une partie des tests en apnée, ou mettre sur la bouche et le nez un masque antigivre qui atténue les remontées de vapeur. Le travail avec mes gants ou moufles me prend un temps fou.

« Extérieur – 30 °C, intérieur – 15,4 °C. Heure de début : 14 h 30, heure de fin : 16 h 45. Exercice sur la

« flexibilité accommodative ». Après trois minutes, l'accommodation est de plus en plus difficile, fatigante, j'ai les paupières très lourdes, comme si j'allais m'endormir. Un test peut être meilleur qu'un autre et évoluer. Pas de panique. Il y a des phénomènes de compensation ; la vision peut se dégrader ou au contraire s'améliorer... Ne pas interpréter. L'œil gauche me paraît faible, vision trouble et protocole très difficile à réaliser dans ces conditions ; les appareils se couvrent de glace. Je suis claqué, j'ai l'impression de ne plus pouvoir faire travailler mes yeux ; c'est très pénible comme sensation. »

Ma satisfaction est intense toutefois. Durant la nuit polaire, mon acuité visuelle s'améliore « de jour en jour » et me permet de discerner, avec peu de lumière, de tout petits caractères à deux mètres cinquante. J'ai l'impression que l'on m'a greffé sur les yeux un intensificateur de lumière... Même dans l'obscurité la plus totale des périodes de « nouvelle lune », où seules les étoiles brillent dans le ciel, ma vue devient de plus en plus perçante.

Comme « lumière », « œil » et « sommeil » sont intimement liés, je fais également un point sur l'architecture de mon sommeil. Maintenant que la nuit totale est installée depuis dix jours, mon sommeil se fractionne par cycles de deux heures environ. Mes réveils sont programmés entre 8 heures et 9 heures : me lever, sortir du sac et m'équiper devient difficile. Je suis mal réveillé, comme perturbé par un décalage horaire, j'ai froid. C'est à cette période que je contracte les onglées les plus sévères et les premières gelures. Les temps de récupération de la sensibilité de mes doigts et de mes orteils sont plus longs. J'ai besoin de me reconstruire physiquement des dures journées de travail, de la fatigue et

des courbatures. J'éprouve des baisses de lucidité et de dyna-
misme. Alors, j'éteins systématiquement mon réveil dès qu'il
sonne et je dors profondément deux heures de plus. Je laisse
mon rythme naturel dériver. Je n'utilise plus mon réveil et
ouvre les yeux vers 11 h 30, midi. La mise en route est ainsi
plus douce. Avant de sortir du sac, je laisse le corps reprendre
progressivement un peu de chaleur après son dernier cycle
de sommeil.

Ma journée est organisée en deux parties de douze
heures. L'une, activités et travail de midi à minuit ; l'autre,
sommeil et récupération de minuit à midi. Cela me convient
pour le moment. Je me sens beaucoup mieux ainsi, plutôt
que de m'imposer un réveil à 8 heures. Il me semble que
le froid a autant d'effet sur les rythmes du sommeil que la
disparition du soleil puis l'arrivée de la nuit.

Je ne ressens pas le besoin de faire de sieste, en tout
cas pas encore. Certes, être dans le sac de couchage est très
agréable, mais il faut affronter le froid pour y rentrer et en
sortir : alors je préfère faire la journée continue !

Sous l'effet de la chaleur relative créée dans la journée par le réchaud, les bougies et la lampe tempête, la température peut atteindre − 8 °C à − 12 °C au niveau du sac de
couchage. Mais lorsque j'éteins tout, elle chute rapidement.
Quelle que soit la hauteur, il fait entre − 15 °C et − 25 °C. Je
suis ennuyé. Je vis de nouveau une période glaciale à l'intérieur, alors que le froid avait été endigué grâce à la coque de
neige autour de la cabane. Je dois admettre que mon isolation me permet d'obtenir au mieux 10 °C à 12 °C de plus
qu'à l'extérieur, ce qui est déjà très important, mais ne
m'empêchera pas de me geler lorsqu'il fera − 45 °C dehors..

Mes conditions de sommeil sont bonnes. Mon sac
de couchage en textile synthétique se compose de deux élé-

ments glissés l'un dans l'autre : la partie « été », plus légère et plus fine, est munie d'un cordon de serrage et d'un Zip tout le long, qui permet de sortir les bras. La partie « hiver » est de forme sarcophage. Elle n'a pas de Zip mais deux cordons de serrage : l'un au niveau des épaules resserre un soufflet et évite l'entrée de la respiration et donc de l'humidité, l'autre ferme une large capuche. L'ensemble pèse quatre kilos. À l'intérieur, il y a deux poches dans lesquelles je peux placer quelques sucreries ainsi qu'une paire de gants légers, pour affronter le froid du réveil les mains protégées. À ce jour, je n'utilise encore que la partie « hiver ». Elle est de grande taille, ce qui est très confortable pour remuer, faire « genoux-poitrine » et s'habiller. Pour dormir, je garde mes deux épaisseurs de cagoules, chaussettes et vêtements thermiques. Avec la sonde du thermomètre, j'ai fait des relevés de température à l'intérieur du sac : elle varie de $+15\ °C$ à $+20\ °C$ le long du tissu, de $+25\ °C$ à $+30\ °C$ contre le ventre et les jambes, de $+5\ °C$ à $+10\ °C$ vers les pieds et de $+10\ °C$ à $+15\ °C$ au niveau de la tête.

Quand je dors, la respiration crée une condensation qui perle sur le tissu du côté du visage. Une couche de glace se forme systématiquement sur le sac et rend le réveil extrêmement désagréable. Des cristaux se développent également partout dans la première épaisseur de fibres et alourdissent mon sarcophage : ma crainte est de sentir fondre cette glace sous l'effet de la chaleur du corps, mais ce ne sera jamais le cas. Les matières hydrophobes qui composent ce sac sont très performantes. Cependant, une fois par semaine, je suis obligé de faire dégeler et sécher mon sac pour lui rendre son volume, sa légèreté et donc son pouvoir isolant.

Mon sommeil est léger, car je reste attentif aux bruits extérieurs. Comme ma vue, mon ouïe s'est animalisée

Quand les blizzards dépassent cinquante kilomètres à l'heure, ce qui est souvent le cas, les murs craquent, la lanière de la balise claque au vent... En fonction des bruissements de l'éolienne et des vibrations du mât contre la cabane, je peux identifier l'orientation du vent. Quand l'éolienne s'emballe, les ronflements acceptables deviennent de terribles vrombissements.

J'entends aussi les pas des chiens sur la neige durcie et le raclement de leurs incisives sur la neige glacée quand ils « boivent ».

Tous les soirs, je vérifie la position de ma carabine, pour le cas où j'aurais à en faire usage dans l'urgence.

Même si les conditions sont dures, avancer régulièrement dans les protocoles est, pour le moment, une source de satisfaction... Je m'organise pour atteindre mes objectifs en fin de semaine. Le vendredi ou le samedi, s'il me reste une session à terminer, je m'efforce de le faire avant le lundi. Dans ce cas, je me sens bien, sans décalage : léger et serein car le contrat a été rempli. Si je ne le fais pas, je commence la semaine suivante avec une tâche de plus à accomplir, un boulet à traîner. Ce n'est pas grave ; j'ai bien évidemment le temps pour réaliser ce travail. Mais il y a un malaise dû au devoir mal fait, à la copie rendue en retard.

Peu à peu, mes journées et mes nuits deviennent difficiles. Une infection à un doigt se développe. Je manque d'entrain. Diminué par un poison qui me colonise, je suis comme hébété. Je souffre.

Le 22 novembre, je décide d'établir un contact avec l'équipe. Échec... J'ai des soucis avec la batterie. Je suis inquiet. Ce matin, rien ne fonctionne alors que l'éolienne a tourné toute la nuit. Mais le courant n'est pas passé. Les câbles de connexion sont rigidifiés par le froid et cassent ; chaque manipulation détériore un peu plus les gaines plastique et les brins de cuivre. La jonction entre les câbles de l'éolienne et ceux de la batterie est fragile. Il faut que je refasse tout le système. Les brins sont soudés par le froid : je suis obligé d'utiliser un de mes petits réchauds de secours (à alcool solidifié et à mèche) pour faire dégeler l'ensemble et séparer les branchements. Ce temps passé dehors alors que l'indice de refroidissement éolien est de − 54 °C ne me fait pas du bien...

En créant un court-circuit avec les câbles du générateur, j'obtiens des étincelles : le problème ne vient donc pas de l'éolienne. Je ne m'avoue pas vaincu. Je recommence maintes et maintes fois le montage. Je fais l'inventaire précis de tout mon matériel électrique. Je dois trouver une solution. Si je continue à dénuder et couper les brins, dans quinze jours je n'aurai plus de câble. Finalement, avec deux boulons-écrous, je fixe solidement aux cosses de la batterie un côté des câbles et, à l'autre bout, je monte deux petites pinces « croco » pour réaliser la jonction avec ceux de l'éolienne. Ensuite, je protège du froid les gaines en les recouvrant abondamment de tissu, de ruban autocollant et d'une grosse couche de papier bulle. Certains apprentissages nécessitent une notice, pour d'autres, on découvre empiriquement, par « essais et erreurs » tout simplement. Il faut accepter de s'être trompé, comprendre pourquoi et essayer une autre voie, une autre option. Il y a des fautes qui coûtent cher, surtout quand on est seul, puis celles qui vous enseignent la patience. Je dois parfois recommencer dix fois pour aboutir au résultat que j'attends – plus encore, au résultat qu'il me faut absolument atteindre, car ma sécurité est en jeu.

Enfin, la communication peut être établie avec Maryse et Léo. J'appelle ensuite Natalie et lui expose la situation. J'ai très mal dormi, mon majeur droit est une fois et demie plus gros que l'autre. Les chairs jaunâtres gonflées recouvrent l'ongle... Je ne sais pas très bien si c'est une gelure ou un panaris. Je suis comme drogué par cette infection, je n'ai pas faim. Je me tiens sur ma chaise, recroquevillé vers l'avant, comme pour garder ma chaleur et n'exposer que la plus petite surface possible au froid. J'ai du mal à rester fixé sur les choses que j'entreprends. J'hésite, je suis obnubilé par des gestes simples auxquels je m'accroche, exactement comme en plongée sous-marine, lorsque sous l'effet de l'azote, de la narcose et de l'endormissement des processus intellectuels, on garde les yeux rivés sur son profondimètre...

Natalie est inquiète : il va falloir que j'opère le doigt pour débrider cette plaie. Je suis las dans cette quasi-obscurité, mais je n'ai pas envie d'attendre plus longtemps et de repousser à demain l'intervention.

Je range tout mon matériel, donne à manger aux chiens, fais le plein de carburant des lampes et du réchaud, puis remplis les Thermos d'eau bouillante. Je fais du thé et pose près de mon lit des fruits secs et des berlingots de lait concentré sucré.

Cela fait une demi-heure que mon doigt trempe dans une tasse d'eau chaude mélangée à de la Bétadyne : c'est l'« anesthésie »... J'augmente la chaleur toutes les cinq minutes. Mon doigt blanchit et le point infectieux apparaît. Le scalpel est sorti de son emballage stérile. Les compresses, la pommade et les pansements sont prêts.

J'hésite encore. Je remets le doigt dans l'eau encore plus chaude. Puis j'y vais. Je comprime mon majeur avec l'index et commence l'incision de ma main gauche, alors que je suis droitier... C'est plutôt douloureux. Je ne suis pas suffisamment anesthésié. J'ai déjà ouvert un peu mais je replonge le doigt dans l'eau. Un filet de sang s'échappe. Ça va être dur de recommencer et de continuer là où je n'ai pas suffisamment incisé. C'est reparti, mon doigt brûle. J'attaque. Le scalpel s'enfonce comme dans du beurre. Les chairs blanchâtres s'écartent et ça pisse un mélange de sang et de pus. Je n'ai pas été assez précis ; il aurait dû n'y avoir que du pus... Je comprime pendant une ou deux minutes, pour expulser le poison, et imbibe de sang la compresse. Après avoir enduit la plaie de pommade antibiotique, je fais le pansement. Je prends ensuite mes cachets d'antibiotiques à spectre large et de l'aspirine. Je me glisse dans mon sac... Pour aujourd'hui, ça suffit !

Trois heures passent. Je me réveille à 21 heures. Je me sens mieux. Je grignote quelques fruits secs, bois beaucoup de thé et reste bien au chaud. Cependant, « convalescent » ou pas, je dois sortir dans le froid et la nuit pour aller nourrir les chiens, brancher l'éolienne, chercher ma neige dans la congère.

Les pieds sont également touchés. C'est très sérieux. Je ne sens plus mes orteils... Ils sont glacés en permanence, même dans le sac de couchage et malgré les épaisseurs de chaussettes. La circulation est quasi inexistante. La plante de mes pieds est constellée de taches blanches entourées de corolles de peau marron nécrosée...

Lors de la vacation suivante, Natalie me demande de les plonger dans de longs bains d'eau chaude mélangée à un antiseptique : pour le moment, c'est la seule solution. Elle insiste bien sur la réalisation correcte des soins, sinon, c'est Resolute ! Pas question de rigoler. J'ai des gelures de premier stade, et pas de possibilité d'améliorer la température dans la cabane avant trois mois !

C'est un véritable chantier que je dois mettre en œuvre : des bains d'eau chaude et de Bétadyne, deux fois une heure pour les pieds, deux fois vingt minutes pour les mains. Près de trois heures de soins par jour ! Voilà la théorie... Mais ici, afin de respecter les prescriptions, le réchaud doit en réalité fonctionner pendant plus de six heures pour faire fondre la neige et obtenir les dizaines de litres d'eau nécessaires. Je dois amener l'eau dans laquelle trempent mes pieds à + 42 °C (contrôlés avec la sonde), mais le plus difficile est d'entretenir cette température. Il fait − 15 °C, et ce bain de trois litres, improvisé dans une caissette, se refroidit très vite. Alors je récupère de l'eau bouillante dans la gamelle qui est au-dessus du réchaud et la verse dans la caissette en évitant de me brûler les pieds. Juste avant, afin que ça ne déborde pas, j'ai retiré de la caissette une quantité d'eau équivalente. Et ainsi de suite. Ce va-et-vient d'un récipient à l'autre est long, fastidieux. C'est un épouvantable brouillard qui envahit toute la cabane, mais je n'ai pas le choix. La couleur et l'insensibilité chronique de mes pieds m'ont bien fait réfléchir. Si je commence ces soins de longue durée, il ne sera pas question d'arrêter avant la guérison complète, au risque de geler les chairs de nouveau. Il me faut absolument éviter que les gelures ne s'étendent. J'ai le carburant nécessaire pour assurer cette médication.

Il va falloir que je sois patient...

Je suis tout à fait conscient de mon état, même si je me veux rassurant auprès de Natalie et de Christophe, qui sont inquiets. Je vais devoir être extrêmement vigilant, me reconstruire sérieusement, donner le temps au temps, sans prendre d'autres risques. Je suis très ennuyé du souci que je donne aux miens. Les vacations sont faussement enjouées ; de chaque côté de la ligne, chacun essaie habilement d'analyser au plus près l'état de l'autre. Chris me demande de bien respecter le bol alimentaire prévu, afin de maintenir au meilleur niveau mes stocks énergétiques et la thermogenèse, c'est-à-dire la production de chaleur par le corps :

« Essaie de sortir le moins souvent possible, évite les travaux à l'extérieur... Est-ce que tu vas finalement monter ta tente à l'intérieur de la cabane ?

— Non, je préfère élever encore l'estrade et le lit ; j'ai trop peur de l'incendie. Je veux garder la tente en réserve. »

Christophe et moi sommes très complices. Cultivé et attentif au monde qui l'entoure, il pose un regard aigu sur les difficiles missions de sa corporation. Il sait parfois s'en détacher momentanément pour recomposer l'énorme quantité d'énergie donnée à ceux qui comptent légitimement sur lui : ses patients. Alors, d'une plongée sous-marine technique à la descente d'un canyon, il s'évade au plus proche d'une nature qui impose aussi ses règles.

Curieux, précis, analysant bien les données d'un problème, il m'a toujours parfaitement bien conseillé. Je suis concentré sur ce qu'il me dit, malgré sa voix déformée par la communication... C'est toutefois sur une de nos boutades habituelles que nous nous séparons, en attendant le prochain bilan de santé.

L'isolement de longue durée est bien une autre caractéristique de mon aventure extrême ! Les risques majeurs et permanents, ce sont l'accident, les blessures, les gelures graves et la maladie... car je suis loin de tout secours. À compter du déclenchement du message d'alerte par la balise, il pourrait se passer cinq jours avant mon arrivée au dispensaire de Resolute, le rapatriement sanitaire par un raid de sauvetage inuit étant une opération délicate et dépendante des conditions météo... En effet le *Twin Otter*, le bimoteur de la base, vole rarement pendant la nuit polaire ; il ne se poserait pas sur le lac, le pilote devant « lire » la glace et ses ombres portées grâce à un soleil suffisamment haut...

Je le sais et m'y suis fait. Je m'organise pour que rien de fâcheux ne m'arrive. Les blessures, si elles meurtrissent mes chairs, ne rident pas mon âme. Elles n'égratignent pas ma détermination à mener cette expérience jusqu'au bout. Elles me rendent même plus fort, par le simple fait d'y résister ! J'ai le temps qu'il faut pour me reconstruire. Lors d'expéditions plus courtes, il est difficile de bloquer une aventure, même pour une semaine. Ici, je me suis fait une alliée de la longue durée. Je gère mes missions, mes obligations et mon organisation sur le long terme. Je m'étais donné un mois et demi pour être prêt à affronter le plus rude de l'hiver, c'est ce qu'il m'a fallu... Je suis patient. Je veux passer le cap par mes propres moyens et n'envisage pas un rapatriement, ne serait-ce que momentané, vers Resolute. D'ailleurs un raid en motoneige à cette période serait dangereux. Mon choix est fait.

Ce soir, soupe de potiron et « jambon-marie » : je jette dans l'eau bouillante des tranches de jambon congelées et, quand elles se décollent une à une, je pars à la pêche avec ma fourchette... Pour le dessert, du riz au lait.

Plus tard, dans mon sac, je laisse vagabonder mon esprit qui revient en arrière vers la banquise. Je revis la progression vers le pôle nord magnétique...

« Je me fonds dans les éléments pour me faire accepter par le milieu, trouver l'équilibre dans les vêtements... choisir le bon itinéraire entre les blocs, m'hydrater et m'alimenter en cinq minutes avant d'être saisi par le froid et repartir...

« Trouver l'énergie pour s'arrêter, faire des photos, rattraper le groupe, transpirer, se geler, se calmer... Chanter Elvis... ! Progression dans un décor féerique ou diabolique... que c'est beau... un autre monde... un monde minéral. Stop, à cause du vent, − 35 °C. Il faut en permanence alimenter son esprit...

« Dix-sept kilomètres de plus. On s'éloigne de la terre ; la banquise est très travaillée. Encore plus que tout ce que nous avons vu jusque-là...

« Départ direct dans le chaos. Des crêtes de compression impressionnantes. Se déséquiper − porter − tracter − glisser. Rester concentré, se ré-équiper et recommencer cent mètres plus loin...

« Les skis n'accrochent pas sur la glace vive... La banquise nous arrête...

« Départ 8 heures, on laisse le camp et le chien... raid vitesse, seize kilomètres aller-retour... Arrivée au pôle nord magnétique ce 10 mai 2001. 80 ° de latitude nord !

« Retour vers le sud à 79° 51' 24''-106° 33' 52'', zone potentiellement assez grande pour que l'avion puisse se poser... 15 heures : dernier camp. L'avion ne peut pas venir nous chercher. Tempête à Resolute Bay...

« Quarante-huit heures sous la tente, bloqués sur la banquise... Contrôle GPS. Nous dérivons nord-ouest. La banquise s'est fracturée au sud... Mais où ? »

Je ne sais plus à quel moment je m'endors...

Je passe les dix premiers jours de décembre à me soigner, malgré le froid permanent. J'ai dû m'opérer le doigt une seconde fois. Les bains me font du bien. Dans mes grosses bottes, j'ai enlevé une des deux paires de chaussettes pour faciliter la circulation. Quand je me glisse dans mon sac, j'enroule mes pieds nus dans ma grosse veste de laine qui me sert alors d'épais chausson bien chaud. Je sens des fourmillements à peine perceptibles ; la sensibilité des extrémités reprend timidement.

Après avoir surélevé un peu plus ma tour de contrôle pour me protéger du froid, j'entreprends un premier inventaire de toutes mes denrées. Ce jour-là, je remercie Maryse d'avoir réduit la taille de mes documents et checklist afin qu'ils tiennent dans un petit porte-document de poche. Tout le matériel de l'expédition y est désigné par rubrique. Tous les vivres et leurs conditionnements dans les caissettes et les cantines y sont répertoriés. Malgré tout, je continue à réaliser les protocoles.

Un soir, je sors pour faire une petite pause et prendre l'air. À très précisément 20 h 38, une animation prend forme dans le ciel devant moi, plein sud.

Je fonce m'équiper de ma veste « grand froid » et ressors aussitôt pour assister au spectacle roi de ces cieux hyperboréens. Un premier corps principal de couleur verdâtre prononcée, de forme ovoïde et verticale, tourne très lentement sur lui-même. Il se déplace vers le sud-ouest puis revient vers le sud, oscillant légèrement de droite à gauche comme le fait le mât d'un voilier au mouillage, ou la flamme d'une bougie.

La première aurore boréale de mon hivernage vient de s'allumer...

Plus à l'ouest, à 45 ° au-dessus de l'horizon, un immense rideau d'un vert plus clair embrase la nuit et ondule, faisant aussi des va-et-vient imperceptibles de droite et de gauche : ce sont des draperies... Encore plus à ma droite, cette fois-ci plein ouest, des faisceaux lumineux de couleur plus pâle partent de l'horizon et montent à la verticale comme des rayons laser qui viennent lécher, presque éclipser Cassiopée... L'ensemble ondule comme les plis d'un rideau de soie dérangé par un délicat souffle de vent... Cela fait dix minutes déjà que le spectacle s'étend sur presque 120 °. Un vent léger de dix kilomètres à l'heure vient de l'ouest ; il fait exactement − 40 °C... Cette lumière magique, clarté anormale de vapeurs enflammées, semble déranger les chiens qui s'agitent. Je me demande si je n'entends pas le grésillement de ces particules solaires, électrisées par le champ magnétique terrestre... À moins que ce ne soit mon imagination ou quelque acouphène trompeur.

Le ciel est magnifique, quoique très légèrement brumeux au sud. L'aurore efface presque le fourmillement des astres.

À 20 h 53, le corps ovoïde se tord vers le haut et la droite, rejoignant les limites gauches des draperies pour former une arche de lumière. Époustouflant ! Puis, comme un bouquet final, cet ensemble de vapeurs colorées se déforme et se déstructure. Il tourne sur lui-même et me donne l'impression de s'éloigner. Il recule vers le sud-ouest dans ses dernières ondulations, avalé par l'abîme sans perspective de l'univers pour finalement laisser place à l'obscurité qui attendait. L'artiste se retire de la scène à reculons. L'aurore s'estompe, devient brume et disparaît, vaporisée puis soufflée vers l'infini... Le tout a duré vingt minutes.

Ébahi par la métamorphose du ciel, je me laisse aller à ressentir, dans cette obscurité revenue, le vent et le froid sur mes joues. Les yeux picotent, des larmes coulent sous mes paupières. Je résiste au froid qui enserre ma tête et écrase mes tempes, comme si elles étaient coincées dans un étau. J'en ai mal aux mâchoires. Quand je ne peux plus résister, je tourne simplement le dos au vent, la tête à l'abri de mon épaisse capuche. L'effet est immédiat. Même à − 40 °C, le visage se réchauffe, j'ai l'impression qu'il boue. C'est très agréable. Puis je me retourne de nouveau et expérimente concrètement sur des chairs tièdes l'indice de refroidissement éolien : à − 40 °C et un vent de dix kilomètres à l'heure, mes joues subissent les effets d'un froid de − 51 °C ! Je sens immédiatement la brûlure caractéristique de la peau qui gèle. Je me retourne vite avant d'être réellement brûlé. Bien protégé dans mes vêtements « grand froid », je contemple encore une fois le ciel.

Au sud, les Trois Rois de la constellation d'Orion viennent de monter et se dirigent vers l'ouest. Ils semblent glisser petit à petit, sur la ligne sombre et légèrement inclinée de la montagne qui me fait toujours face ; cette crête noire matérialise par le plus grand des hasards l'équateur céleste. Se balançant sous Beltégeuse et Bellatrix, ces trois étoiles qui forment le baudrier d'Orion ne sont pas encore suffisamment dégagées de l'horizon pour libérer la nébuleuse « M 42 ». Mais elles indiquent déjà clairement la direction des Hyades et des Pléiades. Sous l'immense voûte céleste, je suis là, seul, à regarder mon ciel évoluer. L'étoile Polaire est juste au-dessus de la cabane, à environ 75 ° de l'horizon, ce qui est normal. (Sa hauteur dans le ciel par rapport à l'horizon est un moyen de confirmer dans l'hémisphère Nord la latitude à laquelle on se trouve.) Les constellations se déplacent dans le sens des aiguilles d'une montre. La lune se lève un peu plus à l'est tous les jours, donnant l'impression de reculer avant de reprendre sa progression normale. Tous les mois, le 17, elle est magnifiquement pleine. Pendant six jours, elle ne se couche plus et tourne tout autour de moi. De rapports en projections, d'alignements en jalons, je me repère un peu mieux tous les jours parmi ces myriades d'étoiles. Je suis un spectateur, ni des loges, ni du premier rang, mais de la meilleure place au monde pour observer ce spectacle permanent. C'est un enchantement de scintillements et de fourmillements stellaires.

Je ferme les yeux. Je suis tellement concentré que je fais corps avec la Terre. Je la sens tourner... À 75° de latitude nord, sa rotation sur elle-même est d'environ quatre cents kilomètres à l'heure. Si je m'approchais du pôle Nord, je ralentirais, m'arrêterais presque. À l'équateur je foncerais à plus de 1 600 kilomètres à l'heure... Je parcours avec elle l'ellipse qu'elle décrit aussi autour du soleil que je veux voir sortir ici même, à Fort Eleanor. Mais pour le moment, à près de 107 000 kilomètres à l'heure, je me rapproche d'abord de l'hiver...

Quand je veux rouvrir les yeux, impossible ! Je ne peux pas m'empêcher de hurler. J'ai tellement mal. Ils sont collés par la glace ! Les larmes et l'humidité des paupières ont été prises par le gel à − 40 °C. Je suis coincé. Mais je ne suis pas loin de la cabane. Sans m'affoler, je fais quelques pas à reculons, jusqu'à sentir enfin le mur de neige. Je rentre dans la cabane, toujours aveugle, et attends tout simplement le dégel, sans bouger... Patience... Environ deux minutes plus tard, je sens que je peux remuer les paupières, puis finalement ouvrir les yeux. J'arrache les larmes de glace autour de mes cils. C'est fini, je ne fermerai plus les yeux à l'extérieur.

Après l'opéra de lumière et une angoisse passagère bien légitime, je m'accorde un repas gastronomique : jambonneau, gésiers de canards, haricots blancs et quelques pêches au sirop. Tout ceci exigeant plus de quarante-cinq minutes de bain-marie...

Le lendemain, après avoir allumé lampe et réchaud, je veux ouvrir la porte pour aller nourrir les chiens. Je suis arrêté dans mon élan : la poignée ronde est bloquée. Après quelques minutes d'efforts, elle tourne finalement sur elle-même, mais le pêne biseauté reste coincé dans la gâche. Je ne peux plus sortir. En regardant de plus près avec le faisceau bleuté de ma lampe frontale, je m'aperçois que le pourtour complet de la porte est soudé par une gangue de glace. Elle rend solidaires panneau et chambranle. Je suis prisonnier de ma cabane !

Il me faut une demi-heure de travail avec la hachette, un tournevis et le réchaud allumé à fond au pied de la porte pour m'extraire de ce nouveau piège. Heureusement que je ne suis pas claustrophobe et qu'il n'y a pas le feu... La porte s'ouvrant vers l'intérieur je n'aurais même pas pu l'enfoncer. Généralement, sous ces latitudes, on prévoit des portes qui s'ouvrent vers l'extérieur ou des gonds qui permettent à la porte de fonctionner dans les deux sens. Dorénavant, avec la poigne du froid qui se resserre, je dois dégager tous les trois ou quatre jours la glace qui se reforme autour du chambranle, et casser celle qui épaissit à vue d'œil sur la porte et dans la cabane... Ce sont des pelletées entières de ce qui ressemble à du verre brisé que je jette dehors. Ce phénomène est dû au réchauffement de la couche d'air supérieure par la lampe tempête ou le réchaud : il fait fondre la glace du plafond et dégouliner l'eau le long des murs et du cadre de la porte. Ce mince ruissellement se fige ensuite, immobilisé par l'air le plus froid. Il se transforme en concrétions cristallines, de plus en plus épaisses au fur et à mesure qu'elles se rapprochent du sol. On connaît la force de l'eau qui gèle, devient glace et fait éclater les rochers ; on comprendra sans peine ce que subit ma porte... Il faut penser à tout. Le combat est de tous les instants, sur tous les fronts... La vie de l'oublié de la lumière que je suis ici en dépend...

Les pales de l'enfer...

Je profite de cette période de récupération pour ouvrir quelques-unes des lettres qui balisent mon parcours comme des pauses sur le chemin, des instants de partage agréable, des rencontres prévues entre amis et pour lesquelles on se prépare.

Les vacations rythment aussi ma vie. Elles obéissent à un cérémonial précis. Cinq minutes avant l'heure prévue de l'appel, je réchauffe la petite batterie du téléphone pour lui assurer un regain d'énergie : je la tourne du bout des doigts au-dessus du réchaud avant de la placer dans le logement qui lui est réservé. Immanquablement, chaque fois que la sonnerie tarde, je me demande si je ne me suis pas trompé d'horaire ou si ce n'était pas à moi d'appeler ! Les effets du froid sur la mémoire... Au-delà de la sécurité, ces rendez-vous téléphoniques sont de véritables moments de bonheur. Je me charge de cette énergie positive, même si, psychologiquement, je suis prêt à ne communiquer qu'avec les balises. Seuls le confort et le plaisir changeront. Mais l'important, ce sont les autres, ceux qui s'inquiètent, ceux qui sont loin, qui doutent, pensent à moi et préfèrent le son de ma voix aux messages cryptés... Ils n'ont que mes dires pour se faire une idée de ce qui se passe. J'imagine alors les mots qu'ils doivent essayer de trouver pour m'encourager et, de mon côté, je joue plus ou moins la légèreté selon les événements, attentif à ne pas dramatiser.

C'est pourquoi Maryse organise des rencontres téléphoniques avec les élèves de l'école Montalembert. Ils veulent des informations sur la nuit, les chiens, mes occupations, le froid. Entendre au loin mes jeunes amis et mes anciens professeurs est très émouvant. Tout comme recevoir les encouragements d'Alain Bombard et de Michel Siffre, de Michel Fournier et de l'astronaute Philippe Perrin, ou encore de mes partenaires et des médias qui suivent l'aventure. Parfois, plusieurs journées successives sans vent ne permettent pas à l'éolienne de charger la batterie. Je dois me contenter d'envoyer des messages par la balise.

La période sans vent s'étire, pose sur le paysage un calme et une sérénité sans limite. Je peux affirmer que dans cette nuit permanente « j'entends le silence »...

« Le ciel est couvert, tout n'est que nuit autour de moi... Les lumières ne scintillent plus à flanc de coteau, les hameaux habités sont invisibles... Je réalise que je viens de passer huit semaines dans ma cabane. Je ne bouge pas et continue d'observer le lac tout en m'imprégnant de sensations visuelles, olfactives, du moindre souffle d'air sur mes joues... et je projette ces sensations vers le passé, il y a un an, quand j'étais plongé quelque part dans la nuit pyrénéenne, sa douceur, sa fraîcheur, seul au monde, loin de tout et de tout le monde... Je me représente le seul point géographique au monde où, à 18 h 30, la lune naissante vient projeter ses

premiers rayons sur l'apex du mont Valier, précisément ali-
gnée sur le mur de pierres d'une vieille cabane en ruines et
un hameau lumineux englouti... Il est surprenant de constater comment l'esprit peut se projeter en arrière, en matériali-
sant les expériences passées... »

Exception faite de la menace permanente de l'ours,
je ne vis pas l'obscurité comme un stress. Je l'ai tant désirée,
tant préparée, qu'elle est arrivée sans peur, sans angoisse
aucune. Je la vis même magnifiquement bien. Je suis
« ébloui » par la beauté de cette nature. Je passe de longues
heures à contempler cette nuit « de jour ». Mes yeux et mon
corps n'ont pas l'habitude de telles sensations. Les constellations qui tournent au-dessus de la cabane sans jamais s'arrêter, la pleine lune à midi... Non, ni cette obscurité de longue
durée, ni les changements physiologiques qu'elle induit,
sécrétions altérées de mélatonine, modifications de mes
cycles veille-sommeil, ne me gênent.

La « nuit » est l'essence même de l'expédition.
Pour le moment, il n'est pas question de dépression, folie ou
encore suicide, pourtant annoncés par les Inuit à Resolute.
J'ai trop à faire...

La solitude non plus ne me pèse pas. Elle aussi je
l'ai désirée. Cette parenthèse unique dans ma vie est un
temps de bien-être, de sérénité et de satisfaction au quotidien. Gérer seul ma vie dans ce dénuement total, sans comp-
tes à rendre, sans organigramme à respecter et sans planning
est d'une richesse infinie. Diriger mon vaisseau dans la tempête, même en rampant, en boitant ou avec une seule main
ne me fait pas peur.

Combinaison de véritable silence, de solitude totale et d'obscurité profonde, cette aventure n'est pas une punition mais une exceptionnelle récompense.

Toutefois, il y a un élément que j'ai sous-estimé. C'est le réconfort que m'apportent mes chiens. Je ne compte pas le nombre d'heures passées à les regarder, à les caresser, à leur parler, à m'occuper d'eux, à les soigner. Leur présence est une aide de tout premier ordre. Nous restons les yeux dans les yeux... Seuls les battements de paupières interrompent la transmission de nos messages complices ! Museaux délicatement posés sur les pattes avant ou enfouis derrière les poils de l'épaisse fourrure, les chiens me parlent...

Leur vie à Fort Eleanor se borne à rester en boule devant la porte, presque vingt-quatre heures sur vingt-quatre. Le reste du temps, ils font quelques pas autour de la cabane, raclent la neige pour boire et attendent impatiemment la ration de croquettes. Ils vont même chercher par ci par là quelques excréments congelés en guise de « complément alimentaire »... Je ne dis pas qu'ils dorment tout le temps, car en observant bien, lorsque je suis dehors, ils ont toujours un œil entrouvert, aux aguets. Preuve en est que, lorsque je donne un coup de pied dans une crotte congelée comme dans un ballon pour l'envoyer le plus loin possible, Chuchi bondit aussitôt et se rue immédiatement sur ce nectar.

Michima, elle, ne peut plus bondir... Elle est de plus en plus grosse. Quand elle se déplace, son ventre ballotte de gauche à droite. Son échine se creuse un peu plus chaque jour. C'est pour quand ?

Finalement, je craque. Je l'installe dans la cabane. Je pose une bâche à même le sol, contre le mur sud, à droite de la porte, à un mètre de ma couche. Elle semble apprécier ce calme et cette chaleur... Depuis quelques jours, elle et moi passons des heures à nous regarder, sans bouger. Elle épie le moindre de mes gestes et se colle à moi dès que je me déplace. Je me laisse même aller à lui donner une portion de croquettes en plus. J'en ai honte envers mon Chuchi qui, lui, reste dehors, sécurité oblige. Il semble m'en tenir rigueur. Quand je le fais rentrer à son tour quelques instants, dès qu'il se rapproche trop de moi, sa sœur devient agressive. Mais il cherche lui aussi son quota de caresses... Il est particulièrement affectueux et souvent attendrissant dans les attitudes comiques de ses pattes et de sa tête. Lorsque je m'assois au bord de l'estrade, je me retrouve inéluctablement avec les têtes des deux chiens, l'une contre l'autre, posées sur mes genoux, au plus proche de ma poitrine. D'un coup de museau, ils me font comprendre ou plutôt m'intiment l'ordre de continuer à les caresser.

Je fais de la couture. Je rapièce soigneusement mes gants ou un vêtement déchiré ; avec des surplus d'accessoires en laine polaire je crée des gaines de protection pour le téléphone et le GPS.

Cette nuit, je vais expérimenter une bouillotte. J'utilise pour cela une de mes gourdes souples recouverte d'une couche isolante de Néoprène. Je l'enveloppe de laine polaire et la remplis d'eau très chaude. Ces gourdes en plastique souple sont en général placées dans un petit sac à dos. Lors d'entraînements de longue durée, elles permettent de s'hydrater à la demande par un tuyau et une pipette, sans avoir à s'arrêter. Au début de l'hivernage, j'en gardais une à mes côtés pour boire la nuit, mais après quelques heures, malgré l'enveloppe de protection en Néoprène, ma fontaine n'était qu'un bloc de glace. Je vais donc l'affecter à un autre usage : aider mes pieds à se réchauffer plus vite, bien que je ne sois pas très « chaud » pour introduire du liquide dans mon sac.

Pour obtenir de l'eau, les Inuit utilisaient jadis une technique similaire : ils remplissaient de neige une gourde faite de boyau de phoque et la plaçaient contre la chaleur de leur corps, sous les épaisses couches de vêtements en peau.

Je passe beaucoup de temps à l'extérieur. J'observe, je note, je dessine, puis je vais compulser mes livres. C'est une autre partie du grand plaisir de l'aventure : la découverte ! La découverte de nombreuses choses dans de nombreux domaines : la photo, les appareils avec lesquels je suis parti sans avoir eu le temps d'en apprendre le fonctionnement, l'éolienne, un GPS dernière génération, le minidisque numérique. Je savais que j'aurais le temps de me pencher sur ces techniques ; je n'étais pas inquiet. J'étudie les notices et j'apprends un peu plus tous les jours. C'est très excitant de partir de zéro, de progresser seul, d'améliorer ses connaissances en autodidacte... Je compare sans cesse mes travaux et les modes d'emploi, et je ne me presse pas.

Je ne suis ni un technicien ni un ingénieur, mais pour les utiliser, il me faut bien comprendre le fonctionnement de ces mécaniques, en connaître les astuces et les innombrables options. Il y a des choses qui ne s'inventent pas et que l'on ne peut pas bricoler. Alors je me donne des échéances pour atteindre des objectifs et contrôler mes acquis.

Il en va de même pour la connaissance du ciel, du vent, du froid, de ce milieu en général. J'ai quelques ouvrages de base et je découvre, apprends, comprends un peu plus tous les jours.

Je me prépare sans hâte à faire des photos de la lune, des étoiles et peut-être, si le hasard le permet, d'une aurore boréale. Je fais connaissance avec les appareils photo, les pellicules et le pied. Un jour, je m'installerai dehors pour des heures d'observation. Je répète les gestes dans la cabane et, quand je serai prêt, je sortirai pour ces rendez-vous cosmiques...

Mais je n'ai aucun ouvrage sur les chiens... Aujourd'hui, j'ai amélioré la couche de Michima en aménageant un « matelas » pour l'isoler du froid. J'ai posé sur le plancher trois sacs de croquettes côte à côte, enveloppés dans la bâche. Si elle savait qu'elle dort sur ce dont elle raffole le plus !

Elle est de plus en plus docile, calme et dort beaucoup malgré la position inconfortable que son ventre l'oblige à prendre. Elle est même incapable de poser les pattes sur l'estrade.

Ce soir, le blizzard s'est remis à souffler avec des pointes à soixante kilomètres à l'heure. Elle gémit, perturbée par les vibrations du mât de l'éolienne contre le mur. J'épie ses mouvements, curieux et impatient. Je pose ma main sur son ventre et je peux sentir les coups donnés par les chiots. Ses tétines sont sorties, les mamelles sont énormes.

Pour la deuxième fois depuis que je suis arrivé, la température est remontée brutalement de 10 °C en quelques heures. Elle est passée de − 32 °C à − 22 °C ! Il fait aussi bon dehors que dedans ! Je reste un long moment à l'extérieur dans l'obscurité. Je sens sur ma peau l'énorme différence, il fait « doux » ! Je n'ai pas de protocole météo particulier, mais, depuis mon arrivée, je fais au moins deux relevés quotidiens des températures, de la force et de la direction du vent, des pressions atmosphériques, de l'évolution du ciel et des chutes de neige. Cela n'a peut-être pas d'intérêt scientifique, mais j'y tiens. J'essaie de mieux comprendre le climat de mon site d'hivernage. J'observe et note tout. J'établis des liens entre tous les événements survenus depuis mon arrivée ; je dégage une certaine logique et joue même les prévisionnistes. Et ça fonctionne. La nature me permet de lire ses intentions.

Cette remontée de température s'accompagne d'un bien-être physiologique indéniable. Je me sens mieux. J'ai moins de courbatures et de douleurs aux articulations, sans parler des zones sensibles déjà gelées. Je me sens plus réveillé, plus alerte, plus souple, plus vif, alors que les grands froids endorment et font mal. C'est une pause accordée au corps qui a souffert.

Mais je n'aime pas cet indice... de fort coup de vent à venir !

Mardi 10 décembre, à 6 h 55, Michima se met à hurler. Elle tournoie sur elle-même. Après un dernier cri déchirant, elle expulse un chiot qu'elle s'empresse de lécher et de nettoyer. Puis elle boit les liquides et mange les tissus expulsés... À 8 heures, deuxième série de cris et deux nouveaux chiots arrivent, à demi étouffés par les tissus qu'elle tire, arrache et mange. L'un des chiots ne bouge pas : il est mort-né. À 11 heures, troisième série de cris et trois autres bébés. Puis encore un. Ce n'est pas une portée, c'est une fourmilière ! Des cris très semblables à ceux des petits d'homme envahissent la cabane. La lutte pour les tétines a commencé. J'ai décidé de garder deux chiots, malgré la demande de Hans. Je lui avais dit : « On verra... » Je passe des heures à les regarder, à les photographier, à les enregistrer. À 22 heures, Michima semble dormir, épuisée. Le calme est total. Les petits doivent téter, mais le crachotement de la lampe couvre ces bruits. Quelle drôle de journée... Une nuit très noire, sans étoiles, un blizzard puissant qui soulève la neige, une remontée spectaculaire de température... Michima a-t-elle choisi ce moment ? Attendait-elle ce redoux, savait-elle qu'il arriverait ? Perché sur mon estrade, à la douce lumière des bougies et de la lampe, je prends des notes.

Les gémissements se transforment en jappements. C'est curieux comme les choses vont vite. Les chiots sont déjà presque prêts à marcher ; leurs yeux sont encore collés et leurs petites pattes roses encore palmées. Leur museau aussi est tout rose. J'ai envie d'en attraper un pour le regarder d'encore plus près, mais j'ai peur de troubler leur tranquillité. Les lapements de la chienne et le souffle de la lanterne sont les doux bruits de la cabane à cet instant. Je n'ose même pas allumer le réchaud, il serait trop bruyant.

Mercredi 11 décembre, 20 h 30 : je suis cloué sur ma chaise par un lumbago qui me scie le bas du dos. Je n'ai pourtant pas fait de mouvements brusques. Je peux à peine bouger. J'ai une vacation demain, mais la batterie est vide. Je dois sortir tant bien que mal et la repositionner sous l'éolienne pour la recharger. M'habiller est douloureux. À l'extérieur, je dois traîner une cantine de plus et la poser sur les deux premières. Cet effort pour la soulever me fait souffrir. Le vent siffle dans mes oreilles et fait claquer les rabats de ma capuche. Je gravis péniblement les marches métalliques, bousculé par les rafales glacées. Je porte les dix kilos de la caissette batterie-régulateur-résistance à bout de bras. Je pose l'ensemble dans une niche que j'ai aménagée dans mon mur de neige et connecte les câbles. La descente des cantines est un enfer. Je rampe. Cependant, j'ai une dernière tâche à réaliser : mon sac de neige est presque vide. Comme je prévois d'être bloqué demain à cause de mon dos, je dois faire le plein ce soir.

Je m'équipe contre le vent, harnache le chien et ressors dans cette nuit noire. Trente mètres me séparent de la congère. Remplir le sac dans ce blizzard est épouvantable. Je le tiens fermement avec ma main gauche tandis qu'avec la droite j'essaie de creuser dans la neige dure pour charger la pelle. Engoncé dans les vêtements « grand froid », les cagoules et les masques, je ne vois rien d'autre que la neige bleuie par le faisceau de ma frontale. Autour, ce sont les ténèbres. Je n'aperçois même plus la cabane. Un rempart de flocons soufflés s'est élevé. J'ai posé la carabine au sol. Mais je la remets immédiatement en bandoulière, sinon, en moins de trente secondes elle sera recouverte par la neige. Comme Chuchi d'ailleurs, qui s'est déjà mis en boule... Si je ne l'avais pas attaché à moi, il serait déjà parti se mettre à l'abri. Je n'entends rien d'autre que le vent qui hurle dans ma capuche. Et, stupidement, je me mets à penser à un ours qui rôderait par là... La cabane n'est pas loin, et une envie de courir dans le noir me saisit. La pression est telle que j'en oublie mon lumbago. Je me force à me calmer pour d'abord bien remplir le sac et quitter cet enfer, courbé comme un vieillard...

À mon retour dans l'abri, je ne me sens bien que sur la chaise. Je prends des antalgiques pour me soulager, puis je travaille un moment sur la partie « stress » du protocole initié avec Christian Bourbon. Je dois faire des évaluations sur les altérations perceptives dues aux contraintes environnementales extrêmes de longue durée, sur les évolutions de l'anxiété et du moral, ainsi qu'apprécier l'intérêt des techniques de gestion du stress et de visualisation mentale.

Je remplis mes échelles en ordonnant puis en analysant les paramètres solitude, froid, obscurité, isolement, ours... À cause de ce dernier, je viens de vivre un des plus grands stress de cette expédition. Il faut imaginer l'anxiété que cela peut représenter... La vue, l'ouïe, la mobilité et l'agilité sont diminuées à cause de la nuit, du vent, du froid et des vêtements : causes cumulées de ma vulnérabilité. L'intensité du stress varie en fonction de celle du vent qui, lui-même, influe sur le froid, le bruit et la visibilité... Le vent est plus gênant que le froid, car il m'impose un épais carcan de vêtements. Les risques pris sont maximaux et d'ordre vital.

Parfois déstabilisé par un bruit ou une forme imaginaire, j'arrête de pelleter et pars en courant. Je remets à plus tard ma corvée et me contente d'une neige poussiéreuse accumulée au pied de la cabane. D'autres fois, c'est une agitation anormale du chien qui a le même effet. Je dois endurer cela tous les jours.

Ce stress aurait été inexistant – si j'avais voulu expérimenter la nuit polaire en Antarctique, continent sans ours blanc –, ma vie et l'expédition dans son ensemble auraient été totalement différentes...

Il est 22 h 30 lorsque je me couche.

À minuit et demi, le vent a forci. L'éolienne s'emballe. Le mât vibre dans un effroyable vacarme. Je suis inquiet. Ce n'est pas le moment d'avoir de la casse. Je dois ressortir pour stopper l'éolienne et rentrer la batterie ! J'étais si bien dans mon sac. Je quitte péniblement ce cocon et m'équipe. Avant de monter sur les cantines, je fais un relevé avec l'anémomètre : quatre-vingt-cinq kilomètres à l'heure. C'est la plus grande vitesse enregistrée depuis mon arrivée.

Je saisis la cordelette que j'ai installée sur la queue de l'éolienne, puis je fais tourner l'ensemble sur son axe pour sortir les pales de l'effet du vent. Cela fonctionne aussitôt. L'hélice ralentit et s'arrête. Dès que je relâche, l'éolienne se replace au-dessus du toit, face au vent du nord, et le rotor s'emballe de nouveau. Je ne joue pas longtemps à ce petit jeu, car mes mains souffrent. En trois tours de corde et un nœud, les pales sont fixées. L'éolienne se remet face au vent mais ne tourne plus. Je déconnecte les câbles, attrape la batterie, et, en équilibre instable, redescends des cantines.

Chuchi est attaché dehors, je rentre. Pour éviter toute ouverture intempestive, je place un madrier sous la poignée de la porte, enfin fermée. Puis, penché en avant, je m'accroche au bord de ma couche pour soulager mon dos. Je glisse ensuite à quatre pattes sur l'estrade et tente de m'allonger sur mon lit pour me déshabiller. Je connais bien ces lombalgies. Celle-ci me paraît sérieuse. Je ne trouve pas de position pour atténuer la douleur. J'en ai le souffle coupé. J'essaie de respirer par microcycles et réussis un peu à me calmer.

Maintenant, c'est l'esprit qui s'échappe vers les idées grises. Je suis immobile, vulnérable. J'imagine un retour vers Resolute. Sûrement pas aux commandes d'un *skidoo*. Pas en avion non plus. Peut-être allongé dans ma grande caisse *pulka* comme dans un corbillard, sanglé sur un *komatik...*

Non. Hors de question... Pour chasser ces nuages noirs, je me concentre sur des idées positives : encore une fois, j'ai tout mon temps pour récupérer. Je ne suis pas pressé. J'ai de quoi boire et manger, de quoi m'éclairer, je suis au chaud... « Tout va bien... », comme dirait mon pote

Léo. Je dois dormir, car demain, vacation à midi ! Il est 4 heures du matin, nuit blanche.

Jeudi 12 décembre : la barre qui me pince le dos m'oblige à utiliser le poids de mes jambes remontées vers moi pour basculer d'un côté ou de l'autre. Dans cette position, je tente un « genoux-poitrine » et enfile difficilement mes chaussettes. Tourné sur le flanc droit, je prends appui avec ma main gauche posée à côté de ma tête et me relève d'un seul tenant, en respectant un axe dos-cou-tête. Je laisse ensuite glisser mes jambes vers l'extérieur et pose mes pieds sur l'estrade. La veste passe bien, mais il m'est très pénible de mettre mon pantalon. Après m'être traîné pour nourrir les chiens, je dois me rallonger, car j'ai trop mal. Je prétexte une batterie faible pour écourter la vacation avec Maryse, sans trop m'étaler sur mon état. Je prends deux autres cachets et me recouche. Un semblant de bien-être m'envahit. J'espère qu'il va m'emporter vers un sommeil profond.

Vendredi 13 : mauvaise nuit et réveil dans un blizzard qui cette fois vient du sud. Je me fais violence. Je tiens à rebrancher la batterie sous l'éolienne. Je monte machinalement les marches de mes cantines superposées. En installant mon boîtier dans la nuit, une grande claque de froid me réveille... Je viens de frôler le drame ! Je m'en veux de n'avoir pas contrôlé. Mais je souffre tellement du dos que je raccourcis toutes les actions pour gagner du temps et me remettre au chaud. Ce sont les brûlures ravivées de mes gelures aux doigts et les picotements sur les joues qui me sortent de ma léthargie. À ce moment très précis, les rafales atteignent quatre-vingt-dix kilomètres à l'heure. L'éolienne a la puissance d'un rotor d'hélicoptère, et le bruissement des pales se fait à... dix centimètres de ma tempe gauche ! Si je baisse un tant soit peu la tête vers l'avant pour brancher les cosses, je suis tranché de la clavicule à l'occiput. Sans aucune autre forme de procès... Je réalise l'immense danger que je suis en train de courir. Sans brusquerie, je lâche les câbles de la batterie, retire lentement les bras et recule la tête... Je suis un survivant. Pas du froid cette fois, mais d'une négligence stupide. Depuis deux mois, 75 % des vents viennent de l'ouest et du nord. Ces orientations ont pour effet de garder les pales au-dessus du toit et me permettent, comme hier, d'avoir facilement accès aux branchements. Je m'y suis habitué. C'est ce qui a failli me coûter la vie... Parce qu'aujourd'hui le vent souffle du sud, l'éolienne a changé de direction. L'hélice ne tourne plus au-dessus du toit mais au-dessus des cantines sur lesquelles je suis monté sans regarder !

Le danger n'est pas venu du milieu hostile mais des moyens pour m'y adapter. La fatigue, le manque d'attention lié à l'habitude, l'envie de faire vite, l'effet des médicaments et ces pales de l'enfer ont bien failli écourter ma belle aventure.

Mais cette fois, c'est le froid qui m'a sauvé la vie ! En ravivant mes douleurs, il m'a sorti de la torpeur qui a fait sauter une étape incontournable de la vie en expédition et en solitaire : le contrôle. Il faut toujours tout contrôler. Car encore une fois, seul dans un milieu extrême, tout peut basculer. Et on paie cher, très cher, ses erreurs.

Je ne suis pas encore au bout de mes surprises... La tempête soulève la neige qui maintenant s'engouffre dans la cabane. En cinq minutes, ce sont presque trois centimètres qui ont recouvert le plancher, mon sac de couchage, les matelas et mes affaires... La poudreuse envahit mon espace, comme pulsée par un canon à neige. Les paillettes blanches tournoient dans les rayons de ma lampe et retombent au sol en pluie de glace. Ça rentre par le bas, le côté, le haut du chambranle. C'est un raz de marée malgré ma porte fermée... mais exposée plein sud ! Il me faut l'endiguer au plus tôt, sinon, dans une demi-heure, j'aurai un mètre de neige dans la cabane !

Vite, je cloue tout autour de la porte les matelas en mousse de ma couche ainsi que les sacs vides de croquettes que j'ai conservés. En situation de survie, il faut tout garder ! Le clou tordu, le bout de ficelle, le morceau de plastique cassé, les sacs, les boîtes de conserve vides. Tout. Strictement tout ce qui aujourd'hui est inutile et sera demain le plus précieux des trésors. Je regroupe ensuite à la pelle la neige déjà accumulée et je la tasse au bas de la porte, comme un rempart, contre-feu de circonstance !

Bloquée, la neige vient s'amasser derrière les matelas. Désormais, je suis prisonnier de la tempête. Pour ne pas m'intoxiquer, je suis obligé de réduire drastiquement la puissance de la lampe et l'utilisation du réchaud. J'allume deux bougies que je place près de l'entrée, afin que leurs flammes vacillantes me confirment malgré tout l'entrée d'air frais...

Ainsi, ces « journées de nuit » passent et ne se ressemblent pas. Chacune impose son lot de combats, du soir au matin : la vie à Fort Eleanor n'est vraiment pas un long fleuve tranquille...

C'est dans cette atmosphère de tempête de neige qui continue à forcir que je réalise avec Maryse et Léo une vacation complètement décalée : « Tout va bien ? Fais attention à toi ! Ne prends pas de risques... On prépare de bonnes choses pour ton retour... »

En raccrochant, je comprends tout d'un coup d'où me vient ma lombalgie... : tout simplement des cinquante centimètres de l'estrade. Deux kilos de chaussures à chaque pied, dix kilos de batterie à bout de bras et le déhanché que m'impose vingt fois par jour la haute marche de ma tour de contrôle. Cela fait trois semaines que je me désaxe le dos. Je vais devoir installer une marche intermédiaire.

　　　Cette nuit-là, les gémissements incessants d'un des chiots m'exaspèrent. Ils m'empêchent de dormir. Le petit est écrasé par le poids de sa mère qui ne fait rien pour le dégager et lui laisser l'accès aux tétines. J'ai l'impression qu'il est rejeté par Michima. Vermisseau vulnérable en perpétuelle quête de chaleur et de nettoyage affectueux, il ne fait pas partie de la fête. Il est mal né, les mamelles lui sont interdites... Mis à l'écart pour ne pas rompre le fragile équilibre d'un allaitement de survie, il lutte avec le froid dans l'obscurité. Il n'a aucune chance de voir un jour le soleil se lever.
　　　Non. Il n'en sera pas ainsi. En m'occupant de lui, je vais non seulement lui donner la chance qu'il n'a pas eue à ce jour, mais je vais lui faire rattraper son retard ! Je l'installe sur ma couche, bien au chaud dans le providentiel cocon de fourrure de ma chapka, loin de la froidure du sol. Je ne l'entends plus pendant deux heures, pensant même que je suis intervenu trop tard... Mais il se réveille. Pour son premier repas à la lumière des bougies, je lui concocte un mélange lacté à base de lait concentré sucré et de quelques-unes de mes gélules vitaminées. Une alchimie superénergétique et musclée pour en faire un lion de l'Arctique ! Le miniflacon d'une monodose de solution antiseptique, au préalable décongelé, vidé et nettoyé, fait office de biberon. Il est suffisamment souple pour qu'en le comprimant je puisse y faire le vide. Je le plonge ensuite dans le « superlolo » et fais monter le précieux breuvage en relâchant la pres-

sion. Ainsi, en appuyant sur ce « bibi » d'appoint, je perfuse bon gré mal gré le chétif ! Ça dégouline un peu partout au début, mais il finit par se laisser faire et ingurgite le carburant ! Je ne suis pas encore un père d'homme, pourtant, j'assume plutôt bien mon statut de meilleur vétérinaire à 75 ° de latitude nord !

Je passe de longues nuits à bichonner mon chiot. Je l'ai installé dans mon sac de couchage. Dehors, la tempête fait rage : le vent monte à quatre-vingt-treize kilomètres à l'heure... Alors, faisant fi de la sécurité, je fais rentrer Chuchi. Quel tableau ! Mon protégé est lové sous ma barbe grandissante et tète ma gorge d'un improbable liquide ; Chuchi est allongé de tout son long contre moi, tête dans la capuche du sac ; Michima est lovée à mes pieds, et le deuxième petit dort entre ses pattes.

La cabane craque sous les bourrasques qui sifflent de façon lugubre, la neige s'infiltre toujours derrière les matelas et forme des pyramides le long du mur...

Mon rythme de vie est maintenant complètement décalé. Il se partage en deux parties : je dors de 7 heures du matin à environ 17 heures, et travaille de 17 heures à 7 heures le lendemain. Peu importe, je suis dans l'obscurité en permanence !

Je n'utilise plus mon réveil. Je dors bien, je me laisse aller. Depuis quelque temps, je ressens parfaitement le réveil physiologique de mon organisme. Une douce chaleur envahit lentement mon corps, comme à la suite d'une injection d'iode avant une radio. Cette vague de chaleur caractéristique part d'un noyau central qui comprend cœur, poumons, reins, estomac, puis se propage agréablement le long de mes bras et de mes jambes. Elle annonce le réveil.

En être conscient me permet alors de mettre au point une stratégie : après son arrivée, je réalise une légère activation neuromusculaire à base de mouvements de jambes, de bras, d'assouplissements et d'étirements. En augmentant encore ma chaleur corporelle, cette gymnastique me prépare à sortir du sac dans de bonnes conditions.

Je passe ensuite un moment à visualiser avec précision les gestes que je devrai accomplir une fois levé. Je me « projette positivement sur les actions immédiates à réaliser », comme me l'a si souvent demandé le docteur Christian Bourbon. Allumer ma frontale, m'habiller, enlever la glace du sac, allumer bougies et réchaud, contrôler la température extérieure, nourrir les chiens puis prendre mon petit déjeuner... Mais également les grandes lignes de la journée : protocoles, bricolage, écriture.

Me lever après cette mise en route physiologique naturelle, progressive et maîtrisée me permet de combattre le froid et d'aborder la journée plus facilement. Il n'y a pas de réveil brutal causé par l'agression d'une sonnerie au milieu d'un cycle de sommeil profond. Ni d'attaque du froid dans un état de lucidité moyen où les gestes sont désordonnés et le corps en hypothermie, plus fragile. Bien sûr, une fois sorti du sac, il ne faut pas traîner, mais les mouvements sont précis, calmes, enchaînés. Comme je dors suffisamment, je suis prêt à affronter les dix ou douze heures de travail à venir, sans horaires à respecter.

En revanche, les vacations téléphoniques constituent des contraintes ; ces rendez-vous sont maintenant en contradiction avec mon rythme veille-sommeil. Je dois me réveiller pour les préparer, ce qui n'était pas le cas au début de l'hivernage : je vais donc demander à l'équipe de les déplacer.

Le temps, celui qui passe, m'amène à un autre grand rendez-vous.

Je lis avec émotion dans le cahier des procédures : « Info n° 5 : 22 décembre 2002, le solstice d'hiver... » ! La Terre décrit autour du soleil une ellipse que l'on nomme aussi le plan de l'écliptique. Le globe est incliné sur ce plan (l'angle formé par l'équateur et ce plan est de 23 ° 27'). Ce basculement de l'axe de rotation et la trajectoire en ellipse ont pour conséquences les différences d'inclinaison des rayons solaires sur la surface terrestre ; les conditions de lumière et de chaleur sont donc très diverses sur notre planète et sont à l'origine de ce que les hommes ont de tout temps appelé... les saisons. Aujourd'hui, oublié de la lumière dans ma course autour de l'astre majeur, l'inclinaison de l'axe est maximal : l'hiver commence...

Mais, sur l'ellipse dont le soleil occupe l'un des foyers, la Terre passe par deux points particuliers. L'aphélie, qu'elle atteint début juillet, est le point le plus éloigné du soleil, à environ 152 millions de kilomètres. Le périhélie, à environ 147 millions de kilomètres, est atteint... début janvier ! À 107 000 kilomètres à l'heure, paradoxe cosmique, je me rapproche du soleil... et des grands froids.

Noël : 3 h 30 du matin, heure locale. – 15 °C dans la cabane, – 36 °C dehors. J'obtiens de Léo et Maryse, qui se sont spécialement levés ce 25 décembre, les deux derniers appels de l'année. Je brûle l'ultime « bûchette » de mon Iridium...

Les températures continuent à baisser. Sous le cône de lumière de ma lampe frontale, l'éolienne est momifiée. Prisonnière d'une gangue de glace, elle est totalement immobile malgré un souffle de quarante kilomètres à l'heure. Les quatre pales et le générateur sont recouverts d'une pellicule de givre blanc qui épaissit à vue d'œil. Il étouffe mon « bel oiseau blanc »... Sur le fond noir d'encre de cet espace sans limite, mon éolienne ressemble à l'hélice concrétionnée, humiliée, d'un navire oublié dans l'obscurité définitive des abysses sans fin... Dans la nuit et par un froid épouvantable, je démonte péniblement le rotor pétrifié et le rentre dans la cabane. Il faut le décongeler et le sécher. J'imagine déjà un système de pédalier qui, coûte que coûte, avec les mains ou les pieds, me permettra de produire avec ce générateur l'énergie dont j'ai tant besoin pour communiquer.

Désormais coupé du monde, je me résous à enclencher le message n° 1 de la balise, code triple zéro... : « Les moyens de communication et d'énergie prévus ne fonctionnant pas et ne me permettant aucun contact avec vous et Resolute, c'est donc par la balise que nous allons continuer à communiquer ; veuillez informer Resolute... »

SEUL DANS LA NUIT POLAIRE

1   2

Resolute Bay – Le raid

Après dix-huit mois de préparation, le moment tant attendu arrive : le grand saut vers l'inconnu. Le rêve devient réalité.

3   4

Ci-dessous : Le dernier « homme de pierre », l'*inukshuk*, un astucieux cairn à la forme d'homme, indique le Grand Nord.

Les derniers préparatifs, les achats de vivres frais et le carburant.
Samedi 19 octobre 2002 : objectif, le lac Eleanor, au nord-est de l'île de Cornwallis.
Toute la communauté assiste au départ du convoi.

Nanook rôde sur son territoire... Les problèmes mécaniques nous imposent un arrêt
au milieu de nulle part. Ci-dessous : Immensité à perte de vue. Le ton est donné.

L'installation

Dès mon arrivée, j'effectue les premiers relevés de température. Fort Eleanor dans toute sa splendeur brille sous les derniers rayons de soleil qui éclairent encore la terre sacrée des Inuit.

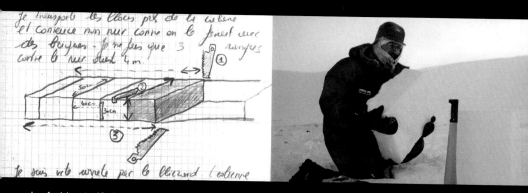

Le froid est vif. Je me suis enfermé dans un piège ; autour de la cabane de planches (du contreplaqué de 8 mm d'épaisseur), il me faut construire un igloo.

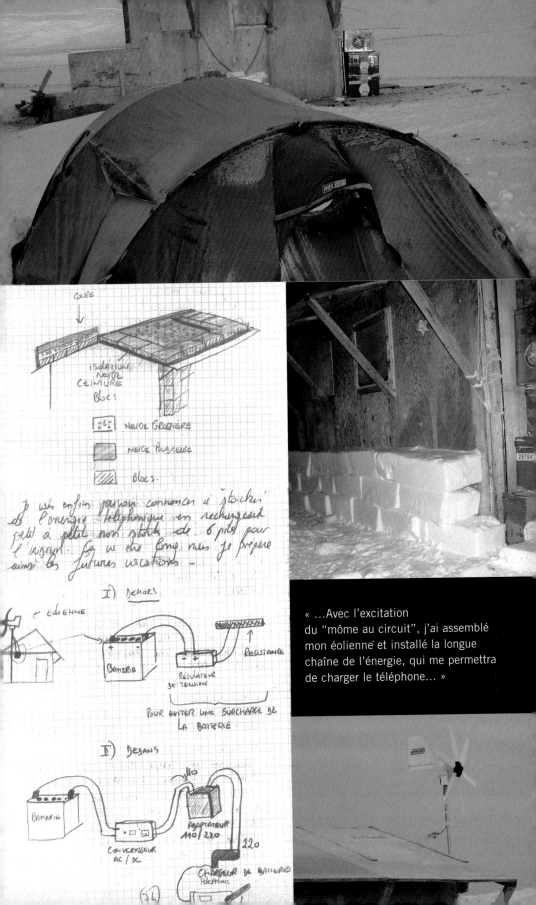

« ...Avec l'excitation du "môme au circuit", j'ai assemblé mon éolienne et installé la longue chaîne de l'énergie, qui me permettra de charger le téléphone... »

La vie au jour le jour
Atelier séchage,
sinon, à −20°C, le froid cherche et trouve immanquablement la moindre particule d'eau ;
il la cristallise et rend tout vêtement inopérant.

POSITION A
STAND BY

"PÊCHEUR AUTOMATIQUE"
POSITION POISSON !!

POSITION B.

↑ TROU DE PÊCHE DANS
LA GLACE.

MUR DE PROTECTION CONTRE LE VENT
← BLOCS DE
GLACE THALES

PIC A
GLACE   SIÈGE

← TROU DE PÊCHE.
← PAIRE DE GANTS ÉTANCHES
POUR ENLEVER LA GLACE
QUI SE REFORME À LA SURFACE

Sur le lac nourricier, techniques de survie avec lignes sans appâts :
il me faut en permanence casser la glace qui se reforme et devient de plus en plus épaisse

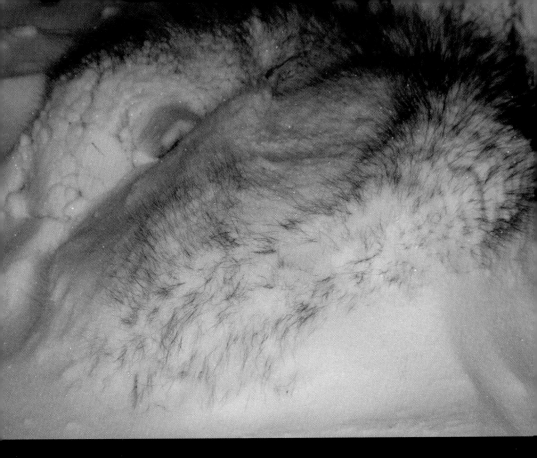

Les premières tempêtes : les chiens se laissent recouvrir par le meilleur isolant qui soit :
la neige. « ...Les déranger serait stupide : la lutte pour la vie est déjà si dure... »

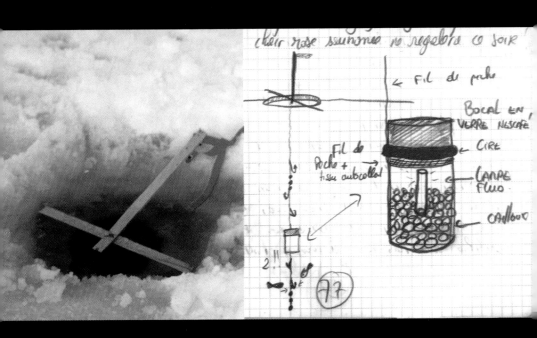

Élaboration d'un piège lumineux, grâce à une boîte de café soluble, des morceaux
de permafrost, de la cire, du scotch et une lampe fluorescente – toujours sans appâts

Compte
à rebours...

Après trois semaines
d'un chantier pharaonique,
Fort Eleanor est transformé
en coque de neige.

Ma chienne Chuchi veille ; elle est ma première alarme contre les ours.
« ...Aujourd'hui, 27 octobre 2002, j'ai vu le soleil douze minutes. Je ne sais pas encore
que je ne le reverrai pas avant une centaine de sommeils... »

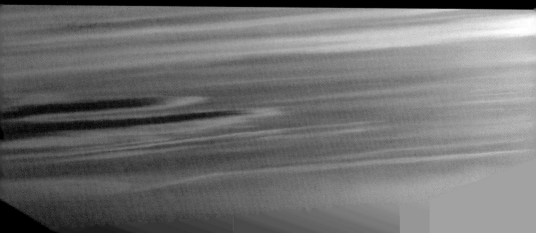

Entretien de la carabine après chaque séance d'entraînement. Préparation du matériel photo.
« ...Lorsque je m'arrête à la nuit, ma tête n'est qu'un bloc de glace aux grosses larves blanchâtres : les larmes de glace... »

Le froid...

Partage de chaleur : les chiots
n'ont pas assez de graisse
pour survivre dehors...
Vétérinaire à 75° de latitude nord !
Atelier biberon avec mon rescapé,
et câlins avec ma petite famille.

Dans la cabane, pour échapper au froid du sol, tout est surélevé :
au mieux, il fait 10 °C à 12 °C de plus qu'à l'extérieur.

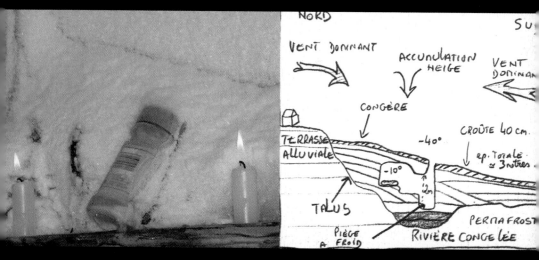

La glace avance de toutes parts.

Le « trou d'homme » est une technique
de survie qui devrait être connue du plus
grand nombre. Ici, mon « deux-pièces
dans la neige » est très élaboré.

Au-dessus du réchaud, je redonne du gonflant et son pouvoir isolant au sac de couchage.

« ...En survie, il faut tout garder : ce qui aujourd'hui est inutile sera demain le plus précieux des trésors... », même de vieilles allumettes que je recycle en « super-boutefeux ».

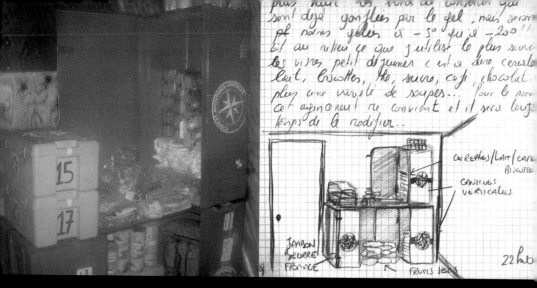

« **Mon vaisseau glacial** » « ...Peu importe l'emplacement des vivres, puisque, dans la journée, en partant du sol vers le plafond, il fait de – 25 °C à – 15 °C. Alors, étage congélateur ou rayon surgelés ! »

Ma couchette est située à plus de 80 cm du sol, carabine directement à portée de mains

La « bougie léopard » : il fait tellement froid que la cire cristallise dès qu'elle fond.
Épouvantables bains d'eau chaude et de Bétadyne pour « récupérer » mes pieds gelés.
Température dans la cabane à ce moment précis : − 18 °C

Comme à bord des bateaux, chaque millimètre compte dans ces 9 m² ;
le fonctionnel rivalise avec le confort.

PRODUITS	Forme (boîte, sachet...)	Quantité	Conditionnement (ziplock, sac de cong., sac étanche...)	N° CAISSETTE	N° CAISSETTE	N° CANTINE	Poids total
				BILAN 06/12	BILAN 24/01		
onserve: plat cuisiné			sac étanche				
illiam Saurin filet Basquaise	Boîte de 400 g	2	resté en boîte	1	0	7	800 g
illiam Saurin Cassoulet	Boîte de 420 g	4	resté en boîte	2	1	7	1680 g
am Saurin Coq au vin	Boîte de 420 g	2	resté en boîte	1	1	7	840 g
illiam Saurin auté de porc	Boîte de 400 g	2	resté en boîte	2	1	7	800 g
am Saurin Petit à l'auvergnate	Boîte de 420 g	4	resté en boîte	3	1	7	1680 g
aucisses de oulouse aux tilles cuisinées Carrefour	Boîte de 420 g	4	resté en boîte	1	0	7	1680 g
illiam Saurin ucroute garnie au vin blanc	Boîte de 400 g	4	resté en boîte	0	0	7	1600 g
Petit jean 6 quenelles de rochet sauce crevette	Boîte de 400 g	2	resté en boîte	1	0	7	800 g

Manger reste un plaisir et une nécessité…

Stratégie alimentaire : varier les mets pour ne pas saturer…
J'ai emporté 300 kg de nourriture.

Pour obtenir les 7 l d'eau quotidiens dont j'ai besoin pour mon alimentation
et ma boisson, je dois faire fondre de la neige dans la bouilloire…

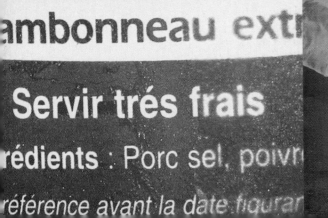

POTÉE "LA CABANE"

POUSSES DE SOJA DANS LEUR EAU : 400 g
MORCEAU DE SAUCISSON A L'AIL : 200 g
(LE DERNIER TRONÇON)
(QUENNE DU JAMBONNEAU EXTRA) : 80 g
(CONSERVÉE POUR LES VEILLÉES)
AUTOUR DE LA CHEMINÉE
LE TOUT MIJOTÉ, PUIS PORTÉ A ÉBULLITION
(CHIENS EXCLUS DES FESTIVITÉS)
CAFÉ - BERLINGOTS 4 - GATEAUX SECS 4 -
VIVE L'OURAGAN ...

Vétérinaire, mécanicien, électricien et... cuisinier – chiens exclus des festivités !
Afin de varier encore plus mon alimentation, je mélange les contenus des boîtes de conserve.

Inventaires et contrôles de l'évolution des stocks : dans ce milieu, les consommations
échappent aux règles usuelles. Partage de nourriture : les chiens apprécient les croquettes,
mes féculents et les cuisses de canard…

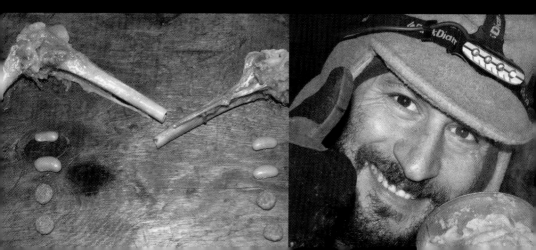

Les protocoles scientifiques

Que va-t-il se passer durant plus de trois mois sans soleil, plus de soixante jours dans l'obscurité totale, sans rythme jour-nuit, sans rythme social, sans le synchroniseur qu'est la lumière ?

Les tests psychologiques, psychotechniques, l'auto-évaluation de la dépression et le suivi de l'évolution de ma vue balisent les journées de ce long voyage.

Dehors, il fait nuit 24 h/24 h. À l'intérieur, 100 lux, c'est très peu de lumière quand il faut discerner à 2,50 m des pictogrammes de plus en plus petits. La lumière vive naturelle d'une journée normale donne 2 500 lux…

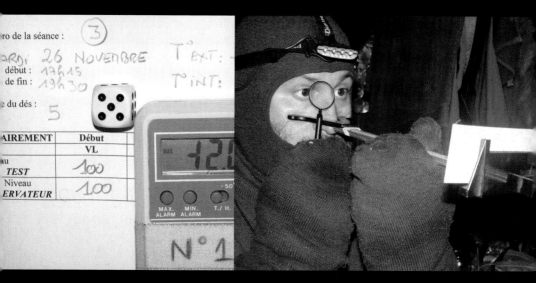

Je fais un tirage au sort des exercices afin de ne pas les mémoriser.

Dans ces conditions glaciales, travailler sur la vue est extrêmement difficile.

« Fort Eleanor ne répond plus » Noël, 3 h 30 du matin : « … Sur le fond noir d'encre de cet espace sans limite, mon éolienne ressemble à l'hélice concrétionnée, humiliée, d'un navire oublié dans l'obscurité définitive des abysses sans fin… » Je ne peux plus charger la batterie, ni communiquer par téléphone… Angoisse chez les miens.

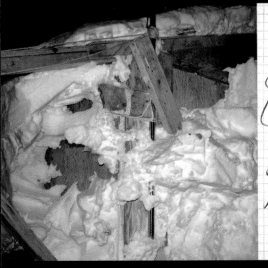

Le 6 janvier 2003 : la tempête. À 120 km/h, des petits cailloux

« … En longeant maladroitement la cabane, je découvre l'horreur.
Les tripes tordues par la surprise ! Mes murs ont été soufflés.
Il n'en reste presque rien, comme s'ils avaient été criblés de grenaille
ou déchiquetés par l'explosion d'un obus de mortier… »

« Le mur sud s'est affaissé sur sa base ; poussé par les rafales, il va s'écrouler… »
Une cantine de 20 kg a été emportée par la tempête.

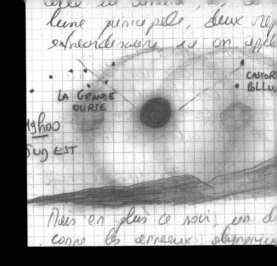

La GRANDE OURSE

CASTOR POLLU

19h00

SUD EST

L'observation du ciel...
Le soir de la quatrième lune…Depuis quatre mois, toutes les constellations tournent autour de la cabane. « ...Plus tard, mes trois lunes continuent leur chemin, se reflétant sur la glace du lac : le miroir d'Eleanor… »
Dans une atmosphère chargée de cristaux de glace, la lune se démultiplie...

CE SOIR J'AI ENTENDU

LE SILENCE...

Le soleil, enfin...
Le 10 janvier : « ... à 13h17, un éclat blanc jaillit de la ligne de crête. Il tire derrière lui un disque d'argent qui émerge lentement de la montagne. Le soleil ! Cent six jours ! Cent six jours que je n'avais pas vu le soleil... »
« je lâche enfin ce cri qui résonne encore dans le cirque glacé de ma longue désertitude. »

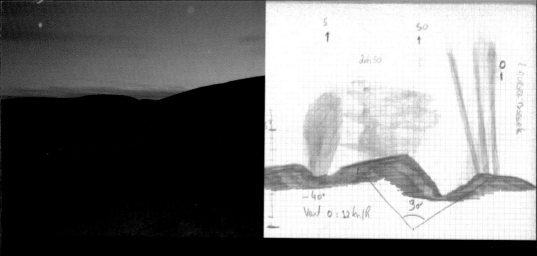

Le 7 janvier :
« ...Pour la première fois depuis deux mois, je n'ouvre pas la porte
sur l'obscurité totale... » Et j'assiste encore au spectacle roi des cieux
hyperboréens : *Aurora borealis*, l'aurore boréale !

« ...À 13 h 20, mon esprit revient dans son enveloppe charnelle ;
je pense enfin à immortaliser l'instant. »

9
10

Le retour sur Terre... Le bonheur des retrouvailles est indicible ;
un étrange mélange de larmes de joie et de pardon d'avoir tant fait souffrir ma famille
et mes amis coule sur mes joues... Il va falloir que je me réadapte au monde actif et civilisé.
Je vais poursuivre mon long chemin intérieur...

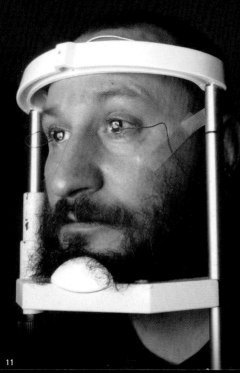

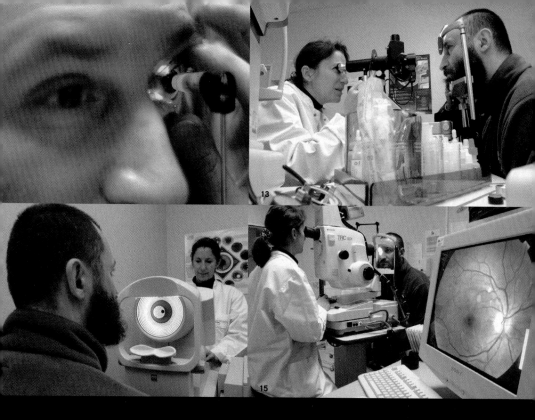

« …Échographies et électrodes vont à nouveau me triturer le crâne et les yeux. Les imprimantes vont à nouveau crépiter… » Durant trois mois encore, je vais me soumettre aux protocoles scientifiques et médicaux. « …Pour que cela serve à quelque chose… »

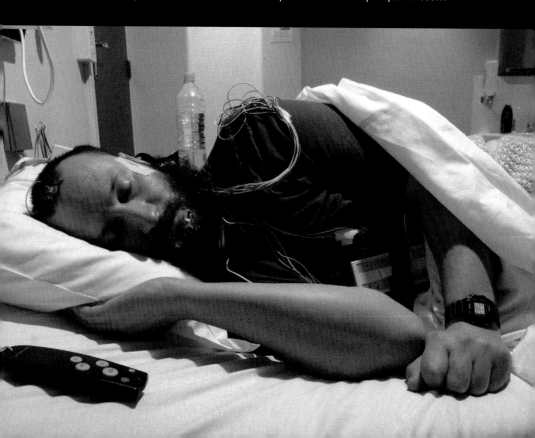

Toutes les photos de ce cahier sont de Stéphane Lévin, sauf :

• 1, 11, 12, 13, 14, 15 et 16 : © Thierry Pons. • 2 : © Guillaume Marion.
• 3, 5, 7 et 8 : © Rémy Marion. • 4, 6, 9 et 10 : © Olivier de Marcellus.

SOCIÉTÉ DES EXPLORATEURS FRANÇAIS

Fort Eleanor ne répond plus...

U ne vile partie de poker est en train de se jouer en moi...

Je dors beaucoup, je travaille peu... Je ressens quelque chose que je ne peux encore m'expliquer, comme un ralentissement dans les activités, les protocoles et l'envie de travailler. J'ai réalisé la moitié de l'expédition et, sans parler d'ennui, de lassitude, quelque chose me gêne. J'ai pourtant fait un bilan physique, psychologique, technique ; tout semble aller pour le mieux...

L'obscurité et le froid jouent-ils une partie en douce contre moi ? La solitude et l'isolement me pèseraient-ils sans que je m'en aperçoive ou sans que je me l'avoue ?

Non. Je vis pleinement cette incroyable expérience et je n'ai nullement envie de rentrer. Il y a autre chose que je dois découvrir. Cela fait plus de soixante-dix jours que l'hivernage a commencé, quarante-cinq jours que je suis dans l'obscurité totale... et il me reste au bas mot deux mois d'expédition. Il me faut retrouver ma sérénité, celle des premiers jours. J'ai longuement analysé les effets majeurs des conditions extrêmes de cette aventure. J'ai reporté par écrit le bilan des premiers mois, rempli mes autoquestionnaires de Beck sur la dépression, les échelles d'anxiété de Catell, évalué presque quotidiennement mes performances. Rien ne me donne la réponse. Pourquoi cette baisse de régime ?

Je ne suis ni triste, ni cafardeux, ni malheureux, ni découragé, ni pessimiste, ni insatisfait. Suis-je en train de subir les effets d'une dépression saisonnière... ?

Je n'ai qu'une envie : me coucher dans mon sac au chaud, bouquiner tout en suçant un carré de chocolat blanc, dans le silence le plus total, dérangé seulement par le souffle de Michima et le furtif jappement étouffé d'un petit qui rêve sous son ventre

Les chiots ont quinze jours. Ils ont pris du poids et du volume ; leurs museaux sont formés, tachés de marques noires qui me permettent de les différencier. Leurs pattes déjà griffues ressemblent à celles de petits ours... Ils sont magnifiques. J'ai remis mon pensionnaire sous le ventre de Michima qui, désormais, l'accepte. Elle lui laisse enfin l'accès à la force nourricière qui jaillit de ses tétines. L'instinct de famille reprend le dessus.

J'éteins ma lampe, me cale dans mon sac et m'endors. Cinq heures passent. Un sommeil parfait, total, réparateur. Je me sens bien, je suis douillettement installé en chien de fusil dans un cocon de tiédeur bienfaisante. J'expire par une petite ouverture aménagée dans les replis du sac et inspire le mince filet d'air frais qui arrive. Le choc de ces deux airs aux chaleurs opposées crée cette humidité qui se dépose sur le tissu et qui, dans une heure, sera givrée. Je me rendors deux heures. Au réveil je m'étire sur le dos, en prenant soin de ne pas laisser s'échapper par la capuche ma bulle d'air chaud... Bras croisés derrière la tête, dans une position inhabituelle mais confortable, je dirige mes pensées qui s'envolent dans tous les sens pour trouver l'origine de ce malaise qui m'incommode. En analysant, en structurant et hiérarchisant, je trouve enfin ! En un mot comme en cent : travail... Tout simplement. J'en ai assez de travailler. Assez des protocoles, assez des rapports, des notes !

Cette sieste bienfaisante est un révélateur. Je suis retourné me coucher parce que j'en avais envie, que ça me faisait du bien. Je ne voulais pas sortir de dossier ni travailler.

Je suis sur le toit du monde, lieu de mes rêves, et je suis enchaîné par les tâches que je me suis imposées... Mais aujourd'hui, je suis saturé : trop de travail tue le travail...

J'ai passé dix-huit mois à œuvrer comme un forcené pour réaliser cette aventure, ce rêve, quinze à dix-huit heures par jour, tous les jours, presque quatre fois les trente-cinq heures... Sans relâche, sans une seconde pour vivre en marge de la préparation. C'était normal évidemment, car se contenter de rêver n'a jamais permis aux rêves de se réaliser ! Je n'ai pas eu le plaisir de me voir partir. J'aurais voulu passer quelques heures avec mes amis, faire tranquillement ma valise. La surexcitation et les activités débordantes incontournables ont duré jusqu'à l'embarquement dans l'avion...

Deux mois après mon arrivée à Fort Eleanor, je m'aperçois que je suis encore la tête dans le guidon ! Bien sûr, j'apprécie l'instant présent, mais aujourd'hui quelque chose gâche la fête.

Il ne s'agit pas de tout arrêter. Il me faut simplement faire une parenthèse, me reposer, me retrouver seul avec moi-même, pour moi-même, ce qui n'est pas le cas en ce moment. Je ne passe pas deux heures sans penser travail, protocoles, rapports, notes. J'écris « protocoles », j'écris « rapports », je lis « protocoles », je lis « rapports ». Je vis « protocoles et rapports ».

Je lis les modes d'emploi de mes appareils, donc je travaille. Je lis et étudie des ouvrages spécialisés, donc je travaille. Ce qui était plaisir il y a quelques semaines est devenu contrainte. Je devais m'occuper vingt-quatre heures sur vingt-quatre, afin de ne pas déprimer, mais l'effet inverse se produirait-il ? L'antidote serait-il pire que le poison ?

J'ai besoin de me ressourcer, de prendre quelques jours « pour moi », à regarder simplement la nuit, les étoiles, les chiens, sentir le froid, mais sans noter, sans analyser, sans « rapporter »...

J'ai besoin de lâcher les amarres du contrôle permanent. Tous mes indicateurs psychologiques sont bons... Je ne me sers pas des grilles de correction des tests sur l'anxiété données par Christian Bourbon qui m'a enseigné leur utilisation ; je pourrais pourtant m'évaluer tout seul.

Les paramètres physiologiques ont évolué, et mes sens se sont adaptés. J'ai observé très précisément l'évolution de mon sommeil en rapport avec l'obscurité, les stress et mon état psychologique. À moins d'une énorme surprise, les choses devraient rester comme elles sont et évoluer lentement dans l'autre sens après le retour de la lumière.

Il n'est pas question de tout arrêter mais de faire une pause. Le temps qu'il faudra... Cette envie de pause est un résultat en soi !

J'ai tout réalisé avec enthousiasme, dans les pires conditions de travail ; mais aujourd'hui, même au chaud et à la lumière d'un laboratoire toulousain, je n'aurais pas envie de tenir à jour un dossier ! La coupe est pleine, la disquette est surchargée, la mémoire est dépassée. Mon esprit a du mal à se fixer, ne veut plus engranger d'informations. C'est comme si l'on voulait faire rentrer des ballons de baudruche dans une feuille de papier kraft trop petite et en faire un paquet : même en poussant avec les mains, les genoux, la bouche, il n'y a rien à faire, ça ne rentre pas, il y a toujours un ballon qui réussit à s'échapper.

D'autres indicateurs marquent cette baisse de régime : j'ai pris moins de notes ces derniers jours ; elles sont moins bien rédigées, moins précises, brouillon...

J'ai du mal à mémoriser les choses, même les heures de mes cycles de sommeil des dernières vingt-quatre heures écoulées. L'esprit refuse ce travail.

Passionnant. Édifiant...

Je n'écoute plus de musique au chaud dans mon sac, ce que j'aimais faire il y a encore quelque temps. Je n'ai enregistré aucun son depuis deux semaines.

Je n'ai pas chanté, ni sifflé, ni déliré ces derniers jours.

L'analyse se fera avec Christian Bourbon, mais il y a overdose ! J'ai déjà une mine de renseignements. Je reprendrai mes travaux plus tard.

Je suis persuadé que je tiens la clé de l'énigme. Sinon, c'est que le mal est beaucoup plus profond et qu'il va me falloir être extrêmement vigilant...

Je vais changer tout ça dès aujourd'hui. Même mieux, immédiatement !

Je vais vivre intensément cette aventure, pour moi seul, égoïstement, du moins pendant quelque temps...

Dimanche 29 décembre à Fort Eleanor, 8 heures. Je vais réduire mon activité aux gestes de ma vie de trappeur, ceux de la survie : ma sécurité, mes chiens, mon alimentation et l'infini plaisir de voir évoluer la nature, sans tout vouloir quantifier. Je vais caresser ma petite famille, sortir dans le froid, carabine à l'épaule, marcher sur cette neige qui crisse d'une façon unique ; je vais nettoyer l'éolienne ; je vais écouter Elvis, l'enregistrement de 1972 en direct du Madison Square Garden, fabuleux... Tout de suite... Maintenant.

Mardi 31 décembre, 7 h 45 : j'ai dormi quarante-huit heures d'affilée ou presque ! Je ne me souviens de rien, si ce n'est de m'être péniblement levé pour manger rapidement, sans doute insuffisamment. J'étais mal, nauséeux. J'ai eu très peur d'une intoxication au monoxyde de carbone, à tel point que je suis sorti m'aérer et prendre une bouffée d'air à − 37 °C... Je me suis recouché. Je n'ai aucun autre souvenir ! J'ai émergé plus tard, en ayant faim et froid. J'étais parcouru de frissons incontrôlés, ceux qui vous glacent par vagues de haut en bas, en passant par le dos, le ventre et les jambes...

C'est simple : je me suis sous-alimenté. Dans ces conditions glaciales, je dois absolument conserver une bonne température corporelle. Il n'y a qu'une chose à faire : manger. Que ce soit à l'intérieur de mon sac ou en travaillant à l'extérieur, j'ai remarqué que le refroidissement et la faim arrivent presque simultanément. Quand le froid me tombe dessus, même à l'intérieur du sac, même en me couvrant plus, j'ai froid. Le froid « de l'intérieur ». Et contre celui-ci, le meilleur sac de couchage au monde ne fera rien. Il faut donner du carburant à la machine... Une fois que le repas est englouti, que le réservoir est plein, l'effet est immédiat . en me mettant à nouveau dans le sac, je suis envahi par une vague de chaleur extrêmement agréable qui, le plus souvent me conduit au sommeil.

En ce moment, j'hiberne. Je dors énormément. Je ne me lève que pour m'alimenter, contrôler la cabane, changer le code des balises et nourrir les chiens. Quand j'ai fini de manger, mes paupières sont lourdes, j'éprouve le besoin de dormir et je me recouche aussitôt. Je ne me souviens de presque rien. Je dors parfois quinze ou seize heures d'affilée... Hypersomnie...

Sortir du sac est toujours pénible. Pour comprendre le choc, il faut imaginer la différence qu'il peut y avoir entre un réveil chez soi et dans ma cabane à thermicité variable... À la maison, on se réveille dans son lit douillet, dont on sort sans difficulté : on aperçoit quelques rais de lumière autour des fenêtres, on ouvre les volets, la lumière inonde la pièce et, derrière la porte, c'est l'ami Ricoré qui vous attend ! Ici, dès que le réveil physiologique est effectué, j'ouvre les yeux. Mais à ce moment précis de la scène, qu'ils soient ouverts ou fermés, c'est la même chose. C'est le noir total ! Il n'y a pas de rais de lumière sous la porte. J'allume ma lampe frontale et je vois des stalactites translucides, des particules glacées en suspension dans l'air, des paillettes scintillantes de reflets, comme la boule à facettes de mes premières boums... Ces fines lamelles argentées portées par un air lourd et glacé dansent dans la lumière bleutée des petites diodes électroluminescentes de ma lampe. Chaque matin, je nais dans le noir ! Je glisse ma main gantée à l'extérieur du sac et attrape un des fragiles thermomètres au toluène. Les Celsius meurtriers m'annoncent − 25 °C : c'est l'effet Kisscool !

Les gants sont obligatoires. Sinon, sorties de la tiédeur des + 20 °C du sac, les mains, choquées par une différence de température de 45 °C, gèlent immédiatement et transmettent au corps l'onde glaciale. Très désagréable.

Vite habillé, j'allume tout de suite la lampe tempête. Je la pose sur le sol afin d'initier un piètre réchauffement du plus grand volume d'air possible, et pas uniquement de la tranche supérieure, bulle tiède qui va rester coincée sous la panne faîtière. Je mets ensuite le réchaud en route.

La toilette est rapidement expédiée. À ces températures, il n'y a pas vraiment d'odeurs mais, en expédition, il faut impérativement se laver tous les jours. C'est bon pour le corps mais aussi pour la tête. Il ne faut pas accepter sa saleté. En revanche, je suis passé de la courageuse toilette « à la russe », nu par moitié de corps, à la stratégique (d'aucuns diront pleutre) technique des « lingettes parfumées dans le sac de couchage... » ! Pour éviter les refroidissements agressifs sur ma « fragile peau », c'est dans mon sac que j'utilise mes lingettes de bébé, au préalable décongelées, et réalise une toilette d'appoint correcte.

Nuit du 3 janvier 2003 : mon cœur s'est arrêté. Le chien s'est mis à gronder puis à aboyer... Engoncé au plus profond de mon sac, je libère au plus vite les trois cordons de serrage, allume ma frontale et passe mon bras droit pour attraper la carabine. Mais je n'ai rien entendu d'anormal. Ni pas crissant sur la neige glacée, ni bruit de quelque animal qui fouillerait dans mes caisses à la recherche de nourriture... La gorge serrée, je suis surpris par la force des grognements de Chuchi. Encore plus quand je vois qu'il n'a pas bougé d'un pouce. Le museau coincé au chaud entre ses pattes et sa queue, il me regarde. Ébloui par la lampe, étonné de mes gesticulations et agacé par... une petite boule de poils qui essaie de lui grimper dessus. Ce qu'il ne supporte pas... c'est un chiot ! J'en ris encore ! Tant pis, si je veux pouvoir dormir plus sereinement, je dois me résoudre à garder Chuchi attaché à l'extérieur. Ça me fait mal au cœur, mais j'ai besoin d'un premier rempart à l'agression intempestive de quelque plantigrade famélique... « *Dura lex, sed lex* » !

4 janvier 2003 : je me prépare à replacer sur le mât l'éolienne désormais décongelée et séchée. Je dispose le matériel nécessaire sur mon matelas : trois grands clous de charpentier de vingt centimètres, deux bouts de cordelette de trois mètres chacun, du tissu médical adhésif, mon couteau et la lampe frontale. La nuit est particulièrement noire, mais un petit vent de dix kilomètres à l'heure me convient parfaitement pour faire un dernier essai. Je sors l'éolienne face au vent, à bout de bras ; elle s'emballe immédiatement, dans un merveilleux bruissement d'ailes, comme au premier jour. Je hurle de joie. Je vais pouvoir recharger la batterie et communiquer. Les pales tournent vite. Les vibrations remontent le long de mes bras, jusque dans les épaules. Il me suffirait de la lâcher pour qu'elle s'envole. De desserrer l'étreinte pour que mon oiseau blanc, tout muscle bandé, bondisse... Je suis heureux, euphorique. Jamais, il ne faut jamais abandonner... Il faut se battre encore et encore. Réfléchir, innover, trouver des solutions. Je la regarde encore, comme hypnotisé par l'effet stroboscopique des rayons de lumière de ma lampe sur les pales blanches...

Puis je me retourne, dos au vent pour l'arrêter et rentre dans la cabane. Je contrôle la production d'énergie : je lance les pales à la main et, dès que la vitesse du rotor est suffisante, je mets en contact les deux câbles du générateur. Ce court-circuit crée des étincelles : ça marche !

Il fait − 33 °C dehors. J'enfile ma salopette et ma veste coupe-vent, un gros bonnet sur ma cagoule et une paire de gants de plus. J'ouvre prudemment la porte, éolienne à bout de bras, bouscule les chiens et grimpe sur mes trois cantines. Je plante l'appareil sur le mât. Mon lumbago ne m'a pas quitté depuis dix jours, j'ai mal au dos. Le froid est vif. Vite. J'essaie de positionner les trois clous afin de les pré-fixer le long du manchon adaptateur et du mât avec du tissu collant. Difficile de le dérouler et d'en récupérer un bout avec mes gants. Mais si je ne les avais pas, mes mains reste-raient soudées au mât et aux clous... Il me faut redescendre, je peste. Je me précipite à l'intérieur en marchant sur les chiens. Je ne peux pas les enjamber : ce mouvement, avec mes deux kilos à chaque pied, est trop douloureux. Je ne peux pas non plus poliment « attirer leur attention, en sou-mettant à leur haute bienveillance d'avoir l'amabilité de bien vouloir... s'écarter de la porte ! » Je me réchauffe les mains au-dessus de la lampe. La circulation est longue à revenir. Je râle contre ce scotch épais qui, congelé, est inutilisable. Il faut recommencer à zéro, trouver un autre système. Finale-ment, je récupère dans ma pharmacie une bande de crêpe extensible. Je me rééquipe et encore une fois bouscule les chiens. Comme le vent forcit, je suis obligé de bloquer l'hé-lice pour travailler en toute sécurité. J'ai trouvé une bonne solution. Je la bride avec mon harnais de *pulka* en verrouil-lant les deux boucles autour du mât et des pales, et en ajus-tant solidement les sangles.

Je place ensuite rapidement les clous et déroule la bande, qui enserre bien ces attelles improvisées. Le vent souffle plus fort. Les doigts gèlent. J'ai mal. Mon visage brûle, mais je commence mon épissure. J'ai choisi de la faire en deux parties, parce qu'il me faut aller vite et que ramener un brin trop long est fatigant. Elle doit être solide, car les blizzards sont de plus en plus violents. Je fais des efforts pour enrouler, tendre et comprimer au maximum la cordelette autour des clous et du mât. Je n'en suis qu'à la moitié de la première cordelette et je sens déjà mes mains partir... Il y a la phase de la douleur, difficile à décrire : c'est comme si les doigts étaient écrasés par un marteau sur une enclume ; vient ensuite celle de l'absence de douleur, parce que les doigts sont devenus insensibles : c'est le début du danger... Mais je poursuis mes efforts. À la troisième phase, la main ne répond plus aux ordres du cerveau. Les extrémités sont endormies, immobiles, la moitié de la paume paralysée par le froid. Je sais que je prends des risques énormes que je n'étais plus censé prendre après l'opération. J'enrage, mais je suis obligé de tout laisser tomber de nouveau. Je n'ai même pas la force de faire une demi-clé de blocage pour arrêter l'épissure. Dès que je lâche la cordelette, si difficilement maintenue depuis le début, la tension se libère, les spires se détendent, se délovent, se déroulent jusqu'en haut... Tout est à recommencer ! J'en pleurerais. Je rentre comme un fou dans la cabane, en donnant des coups de pieds dans les chiens, en hurlant de douleur et de colère. Je hurle contre le froid, contre les chiens, contre les gants, contre mon visage qui boue... Mais c'est décidé, je vais remonter et fixer l'éolienne, ce soir, avant la prochaine tempête !

Je ranime mes mains aux flammes du réchaud – pas trop près, pour ne pas en plus les brûler. Après deux rounds de trois minutes à − 50 °C de refroidissement éolien, elles sont presque insensibles. Je bois et m'alimente. Je sélectionne une autre paire de gants, puis, en fermant les yeux, je fais une courte séance de visualisation mentale. J'imagine et anticipe les gestes à réaliser pour enchaîner le plus rapidement possible. Je me re-rééquipe, bien décidé cette fois à aller jusqu'au bout.

Comme dans un départ au starting-block, je sors dans la nuit glaciale. Les chiens giclent immédiatement. Voilà les bienfaits de l'éducation. Pourtant, je ne suis pas un homme-ours au cœur de glace, mais la rudesse du milieu sculpte à sa mesure la compassion. Du haut de mes trois cantines, sous le halo de ma lampe frontale, les gestes sont précis, méthodiques avec les spires tendues, même si j'ai froid. J'attaque la deuxième cordelette et, au moment où je n'en peux presque plus, je termine par trois demi-clés d'arrêt. Gagné ! Le vent, qui a encore forci, me brûle atrocement les ailes du nez et les pommettes. Il ne me reste plus qu'à libérer mon oiseau blanc en débouclant le harnais. Et là... Stupéfaction ! Horreur ! Les pales ne bougent pas ! Je suis effondré. Je comprends trop bien. En moins de vingt minutes, le froid a congelé de nouveau mon éolienne. J'essaie de lancer l'hélice à la main pour la débloquer, lui donner de l'élan dans le blizzard, mais rien à faire.

Sortie deux minutes de la cabane dans laquelle il faisait − 12 °C, elle a fonctionné pour le test ! Mais vingt minutes à − 33 °C, autrement dit 21 °C de différence, c'était trop. Le choc thermique a été fatal ! Du givre s'est développé sur les parties métalliques. Imparable soudure. Je ne peux plus rien faire...

Alors, dans la nuit, je hurle pour libérer la tension accumulée pendant ces deux sorties. Mais, pour la première fois, évacuer aussi celle de trois mois d'expédition, de quatre-vingt jours d'isolement et de froid ! J'insulte la nature, je la somme de m'envoyer toute sa force et sa puissance parce que je ne partirai pas ! J'en veux plus encore. Je la défie. Je l'attends. Je n'ai pas peur. Je suis prêt à en découdre avec les mâchoires d'acier de ses dragons de glace...

Puis, à bout de forces, je rentre et m'assois hébété devant mon réchaud, figé, le regard dans le vide. La glace de ma barbe dégouline sur la cagoule et les vêtements que je n'ai même pas enlevés. Je ne sais pas quand aura lieu la prochaine vacation téléphonique. Pour relancer l'éolienne, il faudrait soit un redoux important, soit une tempête comme celle de la semaine dernière, assez forte pour faire tourner l'hélice. Or les froids accumulés pendant la longue nuit, les plus terribles, ceux des mois de janvier et de février, ne sont pas encore arrivés. Alors un réchauffement... Tu parles !

J'aurais voulu communiquer autrement que par le truchement impersonnel des messages codés de la balise. J'aurais voulu rassurer mon équipe de vive voix. J'aurais voulu rompre ce silence de dix jours...

Les soucis de matériel qui casse – pelle à neige, thermomètre, lampe... – ne m'ont jamais affecté et me donnent toujours l'occasion de bricoler. Le matériel vital – réchauds, lampes à essence, armement –, je l'entretiens en permanence. Mais la chaîne électrique de l'éolienne, c'est différent. J'ai découvert le système le jour où il m'a été livré à Fort Eleanor ! C'est avec un enthousiasme extraordinaire que j'ai connecté le réseau. Les contrariétés, déceptions et découragements sont donc à la mesure de mes joies de bricoleur-ingénieur-électricien de circonstance.

À l'origine, j'avais basé ma sécurité et mes communications sur les messages précodés des balises Argos, mais cette éolienne m'occupe... ! Elle est l'occasion de relever un défi technique, de m'accrocher à l'idée qu'il me faut tout faire pour que ça fonctionne, car je sais que mes proches sont inquiets quand ils n'ont plus de nouvelles directes. Alors

peu importe les conditions météo, les risques et les souffrances que j'endure...

5 janvier : je suis réveillé par les chiots qui s'agitent.
Je veux contrôler l'heure. Pour éclairer ma montre, j'appuie
avec mon index sur le bouton-poussoir adéquat. Je fais un
bond de douleur. J'allume immédiatement ma frontale et
découvre les ravages...

Mes doigts sont gonflés, gelés de nouveau. Les travaux sous l'éolienne, coups d'épées dans l'air de glace, ont
duré trop longtemps. Tout semblait pourtant revenu à la normale avec le réchauffement progressif de mes mains au-dessus de la lampe. Mais le mal était déjà fait, insidieusement.
J'ai vraiment trop souffert pour y échapper. Ce sont bien des
gelures. Je sens les battements de mon cœur dans la pulpe
de mes dernières phalanges. J'ai l'impression qu'un chantier
est en activité sous mes ongles : les liquides physiologiques
de mes cellules décongelées font leur travail, poussent, dis-
tendent les peaux blanchâtres gorgées d'un mélange aqueux
douteux... Des cloques, des ampoules, des phlyctènes,
« comme ils disent », apparaissent au bout de mes doigts...

Je ne peux que les enduire d'une crème anti-
inflammatoire, garder mes mains au chaud sur mon ventre
et essayer de dormir. Je ne supporte même plus mes légers
gants en soie. Il est 2 heures du matin.

« Et l'incroyable se réalise, ce 5 janvier. Absolument
impensable. Stupéfiant ! Le vent monte encore. Il doit
atteindre cent vingt kilomètres à l'heure ou plus. La cabane
va-t-elle résister ? Le toit peut-il s'envoler... »

Je dois une fois de plus organiser ma défense.
Concentré, je recommence à clouer mes matelas et à tasser

au bas de la porte la neige qui s'est infiltrée. Je peaufine mon rempart contre le vent. Puis, pour parer à toute éventualité, j'enfile immédiatement ma salopette « grand froid » : je remplis les très larges poches de ma veste de barres énergétiques, fruits secs, couteau, lampe électrique, gants, surmoufles et divers petits matériels. Je mets des piles neuves dans toutes mes lampes. Je fais le plein du réchaud et de la lampe à essence, puis stocke de l'eau bouillante dans les Thermos. Je range ensuite les appareils fragiles et les documents importants dans mes caissettes isothermes. Ainsi, je suis prêt à réagir à une situation d'urgence, comme dans les exercices mille fois répétés à bord des bateaux... L'Iridium à peine chargé, j'établis enfin une communication.

Je romps dix jours de silence radio... J'informe Maryse de la situation, puis Rémy se charge de faire avec Raymond un point sur l'évolution de cette dépression.

La tempête fait rage depuis vingt-quatre heures déjà. Le manque de sommeil se fait sentir. J'ai mal au dos, aux épaules, aux mains... Je me laisse enfin glisser dans mon sac de couchage, perturbé par les craquements incessants qui sont amplifiés depuis qu'une partie de ma coque de protection n'existe plus...

Mardi 7 janvier : 2 heures du matin. Le vent souffle encore très fort, puis la dépression passe. À 4 heures, le vent cesse. L'éolienne ne tourne plus. Le silence est total. J'ai envie de dormir, mais je préfère me lever pour aller faire le bilan des dégâts...

Je tourne autour de la cabane à la lueur de ma lampe. Quatre rangées de parpaings congelés ont totalement disparu du milieu du mur ouest. Les blocs encore accrochés aux chevrons et collés aux planches de la cabane sont marqués de stries grisâtres. Ce sont les poussières arrachées au permafrost et projetées contre la neige. Leurs courbes indiquent précisément le cheminement des flux éoliens... De petits cailloux, transformés en munitions destructrices par la tornade, sont fichés dans la neige... Mon mur sud, fragilisé par le réchauffement brutal, s'est affaissé sur sa base et s'est décollé de trente centimètres ; poussé par les rafales, il penche dangereusement vers l'avant : il va s'écrouler. Les blocs de jonction qui assuraient l'isolation entre les murs et le toit ont disparu, laissant apparaître le haut du pignon. La couverture de neige dure du toit a été rabotée... Pour terminer cet effroyable état des lieux, les minces planches de contreplaqué des murs originels sont maintenant à nu... Tel l'expert chargé d'attester les pathétiques dégâts d'une catastrophe naturelle, je prends une série de photos. Je fais un point météo avec Raymond, qui me confirme que ce coup de tabac lié à la topographie locale est passé. Après un café chaud et quelques céréales, je me couche, complètement sonné !

Je souffle sur les bougies... Mon esprit s'évade de mon vaisseau naufragé... Je me retrouve quelques mois plus tôt, à la passerelle d'un vrai navire cette fois, qui, sous le commandement de mon ami Jean-Philippe, fait lentement route à travers la banquise du détroit d'Hudson. Ensemble, nous avons ouvert des voies... de l'Orénoque à l'Amazone, des grands lacs canadiens à l'Arctique. Raymond est là aussi, à mes côtés. Il m'explique la glace, ses phases de formation, son épaisseur, sa taille, sa répartition, sa concentration, sa disposition, ainsi que la terminologie, les codes et les symboles utilisés pour la décrire.

La glace est fascinante... Mais, banquise permanente de l'Arctique ou couverture temporaire des lacs et des fleuves, elle est dangereuse. Elle fait partie de la vie des Canadiens ! Il n'est pas étonnant qu'ils occupent le premier rang au monde dans l'analyse, la modélisation et la compréhension des processus de formation.

Penché sur la table à cartes, Raymond me commente les liens étroits qu'il entretient avec le Service canadien des glaces d'Ottawa (S. C. G.). Les missions principales de cet organisme étonnant sont d'assurer la sécurité et l'efficacité des opérations maritimes de la garde côtière canadienne, des autorités portuaires et de la navigation commerciale. Ses spécialistes, prévisionnistes et climatologues de haut niveau peuvent observer, analyser et interpréter les conditions météorologiques, l'état et les types de glaces, leurs positions, leurs provenances, leurs dérives en temps réel. J'en ai d'ailleurs bénéficié deux ans plus tôt.

En route vers le pôle nord magnétique, j'avais fait appel à Rémy et Raymond au sujet d'une fracture de la banquise. Le S. C. G. l'avait localisée à l'aide de satellites, et nous l'avions contournée. Ce jour-là, la communication avait été possible grâce à l'Iridium chargé par un panneau solaire. Le soleil était alors permanent...

Mes paupières de sable se ferment, et je m'endors.

Selon un rituel librement consenti, dès qu'ils me sentent bouger ne serait-ce qu'un doigt, Chuchi et Michima font un bond de leur couche pour me souhaiter la bienvenue dans cette obscurité ! C'est le grand jeu : coups de langues affectueux, roulés-boulés par-dessus mon sac, têtes câlines posées sur mes épaules, chacun la sienne. Ils ronronnent presque. Mais j'ai compris : c'est aussi l'heure des croquettes... Quant aux petits, trop courts sur pattes pour monter, ils posent leurs têtes sur l'estrade et jappent de jalousie ;

ils pleurnichent, se mordillent les oreilles jusqu'à ce qu'enfin je me décide à m'extraire du sac.

À 13 heures, lorsque je sors de la cabane, je suis stupéfait... Une lueur d'encre bleu marine marque mon sud-ouest... Très faible. Ce n'est pas le jour. Ce n'est même pas un semblant de crépuscule. Mais pendant une petite heure, ce n'est pas la nuit noire... Pour la première fois depuis deux mois, je n'ouvre pas la porte sur l'obscurité totale ! Mon corps ressent, mes yeux voient, ma tête sait que la lumière va revenir petit à petit. L'apparition furtive de cet *ersatz* de lumière me donne de l'entrain... 7 janvier 2003 !

Mais je suis également surpris par une autre vision. J'ai encore changé de planète... Le spectacle est magique. La tempête a arraché, balayé et emporté presque toute la neige accumulée pendant les mois précédents ! Elle a remodelé les contours des reliefs, arrondi des crêtes, cisaillé des congères, gommé les barkhanes encroûtées...

Seules quelques plaques sales et concrétionnées accrochées aux méandres de la rivière immobile tachent le fond de la vallée... Où sont passées ces tonnes de neige ? Ce n'était pourtant pas que de la poudreuse ! L'épaisse croûte verglacée sur laquelle j'avais monté ma tente, quelques semaines plus tôt, a été décapée par la puissante érosion éolienne. Rabotée la congère dans laquelle je m'approvision-nais en neige ! Je comprends mieux, maintenant, la pierraille plantée dans les murs : dans un terrible « effet Venturi », le vent a accéléré sur la terrasse alluviale et arraché des bouts de permafrost pour éroder sans pitié ma coque blanche...

Je souris un peu quand même : des centaines de petites formes noirâtres soudées au sol décapé fleurissent autour de la cabane : ce sont les crottes congelées des chiens... Après notre départ, elles feront l'affaire des renards coprophages. Ainsi va la chaîne trophique.

Je remarque que cette tempête vient incidemment d'annoncer une autre étape. Étonnamment programmée par mère Nature, elle vient d'écarter le rideau sur une timide lumière. Cet Arctique ensorceleur aux infinies combinaisons de lumière, de vent et de froid, n'a pas fini de me surprendre.

La nuit a effacé du ciel la furtive tache claire. Mon univers est redevenu ténébreux. Il n'y a plus de reflet sur l'inattaquable béton noir du permafrost dénudé... La lune ne peut plus jouer avec la blanche enveloppe disparue.

J'ai froid. Je quitte l'obscurité revenue et rentre dans ma cabane décharnée...

Il est 14 heures.

Le bagne de glace...

8 janvier : je suis impatient de faire mes premiers pas sur la terre... Je n'ai pas vu la lumière du ciel depuis deux mois. Je veux aller marcher dans ce semblant de jour bleu foncé. Je m'équipe, verrouille le mousqueton de Chuchi à mon harnais et je vais me promener vers le lac, ma carabine à la main.

Mon acuité visuelle a encore évolué ; ma vision est enfin libérée d'un voile sombre permanent ! Je peux me déplacer sans lampe frontale, mais pour quelqu'un brutalement débarqué ici et qui arriverait de lointaines latitudes ensoleillées, ce serait encore certainement l'obscurité.

Je quitte la terrasse alluviale, descends très lentement vers la rivière pour faire le moins de bruit possible. Depuis octobre, c'est la première fois que mes pieds se posent sur autre chose que de la neige. Je foule respectueusement ce pergélisol désormais à vif. Très souvent, je m'arrête pour scruter l'horizon, fouiller du regard les moindres encoches du relief et m'assurer de ma réelle solitude. Mais Chuchi veille, solidement sanglé à moi. Michima court librement autour de nous... J'évite consciencieusement tous les mouvements de terrain encore blancs, ainsi que les failles profondes de quelques congères fossiles. Je ne progresse qu'au milieu des larges zones noires du terrain dénudé par la tempête.

J'arrive sur les berges du lac que j'étais impatient de retrouver. Je m'avance jusqu'à mon ancienne zone de pêche en marchant sur la glace vive, décapée de son épaisseur de neige. Là aussi, je prends la précaution de décrire un très large cercle pour aborder en toute sécurité mon abri de glace resté intact ; je ne voudrais pas être surpris par une grosse boule blanche dérangée par Michima. Rassuré, je m'arrête. De l'endroit où je me trouve, aucun ours ne peut s'approcher sans que je le voie. J'écoute longuement l'incroyable silence, envahi d'une merveilleuse sérénité. Ce crépuscule qui me permet de marcher sans lampe et de voir à distance est comme une renaissance...

Je tire quelques cartouches sur un bloc de glace, pour garder la main et m'assurer que l'arme fonctionne bien malgré ces températures glaciales. Avec le retour de la lumière, la probabilité de rencontrer *Nanook* augmente de nouveau. Tirer n'est pas si aisé dans ces conditions. Il est exclu d'enlever trop tôt sa surmoufle avant de faire feu : il faut garder la main au chaud le plus longtemps possible, pour éviter l'engourdissement qui la rendrait inopérante... et les larmes glacées gênent pour viser. Ceci est à prendre en compte, car si un ours se montre trop inquisiteur, il faut d'abord lui faire peur en tirant à côté de lui. Puis, en cas d'approche insistante à moins de cinquante mètres, il faut l'abattre. En effet, à cette distance, il pourrait atteindre sa proie en moins de dix secondes... Il vaut mieux avoir confiance en soi, connaître son arme et s'être entraîné.

Je repars ensuite vers l'ouest en prenant de l'altitude sur le mamelon qui domine la cabane. Je remarque que je souffle anormalement, que les muscles de mes jambes « ont fondu » et me font souffrir. Je suis loin d'être en bonne condition physique... Ce sont les effets du désentrainement que nous avions envisagés avec François. Le cumul des conditions extrêmes, la succession des événements, les diverses meurtrissures ne m'ont pas permis de me maintenir en forme comme initialement prévu...

Je découvre avec de nouveaux yeux mon environnement. La vallée qui se referme au sud ressemble à un canyon. Au loin, de grandes plaques argentées brillent sous une faible lumière. Elles marquent l'emplacement des méandres de la rivière sans vie, certes découverte de son manteau de neige, mais qui manque d'air... Au sud-ouest, le ciel est de braise. Les couleurs revivent et s'imposent un peu plus chaque minute. De gros nuages en forme d'éventail à moitié ouvert marbrent l'horizon. De part et d'autres de cette pyramide renversée, le dégradé de couleurs quitte les orangés pour rejoindre les bleus, puis les violets et les gris foncés qui se confondent avec la nuit.

Je suis assis sur un gros bloc de permafrost, étonnamment seul sur cette pente douce. Il semble provenir de nulle part, dans ce désert au relief poli par la glace et le vent.

Que c'est beau ! Je suis seul au bout du monde, dans un décor martien.

Mon regard se perd au fond de la vallée, ma vue se brouille. Je me revois enfant à mon bureau. Je perce une cartouche d'encre, puis la renverse tête en bas sur le papier buvard rose... L'auréole bleue s'étale à vue d'œil. Le papier boit jusqu'à la dernière goutte. Ensuite, je découpe une entaille dans le plastique souple de la cartouche et attrape cette petite bille dure qui régule l'arrivée d'encre... Je la roule tout doucement sur le papier buvard pour la sécher de la dernière larme d'encre qui s'étale aussi sur la pulpe de mon index. Je la porte alors à ma bouche. J'adore faire craquer cette petite bille entre mes canines.

Aujourd'hui, je suis ce papier buvard. Cela fait deux heures que je bois goulûment toute l'énergie lumineuse que peut me donner le ciel. Elle arrive enfin par-delà le globe terrestre, elle va revenir très progressivement, heure après heure. Il n'y aura pas une brusque illumination du paysage.

Quinze jours après le solstice, la terre est déjà repartie sur son orbite : dans son voyage incliné, elle se dirige vers son nouvel objectif, l'équinoxe de printemps. Quant au soleil, son premier rayon est encore très loin de poindre à l'horizon, pas avant un mois. Pourtant, il y a une semaine, je ne pouvais pas être plus près de lui. Dans ce voyage elliptique, la distance qui nous séparait était la plus petite...

Posé sur mon caillou de glace, je vois le ciel rosir puis bleuir, puis s'éteindre... Je me suis imbibé jusqu'à la dernière goutte de ce carburant impalpable : la lumière ! Mes yeux, ma tête et mon corps en avaient besoin. Cadeau donné, cadeau repris, cadeau volé...

Maintenant, je sais que le soleil va tenir sa promesse. Je mâche encore un peu cette petite bille imaginaire. Mais ce plaisir enivrant ne doit pas me faire oublier que je suis dans un milieu sans concession. Il faut que je redescende au plus vite, car je me suis laissé prendre par l'obscurité... L'embastillé sans chaînes ni murs que je suis est obligé de rentrer. Il n'y a pas d'appel dans ce bagne de glace, de neige et de vent. Ma vie ne tient qu'à quatre planches de bois posées sur une terre pétrifiée... Je ne peux pas m'échapper de cette immensité, de ce désert impitoyable.

Fort Eleanor, c'est mon île du Salut, mon Cayenne de glace.

Le vent se lève. Il fait − 30 °C. Je me rends compte que je n'ai pas plus de cinquante mètres de visibilité, limite tout juste acceptable pour ma sécurité. J'étais bien dehors, mais la nuit est revenue très vite. Je suis inquiet. J'écarquille les yeux et balaie sans cesse du regard toute ma zone de progression. J'avance presque sur la pointe des pieds. Chuchi progresse lentement, sans tirer sur la laisse et toujours sur ma gauche, comme je le lui ai appris. Soudain il s'arrête, oreilles relevées. Il est totalement immobile ! J'enlève la sûreté de la carabine et me tiens prêt. Je suis très concentré, mon cœur bat vite et fort, ma gorge se serre. Chuchi se met à grogner. Une forme blanche se dessine à quarante mètres... Les yeux plissés, j'ai du mal à accommoder ma vision dans ce relief cotonneux et sans distance. Je n'enlève pas encore ma surmoufle droite. Je scrute autant que possible la ligne inclinée de mon horizon.

Chuchi ne grogne plus mais reste figé. Cela dure un moment qui me paraît être une éternité. Puis la tension se relâche. Dans un grognement, il fait deux tours sur lui-même puis reprend sa route. Maintenant, il tire violemment sur la laisse en haletant, presque étranglé par son collier pour rejoindre... Michima... qui redescend nonchalamment vers la vallée sans daigner nous attendre, après nous avoir inquiétés ! Je me promets aussitôt de ne plus sortir si loin sans visibilité suffisante.

En arrivant sur l'arrière de la cabane, je découvre dans la pénombre la cantine manquante. Malgré ses vingt kilos, la tempête l'a déplacée sur plus de deux cents mètres.. Je libère Chuchi qui va courir.

C'est étonnant comme mon vaisseau me paraît tout à coup si petit ! La marche, tous ces pas faits sans compter ont totalement changé mon appréciation des distances, des volumes et des surfaces ! Je réalise que je viens de passer plus de deux mois enfermé dans cet abri. Mais aussi minuscule soit-il, j'y suis bien...

Je n'allume que deux bougies. J'essaie de ne faire aucun bruit. Je n'ai pas envie de troubler le calme total et la pénombre avec les crachotements agressifs du réchaud... En revanche, je m'occupe immédiatement de la carabine. Toutes les pièces métalliques dégorgent de givre. Il provient du choc thermique : les pièces se sont refroidies à − 30 °C et sont maintenant exposées à l'air « chaud » de la cabane, soit − 20 °C. Dès que je l'enlève, il se reforme... Tant que le métal ne s'est pas « réchauffé », il produit ce dépôt de glace ! Je le nettoie ainsi, au fur et à mesure qu'il se crée. Sinon, à − 20 °C, il va cristalliser, et une gangue de glace va congeler les mécanismes, bloquer la culasse et la queue de détente, former un bouchon dans le canon, puis souder les cinq cartouches au chargeur.

Je prends donc mon temps pour sécher toutes les pièces sensibles et éviter également toute tache de corrosion liée à l'humidité. En théorie, pour ne pas lui faire subir ces écarts de température, il faudrait laisser l'arme à l'extérieur, mais je préfère la garder à portée de main, au-dessus de ma couche, prête à fonctionner...

Pour pouvoir être utilisée à des températures polaires, cette carabine CZ 550 de calibre 375 HH Magnum, a été dégraissée. Je l'entretiens soigneusement, particulièrement après chaque séance de tir. Les contrôles de bon fonctionnement et de sécurité d'usage réalisés, je replace la carabine sur la planche, chargeur approvisionné.

Ensuite, je m'assois et observe mes chiens. Les chiots ont exactement un mois. De vrais petits aboiements ont remplacé les jappements. Ces boules de poils aux yeux bien ouverts découvrent leur monde cruel : depuis le premier matin de la troisième lune, je les sors de plus en plus longtemps chaque jour, pour les habituer au froid, même s'ils hurlent parce qu'ils n'aiment pas ça... Les alliances de ce huis clos polaire ont de nouveau changé : Chuchi grogne et aboie dès qu'un chiot s'approche un peu trop près de lui ; Michima non plus ne se laisse pas faire par les chiots avides de tétées, les repoussant même, babines retroussées sur des crocs agressifs, pour réguler l'heure des repas. Les « grands » sont redevenus complices et dorment en boule l'un contre l'autre, laissant de côté les « petits » qui essaient comme ils peuvent de se réchauffer l'un contre l'autre. La couche de graisse de leurs petits corps fragiles est encore trop fine pour les protéger efficacement du froid. Dehors, ils mourraient. Michima n'est plus jalouse de Chuchi, mais revendique clairement son territoire et son affection auprès de moi...

Une douce tiédeur m'envahit. J'utilise mes dernières forces pour ramper jusqu'à mon sac. J'ai mal au dos, les muscles de mes jambes sont mâchés, froissés, je suis vermoulu ! Le froid et son contrecoup m'endorment.

Le lendemain, ma journée commence curieusement très tôt, dès 6 h 30. Il fait − 25 °C à l'intérieur. Le froid n'a mis que trois jours pour retrouver le chemin de la cabane. Cette fois directement, à travers les minces planches de contreplaqué déshabillées de leur protection. J'avance l'heure de la vacation pour faire avec Léo puis Maryse un point complet de la situation. Je leur commente surtout l'arrivée très progressive du crépuscule qui redonne vie à Fort

Eleanor. Léo me fait réaliser, dans un sous-entendu diplo-mate, que la nuit ne peut plus gagner... Il est inquiet de mon état physique. Je l'imagine les yeux rivés à l'écran de son ordinateur qui lui confirme, via la balise, les températures reparties à la baisse...

Le retour du jour, si faible soit-il, a un effet positif sur mon humeur et sur ma motivation après la crise de lassi-tude de la semaine dernière. Je me remets à prendre des notes...

La nuit polaire a modifié mon horloge interne ; la lumière naissante doit maintenant jouer son rôle de re-synchroniseur de mes rythmes circadiens. C'est une « lumi-nothérapie », thérapeuthique non pharmacologique, que je commence, si tant est que j'ai bien été affecté par une dépression saisonnière...

Ce simili-jour de quelques heures décolle à présent de l'est... Bien que les étoiles brillent encore dans le ciel, il prend sa revanche sur la nuit. Même en l'absence du soleil, il a pour effet de changer de nouveau mes rythmes de som-meil, en recalant l'heure du réveil entre 6 h 30 et 8 h 30, et celle du coucher entre 11 h 30 et minuit. Pourtant, à l'inté-rieur de la cabane, je n'ai toujours que cent à deux cents lux d'intensité lumineuse. En revanche, le protocole « vision », qui reste pénible à mettre en œuvre, me permet de constater que mon acuité visuelle ne progresse plus... Information de taille. Je n'arrive plus à lire les dernières lignes des tableaux ; les tests sur l'accommodation sont de plus en plus éprou-vants ; mes paupières sont très lourdes, comme si j'étais hyp-notisé par ces exercices.

Je ne prends dorénavant ma neige qu'à la lueur du jour ; j'ai ainsi moins peur de voir surgir un ours. C'est la même congère, maintenant rabotée par la tempête, qui continue à me fournir l'eau pour mon alimentation.

Les dix jours qui suivent m'emmènent progressivement vers l'enfer... Promesses tenues des mois de janvier et février, les Celsius continuent à plonger vers les 35 °C au-dessous de zéro...

20 janvier : c'est dans une ambiance sombre et sous des nuages lourds de neige que j'atteins les trois mois d'hivernage ! Quatre-vingt-dix jours à Fort Eleanor, dont soixante d'obscurité totale... Il fait entre − 24 °C et − 28 °C à l'intérieur de la cabane.

Le réveil et le lever dans l'obscurité sont terribles... Il me faut de plus en plus de temps pour me réveiller, me réchauffer et sortir du sac. Le choc est brutal. Je dois me tourner sur le côté pour évacuer la neige et la glace accumulées sur le sac si je ne veux pas qu'elles dégoulinent sur mon visage. Ensuite, je desserre les cordons et m'extrais le plus vite possible pour m'habiller. Après avoir allumé lampe et réchaud, je m'emploie à chasser toute la neige collée sur le sac. J'essaie d'être réactif, pour ne pas être pris par le froid mordant : il attaque tout de suite le visage, les mains et les pieds. Chaque expiration dégage une désagréable buée qui masque la vue.

Je gratte la glace sur les écrans du réveil, du GPS, de l'anémomètre. Le préchauffage des réchauds et des lampes est plus long à présent... Je ne peux rien avaler. Je n'ai plus envie des mélanges de céréales pour le petit déjeuner (avec pépites de chocolat, noisettes et noix de cajou...). Seules les tranches de cake passent encore.

Quand ce n'est pas le froid, ce sont les longues périodes sans vent qui immobilisent l'éolienne. Je passe alors en code triple zéro...

Aujourd'hui, le vent du nord est trop faible pour faire tourner le rotor. L'hélice atteint à peine la vitesse nécessaire pour que le générateur fournisse de l'énergie. Je suis vraiment accablé ! Quelle patience !

L'éolienne a tourné toute la nuit pour ne permettre ce matin que vingt minutes de charge. C'est très insuffisant pour obtenir ne serait-ce qu'une « bûchette » sur l'écran de l'Iridium... La grosse batterie s'épuise. Les câbles sont de plus en plus fragiles, et il me faut sans cesse bricoler pour rétablir les contacts électriques.

Je suis obligé de reprendre une médication antalgique et anti-inflammatoire pour mon dos, alors que j'ai repoussé au maximum l'usage des médicaments.

La nature n'a pas fait les choses à moitié... à ma demande ! Après avoir pulvérisé mon isolation, elle a enlevé la neige qui m'aurait permis de reconstruire. Pour terminer, maintenant que je suis à nu, elle m'envoie les grands froids. Le match va être terrible. L'adversaire est implacable. Je suis conscient que la partie la plus dure de ce combat est devant moi, parce que je commence cette deuxième mi-temps avec trois mois de fatigue, d'obscurité, de froid, de vent, de tempêtes et de blessures... et qu'il va me falloir tenir, tenir, tenir.

Dans la nuit du 22 janvier, des hurlements inhabituels de la chienne me réveillent. Je sors difficilement du sac et m'habille rapidement à la lueur de la lampe frontale. Dehors, Michima se contorsionne de douleur, gueule grande ouverte comme pour mordre l'air. Mal réveillé et jeté violemment dans l'obscurité, l'air glacé et le vent, je ne comprends pas tout de suite ; je crois qu'elle a été mordue par Chuchi, mais en fait, elle est collée au sol !

En dormant dans la neige et la glace, les chiens creusent involontairement une niche d'appoint avec la chaleur de leur corps roulé en boule. En fondant progressivement, ce creux prend la forme d'une coque lisse et devient, avec cette température exceptionnelle de − 38 °C, un piège imparable ! Le chien s'enfonce et se fait prendre par l'eau qui congèle à nouveau immédiatement ! En voulant se lever, Michima s'est retourné la patte qui est restée soudée à la glace ! J'essaie de la calmer et passe ma main sous son poitrail pour la replacer dans une position moins douloureuse ; je sais qu'elle ne va pas me mordre, même si plusieurs fois elle donne de violents coups de museau sur mon avant-bras. Ma pauvre chienne hurle, ses yeux m'implorent de la libérer. Sa patte arrière droite est entièrement prise dans la glace, des griffes à l'articulation de la cuisse. Elle a dû se faire très mal en se levant. Je tente de faire couler lentement de l'eau chaude sur les poils, pour la dégager ; mais l'eau refroidit très vite et gèle à son tour, créant un amas de glace, qui l'emprisonne encore plus... Je coupe les poils prisonniers avec mon couteau, afin d'y voir plus clair, puis j'essaie de casser la glace avec la hachette. Mais je ne peux pas taper suffisamment fort et si près d'elle sans prendre le risque de lui couper la patte. La pression monte, j'ai les doigts et le visage qui gèlent.

Elle continue à hurler... Il ne faut pas que je m'énerve. Je trouve finalement la bonne solution : j'attrape un clou de charpentier de trente centimètres et entreprends de découper la glace tout autour de la patte, comme je le ferais avec un ciseau à bois ou un burin. Au bout de quinze minutes, je la libère enfin. Elle file sur trois pattes, la quatrième repliée sous son corps, plombée par de gros morceaux de glace... En espérant que ce n'est pas trop grave, je lui administre, via un morceau de cake, des antalgiques et des anti-inflammatoires, puis enlève patiemment les blocs de glace accrochés à ses poils... Il est 4 heures du matin quand je me recouche.

La température intérieure du sac de couchage est redescendue à − 5 °C !

À ce moment très précis, je réalise qu'il me faut pouvoir témoigner de ce froid implacable dans lequel je vis en permanence. Je décide donc d'allumer à l'intérieur de la cabane la deuxième balise Argos. Je sais que cela va donner de plus pertinentes raisons à l'équipe de se faire du souci, mais je veux pouvoir attester, tant que l'aventure se poursuit, que je peux vivre, ou survivre, avec − 30 °C... dans mon abri.

À compter de ce jour, les deux balises vont fonctionner vingt-quatre heures sur vingt-quatre, l'une à l'extérieur, l'autre à l'intérieur. Je continue à changer les codes toutes les douze heures, pour signaler deux fois par jour à l'équipe que je suis en vie. Léo, collé à son écran, assure une remarquable veille permanente depuis le début de l'aventure. Il va réussir dès ce jour, en suivant les variations de température envoyées par satellite, à reconstituer et interpréter d'une manière très approchante mon rythme de vie dans la cabane jusqu'à la fin de l'expédition ! C'est ainsi qu'il repère les moments consacrés aux repas, lorsque réchaud et lampe font remonter le toluène, et les heures de sommeil, quand il plonge vers les − 30 °C. Mais cette arme est à double tranchant. Si la température remonte anormalement, Léo pense à l'incendie et s'inquiète... alors que j'ai tout simplement allumé les deux réchauds et les deux lampes en même temps, pour faire un atelier « rasage ». En effet, je ne supporte plus mes cheveux. Ils poussent beaucoup (adaptation physiologique ?) et me gênent sous les cagoules. J'ai donc utilisé une des petites paires de ciseaux de la trousse de secours pour d'abord les couper au plus court. Le chantier pour faire chauffer l'eau puis me raser le crâne avec un rasoir jetable a été titanesque.

Léo se fait également un souci énorme quand je dors parfois plus de dix-huit heures d'affilée et que je romps ainsi le rythme prévu des changements de codes. La pression atteint son comble lorsque les Canadiens font part à Léo et à Maryse de leur inquiétude sur ma situation précaire dans ce froid croissant dont ils connaissent bien le danger létal... Cependant, je profite d'une vacation pour confirmer à l'équipe que je tiens à attendre le retour du soleil et que je ne souhaite pas voir débarquer contre ma volonté un raid de sauvetage.

Je ne veux surtout pas que mes amis de Resolute prennent des risques inutiles. Je suis sur le manège Terre dans sa course autour du soleil, et je ne veux pas descendre en marche.

Chaque jour, pour combattre cette léthargie insidieuse qui s'installe, je me fixe des objectifs de travail, bricolage, écriture, photos. Je mets au point une technique que j'emploierai jusqu'à la fin de mes jours tant je la trouve efficace. Pour une raison de me décourager, j'essaie de trouver dix raisons de rester motivé : la plus infime, la plus futile faisant l'affaire... C'est surtout le cumul de ces dix bonnes raisons qui fait pencher la balance, ne serait-ce qu'un peu, du bon côté. L'éolienne est congelée ? Je ne peux plus communiquer, je suis découragé... alors Chuchi et Michima sont merveilleux, j'ai fait un chouette dessin, mes réchauds fonctionnent, j'ai écrit un peu, mon sac de couchage est performant, je me souviens des paroles du *Teddy Bear* d'Elvis (que je renomme « *Polar Bear*! »), j'ai pris une belle photo de la pleine lune, les chiots – qui, allongés sur ma poitrine, mordillent ma barbe – m'amusent, j'ai vu une superbe aurore boréale et, ce soir, c'est la fête : je vais faire bombance avec une cuisse de canard, des flageolets et des lychees au sirop... C.Q.F.D. !

Je continue à noter précisément le contenu de chacun de mes repas : les ingrédients ingérés, leur poids, leur quantité ou leur volume. Il me tarde déjà d'obtenir de Cathy et Véronique le bilan quotidien nutritionnel et énergétique de cette aventure. J'ai du mal à estimer l'évolution de mon poids, mais je suis convaincu que la stratégie alimentaire retenue a été la bonne. Toutefois, je commence à ressentir un manque d'appétence pour certains vivres. J'ai parfois le cœur au bord des lèvres et je dois mâcher longuement avant d'avaler. Je mixe encore plus les aliments et invente des recettes, comme la « potée de la cabane », par exemple : quatre cents grammes de pousses de soja dans leur eau, deux cents grammes de saucisson à l'ail, quatre-vingts grammes de couenne de jambonneau, le tout mijoté puis porté à ébullition. Chiens exclus des festivités !

Pour éviter la saturation, j'essaie de consommer les ingrédients d'une autre façon. Je verse le contenu des boîtes de conserve dans des soupes ; j'ajoute des lamelles de pâté dans une purée. Un aliment délaissé depuis quelque temps peut être un « outsider » de dernière minute qui saura restimuler mes papilles...

L'énergie de ma ration alimentaire me permet de tenir quatre heures. Passé ce délai, la sanction est immédiate : c'est du sang glacé qui coule dans mes veines ! *Idem* si je ne mange pas suffisamment. Je suis en hypothermie par manque de carburant. Sensation épouvantable à laquelle il n'y a qu'un remède : me nourrir immédiatement pour distiller à nouveau la vie.

Depuis le début de janvier et des grosses tempêtes, des grands froids, des soucis avec les chiens, du retour progressif de la lumière, d'un état de survie, des réveils et sorties à toute heure pour gérer l'éolienne, il m'est difficile d'établir des moyennes de sommeil significatives. Les rythmes sont sans cesse bouleversés. Les heures d'endormissement d'un jour sont celles du réveil du lendemain...

Lundi 27 janvier : c'est mon centième jour d'hivernage à Fort Eleanor ! Quel anniversaire ! Cent jours, plus de trois mois déjà à bord de mon vaisseau glacial... Jour particulier aussi, parce qu'à 13 heures, toutes les étoiles s'éteignent une à une et ne brillent momentanément plus dans le ciel. Magnifique clarté...

Je déclare donc solennellement, quoique arbitrairement, que « mon jour » est revenu. Même si le soleil n'est pas encore là ! Puis-je aussi déclarer que c'est la fin de la longue nuit polaire, après ces soixante jours d'obscurité permanente ? Comment la dater précisément ? Le jour où la lumière est assez forte pour permettre de travailler ou de se déplacer à l'extérieur ? Sans lampe, phare ou projecteur... Le retour des toutes premières lueurs ? Même si elles éclairent peu et ne sont pas suffisamment puissantes pour donner des ombres... Le premier jour où, à midi, les étoiles ne brillent plus ? Car il fait très clair... Le jour du retour du soleil ? Difficile... Non. Il suffit de se baser sur la définition... Oui. Mais laquelle ?

Facile ! Celle du jour : « Intervalle de temps compris entre le lever et le coucher du soleil en un lieu donné. » Et celle de la nuit ? Facile : « Intervalle de temps compris entre le coucher et le lever du soleil en un lieu donné. »

Me voilà bien avancé.

Donc, depuis la disparition du soleil le 27 octobre 2002 à 15 h 45, je suis dans la nuit... Oui, mais maintenant, je suis en plein jour ! Dans quelques minutes, il fera nuit... C'est simple. À 14 h 30, les lumières stellaires recommencent à scintiller. Elles annoncent déjà l'obscurité et la nuit qui vont plaquer leur chape d'encre sur la cabane.

C'est de plus en plus dur. Il fait de plus en plus froid : jusqu'à − 42 °C à l'extérieur, − 30 °C à l'intérieur...

Le lendemain, à midi dix, je tente un appel vers Toulouse avec une batterie que j'ai gardée dans mon sac toute la nuit et que je passe lentement au-dessus du réchaud. Ça marche ! J'ai tout juste deux minutes pour informer Maryse que j'ai pris mes dispositions avec Gary pour être récupéré après le retour du soleil. Dans le cas où je ne pourrais pas communiquer par téléphone, la procédure est simple : lorsque le soleil sera revenu, j'alternerai la séquence de messages codés « 15-0-15 ». L'équipe pourra alors appeler Resolute pour organiser ma « récup. ». Je serai prêt avec tout mon matériel.

Je n'ai pas le temps de dire un mot de plus : la communication est interrompue, en pleine phrase. J'ai beau essayer de rappeler, la batterie est à plat. Ma gorge se serre de frustration, mais je crois que ce doit être pire pour Maryse. J'espère qu'elle a pu prendre en note le contenu de l'appel... Que se passe-t-il dans sa tête ? Que vont-ils se dire avec Léo ? À quand la prochaine communication ?

Mais la nuit polaire n'a pas gagné !

Mon objectif reste d'attendre le retour de l'astre majeur, malgré les demandes insistantes de l'équipe qui veut maintenant me faire rentrer...

Je passe en mode survie. Je m'alimente et me réfugie au chaud dans mon sac de couchage, réduisant momentanément mes activités. Afin de me protéger et de me reconstruire, j'organise ma vie comme sur les bateaux, en quarts. J'adapte mon réveil de façon à ne sortir qu'au jour, à partir de 10 h 30, et non plus dans la nuit. C'est psychologiquement bon, mais a pour effet de décaler de nouveau mes rythmes du sommeil : réveil entre 10 heures et midi, coucher entre minuit et 2 heures du matin. Je me sens de plus en plus faible...

Le « troisième état »...

L e froid est terrible. Il augmente considérablement mes temps de sommeil... Je bouge peu. J'ai repris les siestes qui me gardent au chaud et pendant lesquelles je dors mieux que la nuit. En survie, dormir à condition d'être relativement au chaud, c'est récupérer, mais c'est aussi passer le temps. Cependant il ne faut surtout pas que je me laisse « partir » à l'extérieur du sac, sans espoir de réveil dans ces grands froids... Après de longs moments passés dehors à travailler ou à marcher, je rentre dans la cabane, claqué, comme assommé. Si je ne réagis pas et reste assis sur ma chaise ou sur le lit, la somnolence me gagne. Hypovigilance... Danger ! Je dois me forcer alors à bouger, à me déshabiller, à enlever la glace de mes vêtements et à m'alimenter. Je me mets ensuite immédiatement dans mon sac de couchage, en sécurité, dans tous les cas certain de me réveiller... protégé de cet air qui, à − 30 °C, bride la volonté, engourdit l'esprit et endort à jamais, promesse d'une mort blanche, sans souffrance...

À ce sujet, les résultats de l'échelle de somnolence d'Epworth sont surprenants. Cette échelle indique, pour huit situations données dans la journée (en lisant, en regardant la télévision, en étant passager dans une voiture, en étant assis en réunion, etc.), la probabilité d'assoupissement : elle peut être nulle (zéro point), minime (un point), modérée (deux points) ou importante (trois points). Le total des points obtenus indique l'état d'une somnolence diurne normale, moyenne, élevée, sévère ou excessive. Pendant les douze mois de la période témoin à Toulouse, mon score a été le même toutes les semaines : cinq, ce qui est au-dessous du seuil de somnolence normale, coté à huit.

Conformément à la demande de Christian Bourbon, j'ai recomposé en expédition une échelle adaptée aux situations que je vivais à la cabane : après trente minutes de grand froid à l'extérieur, en écrivant à l'extérieur du sac de couchage, en lisant dans le sac de couchage, en préparant mes repas, en bricolant dans la cabane... Les résultats ont bien souligné l'effet important des grands froids et de l'obscurité sur les probabilités d'assoupissement. Celles-ci sont devenues « élevées », donc à risque, atteignant des scores de treize ! Ceci explique les baisses d'attention qui ont failli me coûter la vie à plusieurs reprises. Si je ne me force pas à être très vigilant, je vais finir par y laisser ma peau...

J'ai du mal à respirer dans mon sac, ce que je faisais au début, lorsque j'étais en forme. J'étouffe. Je suis tellement oppressé que je dois parfois en sortir pour aller respirer dehors, sans que cela soit dû au monoxyde de carbone puisque j'aère sans cesse la cabane. La petite cheminée de ventilation de mon sac n'est plus assez large pour que je respire convenablement, mais, en ouvrant plus la capuche, j'expose mon visage aux brûlures du froid, malgré les cagoules...

Les vents puissants, c'est-à-dire les blizzards de plus de quatre-vingt-dix kilomètres à l'heure, commencent à me gêner. Depuis la destruction de l'isolation, les périodes de vent de six à sept jours sans interruption sont terribles à vivre. Mais d'un autre côté, j'en ai besoin pour l'éolienne. Les tempêtes à répétition et leurs coups de boutoir, le souffle lancinant des rafales et les craquements de la cabane fragilisée, les vibrations du mât de l'éolienne et tout bruit anormal m'empêchent de dormir profondément.

Dès que le vent se lève, il ne fait qu'accroître la puissance des mâchoires de ce dragon polaire : à − 45 °C, les vents de quatre-vingt kilomètres à l'heure me donnent un indice de refroidissement éolien de − 74 °C ! C'est fou...

J'évite bien sûr de sortir. Mais quand je n'ai pas le choix, je dois m'équiper comme un spationaute. Lors de ces sorties « extravéhiculaires », le froid ne laisse aucune chance à la moindre parcelle d'épiderme découvert : les liquides physiologiques gèlent instantanément...

Les froids terribles des premières semaines, très supérieurs aux normales saisonnières, ont été le test de sélection. Le droit d'entrée pour vivre cette aventure. Le réchauffement relatif des dernières semaines a été une parenthèse, un répit pour me laisser le temps de me reconstruire. J'ai presque récupéré mes pieds, mes doigts, mon dos... Maintenant, je me prépare au combat final.

Pour me concentrer, j'utilise de plus en plus souvent les techniques de visualisation mentale, prouvant ainsi leur efficacité. Elles m'aident à sortir de mon sac et de la cabane en condition de sécurité maximale ; elles m'obligent à prévoir toute action en visualisant chaque mouvement à réaliser : m'équiper « grand froid », harnacher le chien, préparer l'arme... Il me faut anticiper chaque geste à effectuer sous l'éolienne pour stopper les pales et les verrouiller, brancher la batterie, contrôler les connexions.

Plus il fait froid, plus les conditions sont difficiles et extrêmes, plus je m'impose de tout anticiper, même à l'intérieur de la cabane, afin d'éviter des drames dus à l'altération de mon niveau de vigilance.

Je dois être bien réveillé, conscient, pour enchaîner les mouvements calmement et sûrement. La précipitation mène directement à l'effet inverse, c'est-à-dire aux fautes, aux erreurs et aux pertes de temps qui coûtent très cher dans ces conditions : les mains et le visage qui gèlent.

Dans mon sac de couchage, l'apprentissage de Christian Bourbon porte ses fruits. Au chaud et au calme, le relâchement peut être total. Là, je découvre quelque chose... Je suis allongé sur le dos, mes bras le long du corps, mes deux mains posées précisément sur les crêtes iliaques. Pourquoi ? Je ne sais pas. Sans doute parce que, pour ma morphologie, cette position correspond à un relâchement articulo-musculaire maximal des épaules aux poignets et qu'elle favorise la circulation sanguine. Cette décontraction facilite la vasodilatation générale et donc un réchauffement du corps. Mes doigts sont repliés sur eux-mêmes, comme pour offrir la surface minimale au froid, mais pas serrés : de cette façon, une bulle d'air chaud se loge entre la paume et la pulpe des phalanges. Mes mains deviennent rapidement brûlantes. La chaleur qui me reconstruit est réelle. Elle réchauffe progressivement mes pieds qui ont tant souffert ; ils mettent parfois trois heures à ressentir l'arrivée d'une douce tiédeur... Ma respiration est lente. La tête est en très légère bascule arrière, ce qui permet une bonne ventilation par le nez ; je ne déglutis presque plus. Je ne bouge plus. L'enveloppe immatérielle de chaleur qui m'entoure est tellement fragile que je n'ouvre même plus les yeux : un battement de cils pourrait la déchirer ! Je ne fais plus aucun mouvement pour ne pas perturber l'équilibre thermique dans lequel je me trouve. À ce stade, je peux décider de m'endormir ou de rester éveillé... Je pense, je réfléchis aux questions posées plus tôt dans la journée, aux solutions que je pourrais adopter pour améliorer le camp. Je fais de la visualisation mentale. Je m'évade...

C'est un état intellectuellement actif et plaisant. Vient ensuite le stade où je réussis à ne plus ressentir mon corps : celui-ci s'arrête à la nuque ! Je suis tellement relâché que mes bras et mes mains semblent être à l'intérieur de ma poitrine, mes doigts trop lourds pour bouger, mes jambes inexistantes...

Je ne dors pas. Je ne suis pas éveillé. À ce moment, j'entre dans... le « troisième état » ! J'ai fait le vide. Seule mon ouïe est en alerte. Les autres sens sont en veille. Je peux entendre les craquements de la cabane sous les rafales de vent, l'éolienne se mettre en route, les pas des chiens sur la neige glacée... Un radar auditif opère une sélection... Je suis totalement immobile. Je ne peux pas passer directement à l'état de sommeil sans repasser par un état de vigilance ; je dois être conscient que tout se passe bien, avant de me laisser partir !

Je peux passer cinq heures dans cet état, sans bouger d'un millimètre. Il m'arrive de me lever, de manger et de recommencer cinq heures de plus, après avoir rapidement retrouvé la même position. Je ne m'ennuie pas, je ne sature pas. J'ai physiologiquement besoin de toutes ces heures de récupération. Généralement, quand on a beaucoup dormi, le corps ne veut plus de sommeil, il dit : « Stop, j'ai besoin d'action. » Mon corps, à ce moment précis de l'expédition, après cent jours de froid, d'obscurité, de stress, dit : « Je n'en ai pas assez... »

Il faut une recharge permanente... car il y a décharge permanente !

J'ai essayé pendant plusieurs heures de dessiner mon état général durant ces mois de conditions extrêmes. J'ai tourné dans tous les sens, imaginé mille et une choses et finalement trouvé mon modèle. Après l'avoir sollicité, harcelé, malmené, j'ai constaté qu'il tient la route. C'est la batterie, tout simplement. Arrivée chargée à bloc le 20 octobre, elle s'est normalement déchargée... Aujourd'hui, fin janvier, son niveau de charge se situe au-dessous de la moyenne. L'enjeu est dorénavant le maintien à tout prix de ce niveau. En effet, la nuit, le froid, la solitude et l'isolement ne s'arrêtent pas... La décharge se poursuit. S'il y avait rupture vers le bas de cet équilibre précaire, la batterie s'approcherait de son niveau de non-fonctionnalité. Au-dessous d'un certain cap, cela pourrait être dangereux : le corps pourrait ne plus avoir assez d'énergie pour revenir, les réserves profondes étant bien entamées.

Jeudi 30 janvier, 10 heures : la température est remontée de 10 °C ; un vent de cinquante kilomètres à l'heure me permet de charger la batterie pendant deux heures, puis s'arrête. Le vent m'a tout pris le 6 janvier, mais aujourd'hui il m'aide un peu. Puis la température plonge à nouveau vers les − 38 °C ! Je suis toujours aussi stupéfait de ces variations brutales.

31 janvier : le bruit d'une explosion de carrière me fait jaillir de la cabane... Dehors, l'onde sonore résonne encore dans le cirque glacé du lac. Dans la pureté de l'air porteur, elle crée des échos, des répliques qui fuient au loin, absorbées par l'entonnoir qui, au nord-est, court à la mer. Je

m'équipe et marche vers le lac. Je suis étonné par l'intensité de ces détonations à répétition. Je comprends que la coque de glace qui protège la vie du lac est en train de se lézarder à vue d'œil. Ces déchirements de matière s'apparentent aux déflagrations de la carabine... Je m'avance avec Chuchi sur la glace bleue et progresse lentement vers mon abri de pêche. Encore une fois, je suis aux premières loges pour assister à une curiosité de la nature. J'observe la surface du lac meurtrie en plusieurs endroits. Quand la détonation suivante me surprend, une envie irrésistible de courir vers la berge me saisit. Mais je me raisonne, car je ne risque rien... L'épaisseur de cette glace qui, en novembre, a voulu m'avaler, est probablement de deux mètres.

En même temps qu'un claquement de fouet déchire l'air, une ouverture se crée : l'onde sonore se propage le long de la cassure, jusqu'à ce que les lèvres glacées s'écartent de deux à trois centimètres ! Le plus surprenant est d'entendre, immédiatement après, l'eau du lac qui, sous la formidable pression de l'épais manteau, remonte le long de la faille dans le glouglou caractéristique d'une bouteille que l'on remplit... Cette eau à 2 °C, pulsée en un mince filet, se refroidit brutalement le long des parois de glace, instantanément pétrifiée par l'air à − 38 °C qui lui interdit ainsi le chemin de la lumière.

Les brusques variations du froid et de la pression atmosphérique fissurent la vasque lacustre. Le phénomène est surprenant. À chaque instant, je m'attends à voir surgir de ces commissures bleutées un jet de liquide qui va monter vers le ciel, blanchir, geler aussitôt pour retomber en neige givrée. Je suis sûr que cela doit se produire. Peut-être même vais-je le voir... Écrasée depuis cinq mois déjà par la chape de glace, l'eau veut rompre cette apnée forcée qui va encore durer quatre mois.

Eleanor veut respirer...

Ces observations me fascinent. Je fais corps avec la glace qui se déchire sous mes pieds, et mes yeux voient les lèvres s'entrouvrir... Les cisaillements, plutôt linéaires, peuvent être perpendiculaires ou parallèles à la berge, sans direction privilégiée. Les failles se recoupent les unes les autres. Il n'y a pas de chevauchement, ni de crêtes de compression, ni de glace « hummockée » – c'est-à-dire soulevée puis empilée sous l'effet de la pression –, ni d'autres formes tourmentées, spécifiques à la glace de mer, à la banquise.

Je passe de longs moments à écouter ces plaintes, frottements, déchirements, claquements secs que je vais essayer d'enregistrer.

Eleanor crie...

Mais je ne suis pas au bout de mes surprises. Je découvre l'autre origine des coups de tonnerre plus sourds que j'entends. Cette fois, le froid déchire tout simplement le sol. Des gerçures noirâtres de quelques centimètres de large et d'une dizaine de mètres de long marbrent l'épiderme glacé ! Pour crânement revendiquer leur appartenance à ces fières latitudes, ces terres arctiques doivent souffrir, marquées aussi dans leur chair par ces scarifications rituelles... Ces gélivures bruyantes incisent sans résistance la croûte pourtant dure du permafrost.

De la petite goutte d'eau qui gèle, gonfle et fait éclater les cailloux, à ces immenses cicatrices qui zèbrent le sol, la gélifraction a mis en route son implacable mécanique. Le vent, le froid et la glace emploient toute leur puissance à fragmenter, ciseler et modeler imperturbablement les reliefs.

Dans la cabane, les matériaux et matériels continuent à refroidir. « Tout ce qui est dur casse, tout ce qui est mou dure ! » J'essaie de rire avec la réalité, malgré la pulpe de mes doigts que je laisse encore quelquefois sur le métal ! Rire et m'imaginer faire rire les autres à mon retour est une bonne gymnastique. De jeux de mots en contrepèteries douteuses, de photos délirantes en autodérision, j'évite la morosité de cet enfermement silencieux dont se nourrit le froid. Le froid se nourrit de tout, de lui-même, et avance de toutes parts... Il ne faut pas le laisser rigidifier l'esprit, sinon c'est la dégringolade, le calvaire, puis l'abandon.

Je ne compte pas vraiment les jours, mais la baisse de mes stocks, les cantines et les boîtes qui se vident, et le carburant qui s'envole sont autant de marqueurs du temps. Je me dis que je suis sur la bonne voie.

Je suis toujours aussi intransigeant sur la propreté et le rangement. Ce qui atteste réellement de mon bon équilibre psychologique...

C'est décidé. Cet après-midi, je vais creuser un trou d'homme : un abri à l'intérieur duquel, en conditions de survie, on peut se protéger du vent et du froid. J'ai repéré le lit de la rivière congelée. C'est dans cette zone que l'épaisseur de neige fossile est la plus importante. Entre la croûte de neige et la surface glacée de la rivière, il doit y avoir au moins trois mètres, ce qui est largement suffisant pour m'enfoncer profondément, loin de l'air qui tue.

Je suis faible, mais cela va donner toute sa valeur à ce travail. En effet, un quidam qui doit subitement affronter une situation de survie n'est pas forcément en pleine forme... ! Je plante tout d'abord une longue broche à glace, sur laquelle je fixe le mousqueton de la chaîne de Chuchi qui, à proximité de mon chantier, va veiller...

Avant de commencer l'ouverture du trou, je creuse une petite gorge de trente centimètres, dans laquelle je glisse la crosse de la carabine qui, ainsi calée à la verticale, est à portée de main.

La première couche de neige est une croûte d'environ quarante centimètres, très dure, que la tempête n'a pu entamer. Elle est même trop compacte pour que je puisse utiliser ma scie ! Elle a dû se refroidir encore depuis que le blizzard dévastateur a enlevé les quatre-vingts centimètres de neige qui la recouvraient et la protégeaient ainsi des grands froids. Il doit y avoir des couches plus tendres dessous ; avec ma lourde machette à glace et ma très solide petite pelle-pioche multifonctions, j'attaque.

Au bout d'un quart d'heure, je m'arrête pour... vomir ! J'ai été trop vite. Je rends tout ce que j'ai dans le corps, c'est-à-dire rien... si ce n'est une bile amère qui rend douloureuse chaque contraction. Je ne m'inquiète pas de cet état que je connais bien. J'ai déjà expérimenté ces vomissements consécutifs à des efforts violents... Je laisse passer la crise, retourne à la cabane pour boire abondamment du thé chaud et sucré, puis reviens au « chantier ». J'en profite pour me délester de deux couches de vêtements, car j'ai trop chaud. Transpirer est interdit. Je ne veux pas imbiber d'eau mes gilets de corps...

Je souffle énormément, tousse par quintes, exhalant des vapeurs chaudes qui se figent dans l'air glacé après avoir brûlé les poumons. Il fait − 40 °C !

Dans ce type de construction, le plus dur, c'est le début. Je commence par creuser un puits vertical d'environ quatre-vingts centimètres de diamètre. J'aménage une entrée en entonnoir pour réduire la quantité d'air froid qui va pénétrer « à la maison ».

L'effort est pénible, jusqu'à ce que je trouve des couches de neige plus tendres. Je m'enfonce petit à petit, à genoux, la manœuvre n'est pas aisée. Il me faut passer les épaules dans ce tube étroit, casser ensuite à la pelle quelques blocs concrétionnés, puis les évacuer par-dessus l'épaule, à deux mains, dans le plus pur style des passes au rugby. École toulousaine, bien sûr... Lorsque je peux enfin me tenir debout, ma tête dépasse à peine de la surface de la croûte dure. Je suis ensuite obligé d'aménager des marches dans le tube de neige : ces appuis me permettent d'observer la vallée jusqu'au lac, mais également de sortir facilement. Quand j'estime le puits de deux mètres cinquante correctement réalisé, je commence à creuser à soixante centimètres du sol une galerie horizontale.

La partie la plus basse du puits, dans laquelle je travaille à genoux, va constituer un « piège à froid », dans lequel l'air le plus glacé, donc le plus lourd, viendra s'écouler. La « zone vie » se situera ainsi au-dessus du piège à froid, dans un air « plus chaud ».

Je m'arrête de temps en temps pour souffler. Cet effort me donne l'impression de renaître. Même si je ne suis pas en bonne condition physique, mon corps réagit bien. J'ai l'impression de sortir d'un long cauchemar.

Lorsque je peux me glisser à genoux dans ma tranchée horizontale, je l'agrandis en une vaste première chambre. Les couches superposées de neige se délitent maintenant en de gros blocs. En creusant, je retrouve l'histoire, la chronologie relative de ces strates glacées, de densité, de composition et de couleurs différentes.

Je continue à excaver mon abri et crée un deuxième niveau. Je m'enfonce dans cette neige dure. Les dimensions définitives me permettent presque de tenir debout ; je peux maintenant manier sans gêne ma pelle et ma carabine. Je peaufine au poignard les parois de mon terrier. Ce matériau est formidable : je peux le modeler comme de la glaise, le racler comme du sable, le scier comme du gypse, le creuser comme de l'argile... Si je voulais, je pourrais réaliser une galerie de trois cents mètres, tout le long de la congère, et créer ainsi un tube d'air posé au-dessus de la rivière cristallisée...

L'effet thermique est immédiat : le simple fait d'être protégé de l'air mordant, sans même parler du vent, justifie la construction d'un tel abri. La neige est véritablement le meilleur isolant thermique naturel qui soit : à deux mètres sous la surface, il fait − 10 °C, grâce à la seule chaleur de mon corps. Soit 30 °C de plus qu'à l'extérieur !

J'ai trop chaud ; je me laisse aller à un repos bien mérité. Au fond de ma caverne, le calme est total, et la lumière tamisée. J'entends battre mon cœur...

Avec une simple bougie et la mèche d'un réchaud à alcool solidifié, la température flirte avec les − 5 °C, soit 35 °C de différence avec l'extérieur ! Je ne suis plus au rayon « surgelés », mais simplement avec les « fruits et légumes ».

Je regarde cet éphémère « paléorelief » qui aujourd'hui me protège. Dans quelques mois, en fondant, il emportera avec lui les secrets d'une bulle d'air réchauffée à la bougie...

Je retourne vers le fond du piège à froid que j'excave encore un peu ; il joue parfaitement son rôle : la sonde du thermomètre révèle − 30 °C... La démonstration est faite : cette technique du trou d'homme, qui protège du vent, du froid, du bruit et qui est facile à chauffer est à connaître du plus grand nombre ! Il n'est pas nécessaire de faire quelque chose d'aussi élaboré que mon « deux-pièces » ; avec une petite pelle ou un couteau (et de la volonté), un randonneur égaré et surpris en hiver par une tempête, que ce soit dans les Pyrénées, les Alpes, le Massif central ou des contrées glaciales, sera un jour sauvé par la neige... Depuis des siècles, elle fournit aux Inuit eau, abris et pièges dans un milieu inhospitalier aux ressources naturelles limitées.

Il m'aura fallu quatre heures pour confectionner cette grotte...

Lorsque je sors de ma caverne, le choc est brutal ! Ma barbe et mes paupières se couvrent instantanément de givre. Je ne traîne pas pour rentrer à la cabane. Mon estomac accepte une soupe, un chocolat chaud et deux tranches de cake. Je n'ai toujours pas faim, malgré l'effort entrepris.

À 15 h 30, grâce aux deux « bûchettes » arrachées au vent hier après-midi, j'établis miraculeusement le contact avec Rémy qui a organisé une vacation avec l'Institut océanographique de Paris. Je comprends que je ne pourrai jamais exprimer les souffrances que j'ai endurées pour pouvoir réaliser toutes les vacations téléphoniques...

À 21 heures, il fait toujours – 40 °C. À 6 heures du matin, les chiots hurlent et appellent au secours. Mes pauvres « toutounettes » se sont à leur tour fait prendre au piège. Je casse pourtant régulièrement la glace accumulée devant la porte et brise en mille morceaux les nids des chiens : ce qu'ils n'apprécient pas.

Je dois à nouveau affronter le froid terrible et la nuit. Cette fois, la manœuvre est plus longue. Je n'arrive pas à les dégager, ni avec la hache, ni avec les clous. Il me faut finalement recourir au lourd pic à glace. Et assurer mes coups...

Je dégage le premier qui file dans les pattes de Michima. Mais l'autre continue à lancer ses cris déchirants.

C'est un bloc gesticulant que je libère enfin : la glace a soudé l'arrière-train, la queue et les pattes du petit, et verrouillé l'ensemble dans un amas congelé de sang, d'excréments et de poils. Les ciseaux n'y font rien. C'est au scalpel que je dois découper un à un tous les poils et les amas gelés qui l'empêchent de marcher. La blessure superficielle ne saigne déjà plus. Une fois libéré, le chiot rejoint à son tour la famille. Demain, j'installerai une planche de bois devant la porte. J'espère qu'ils n'iront pas se coller ailleurs...

Samedi 1er février, midi et demi : je suis immobile dans l'obscurité de la cabane, raide, mâché par les durs efforts d'excavation de la veille. Des courbatures douloureuses me clouent dans mon sac ; je ne prends qu'un chocolat chaud et me recouche. À 16 heures, j'ingère un paquet entier de dattes dénoyautées. À 18 heures, je repense à mon entretien avec Gary et à la récupération. Le GPS m'indique que le soleil devrait être de retour dans une dizaine de jours...

Je commence donc à ranger certaines choses. Je défais mes pêcheurs automatiques et rentre les lignes de pêche dans mes kits de survie. Je décolle les cantines vides scellées au sol par la glace dans ma chambre froide. Je les sors pour faire de la place et organiser le conditionnement des caissettes. Il me reste trente jours de nourriture ; j'en mets de côté une partie que je donnerai ici petit à petit aux chiens.

J'ai très froid, mais peu importe, c'est de l'action.

Je fais également une nouvelle ventilation de mes stocks : pour le carburant, je n'ai plus de souci à me faire. Je passe à un potentiel de deux litres environ par jour, ce qui est très largement suffisant pour mon alimentation, les bains-marie et le séchage du sac de couchage. Je continue toutefois à noter systématiquement sur mes carnets de consommation chaque plein du réchaud ou de la lampe, le volume de carburant utilisé, et donc celui qu'il me reste. Il en va de même pour les bougies et les piles : il me reste cent cinquante bougies et deux cents piles, ce qui est donc largement au-dessus de mes besoins.

J'ai dormi plus que prévu !

En fait, je tiens à être prêt le plus tôt possible. Si quelque chose de fâcheux devait se produire avant l'échéance, je veux être « récupérable » avec tout mon matériel en une seule fois. Je prévois donc d'avoir rangé toutes mes affaires avant même le retour du soleil. Je ne garderai à l'intérieur que le strict minimum.

Rien ne me serait plus désagréable que de devoir quitter Fort Eleanor en abandonnant provisoirement mon équipement ; cela nécessiterait, pour le rapatrier vers Resolute, une nouvelle organisation compliquée. Si je dois partir précipitamment de la cabane, ce sera définitif et avec toutes mes cantines.

À minuit, je cajole les deux chiots délaissés par les grands. Je les ai installés sur ma couche : je joue avec ces adorables petites boules de poils qui essaient de se blottir contre moi. Chuchi et Michima restent à l'extérieur, l'un d'eux attaché à une longue chaîne. Je suis plus rassuré. Cela me permet de dormir profondément...

Dimanche 2 février : les crachotements des réchauds et des lampes commencent aussi à m'agresser. La lutte en solitaire est vraiment de tous les instants. Alors j'éteins tout et pars me balader. Je n'ai pas d'énergie. Mais je me force à marcher quarante minutes. Mon état de faiblesse me ferait pleurer, alors que les chiens cavalent comme des fous sur le plus grand

et le plus froid cynodrome du monde. Je fais un détour par le
« deux-pièces » ; je réalise que j'ai construit cette grotte en
guise d'exercice de survie plutôt qu'avec la réelle volonté de
m'y installer. Toutefois, cet abri est sûr. Je n'exclus pas, à l'extrême limite, d'aller m'y réfugier.

Je rentre à la cabane et m'écroule à l'extérieur sur
les cantines. Je pensais que cette marche m'aurait ouvert l'ap-
pétit. Mais j'ai encore moins faim qu'avant le départ. Je suis
vidé, le froid intense m'endort, alors je me recouche jusqu'à
17 h 30. J'ai récupéré mon deuxième sac de couchage dans
le stock de survie ; j'ai eu plus chaud. En effet, les fibres ne
sont pas comprimées et usées comme celles du premier, déjà
utilisé pendant plus de cent sommeils...

Mais peu importe, neuf ou pas, la glace commence
déjà à conquérir l'enveloppe extérieure.

Il n'y a toujours pas de vent, et l'équipe doit se faire
un souci monstre ! Peut-être n'y aura-t-il plus de vacation du
tout ? Il va me falloir être très rigoureux sur le rythme d'envoi des messages par la balise...

Je vais vivre les dernières journées de cette aventure. Je sais que les moments les plus durs sont encore devant
moi et que ce sont eux qui vont me marquer à jamais... Il me
faut la volonté de tenir jusqu'au bout, de ne pas me laisser
aller. Écarquiller encore plus les yeux, humer l'air, écouter
le blizzard, parler à mes chiens, faire des photos... Parce que,
même s'il me reste une quinzaine de jours, tout peut encore
arriver, tout peut se passer très vite. Il me faut me concentrer
pour ne rien oublier et réaliser mes rêves.

Vivre tous les moments, même les plus banals et,
bien sûr, les plus fous, comme par exemple aller au milieu
du lac en pleine nuit et écouter la symphonie du Nouveau
Monde de Dvorak ! Oui, les plus fous...

13 h 17, verticale apothéose...

3 février... Douleur pétrifiée de la cabane, des sta-lactites de glace pendent du plafond et des concrétions cris-tallines montent du sol. Le givre a avalé les carreaux de Plexiglas. Des micropaillettes de glace en suspension absor-bent les premiers rayons bleutés des diodes...

J'actionne la pompe de mise en pression de la lampe : des giclées de carburant glacé inondent ma main gantée, et une flaque coule sous le réchaud déjà allumé...

En une fraction de seconde, je comprends que tout va exploser...

Je n'ai plus le choix : sous la poussée d'adrénaline, le goût amer dans la bouche, mélange de colère et de regrets d'une mort imminente, tête en arrière, légèrement tournée sur le côté, et bras tendus pour protéger au moins les yeux, j'attrape la lampe... Je ne vois pas encore l'embrasement spontané du carburant, mèche liquide tueuse qui va courir jusqu'au réservoir plein de la lampe et faire exploser cette bombe en puissance. Si je ne meurs pas sur le coup, déchiqueté par les pièces métalliques et le globe en verre, mortels projectiles déchirés par l'explosion, la torche idéale que je suis, formée par les trois épaisseurs de laine imbibées de carburant, va de toutes façons s'embraser immédiatement.

Peut-être aurai-je le temps d'aller me rouler dans la neige la plus souple qui est accumulée à l'extérieur, au pied de la cabane... À l'intérieur, les feuilles en plastique de l'isolation vont fondre immédiatement et libérer leurs vapeurs létales, ainsi que de lourdes gouttes de feu, noirâtres, collantes et incandescentes. Elles vont venir enflammer mes sacs de couchage, les matelas en mousse et les vêtements suspendus à mon fil à linge.

Dès que je vais ouvrir la porte, fatale erreur consciente mais seule échappatoire au piège, une bouffée d'oxygène nourricière va venir sublimer la force dévastatrice de ce feu et définitivement emporter en quelques minutes toute la cabane, dans un brasier incontrôlable...

Les dernières explosions seront celles de mon petit jerrican de cinq litres posé au pied du lit, de la deuxième lampe à essence et des cartouches que je n'aurai pas pu retirer à temps. Elles parachèveront ainsi la destruction finale de Fort Eleanor... La boule dans la gorge me fait mal, et je m'en veux de n'avoir pas été suffisamment vigilant. Cela fait quatre mois que je joue consciemment avec le feu. Je revois amèrement en boucle les mille précautions consenties et les consignes de sécurité que je me suis pourtant imposées pour éviter ce drame stupide :

« Essence blanche... extrêmement volatile... très dangereuse... vapeurs invisibles et explosives... même à une grande distance... risque majeur... réchauds... lampes tempête. »

« ... Suis vigilant... éclaboussures... réservoirs qui débordent... chronologie des gestes... »

Tu parles...

Déjà en novembre, le plancher avait bu quelques gouttes de carburant, négligemment échappées de l'entonnoir. La malheureuse manipulation d'une allumette avait soudainement embrasé le sol, et les flammes étaient venues brûler mon sac de couchage... Ce feu avait dégelé la pellicule de glace collée aux feuilles de plastique, la transformant en une pluie insuffisante pour contrer l'incendie naissant. J'entends encore les bruissements du plastique torturé par la chaleur et le crépitement du plancher. Mon cœur s'était brutalement accéléré... Toutes les chaînes émotionnelles, neurologiques et hormonales, combinées aux réactions mécaniques des organes moteurs sollicités, avaient merveilleusement fonctionné, avec un seul objectif : l'action et la lutte pour la survie. Ma première paire de chaussures « grand froid » s'en souvient : le caoutchouc fondu de mes épaisses semelles carbonisées tient désormais à peine au tissu brûlé du chausson extérieur...

Mais j'avais eu le temps de réagir. Ce n'était qu'un incendie.

Aujourd'hui, tout va trop vite...

Adieu le matériel et les vivres, mais par-dessus tout, les résultats de mes protocoles, l'immense mine de renseignements collectés. Adieu mes cahiers remplis et mes dessins longuement travaillés...

C'est trop bête.

À quelques jours du soleil et de la réussite de cette aventure, je vais prématurément tirer ma révérence...

Je termine, comme dans un rêve, l'action commencée il y a une demi-seconde. Je me retourne et pose sur mon matelas la lampe dégoulinant du liquide volatile... L'explosion n'a pas eu lieu ! Je suis en vie ! Je n'en reviens pas !

J'arrache mon gant imbibé et glacé et coupe immédiatement, du bout de mes doigts nus l'alimentation du réchaud. Je le sors ensuite de la flaque de carburant dans laquelle il trempe, puis le pose au sol. Je viens d'échapper, d'une façon encore inexpliquée, à ce que je redoutais le plus.

Chronologie d'un accident évité.

Premièrement, j'ai lu très tard dans la nuit à cause d'une insomnie, jusqu'à l'extinction de la lampe. Trop bien engoncé dans la chaleur de mon sac, je n'ai pas eu le courage de m'en sortir pour aller remplir le réservoir alors que, d'habitude, les pleins sont faits la veille au soir, pour un puissant démarrage du réchaud et de la lampe au réveil.

Deuxièmement, au petit matin, malgré une température glaciale, je n'ai pas réalisé le « réveil physiologique » qui m'assure d'habitude un état de vigilance et d'alerte convenable.

Troisièmement, ma lampe étant vide, c'est donc le réchaud que j'ai allumé en premier : ce que je ne fais jamais. En effet, je commence toujours par la lampe, de manière à avoir suffisamment de lumière pour toutes les opérations délicates du matin.

Quatrièmement, en faisant le plein de la lampe, mal réveillé et maladroit, j'ai fait déborder le réservoir.

Cinquièmement, les mains engourdies par le froid malgré mes gants, j'ai mal refermé le bouchon : il m'a pourtant donné l'impression de ne pas pouvoir aller plus loin ; en fait, il était placé de travers sur le pas de vis... et je n'ai pas contrôlé sa position.

Sixièmement, j'ai posé la lampe sur la table, à côté du réchaud allumé qui crachait ses flammes vives.

Septièmement, j'ai commencé énergiquement la mise en pression de la lampe (ce que j'aurais dû faire avant d'allumer le réchaud). L'essence, comprimée par la pompe, a giclé du réservoir mal fermé, dégouliné sur la table vers les puissantes flammes du réchaud allumé à vingt centimètres, et fait office de mèche idéale menant à la bombe prête à exploser...

La boucle est bouclée.

Ce n'est pas seulement mon réflexe, aussi rapide fut-il, qui a pu me sauver. La volatilité de cette essence blanche est telle que les vapeurs de carburant auraient dû s'embraser instantanément. Avant même de couler sous le réchaud, et donc de faire exploser la bombe que j'avais dans les mains.

Je ne vois qu'une réponse plausible à cette énigme : le froid ! En effet, il fait $-28\,°C$. Sans doute l'essence n'est-elle pas volatile à cette température ? Quelques semaines plus tôt, à $-15\,°C$, avec les mêmes bêtises, je partais directement sur la planète rouge.

C'est le froid extrême qui m'a sauvé la vie pour la seconde fois...

Le non-respect de procédures pourtant bien établies, l'absence de contrôle du matériel et l'oubli des mesures de sécurité ont été à l'origine de cette erreur. Les risques cumulés de l'obscurité, du froid, de l'isolement, de la solitude et des ours n'en étaient pas directement la cause... même s'ils ont contribué à cet état d'hypovigilance...

Choqué par cet épisode, je me rends compte que si je ne veux plus être à la merci définitive d'un accident stupide, je vais devoir accroître ma vigilance. Pour cela, je vais de nouveau m'imposer systématiquement une visualisation

mentale de tous les gestes et de toutes les séquences à réaliser. Le respect de procédures de sécurité dictées par les
contingences de l'expédition ne doit jamais être outrepassé,
jamais...

Seul, en conditions extrêmes, le pire ennemi, c'est
bien soi-même...

Depuis une dizaine de jours, je refuse la nuit : je ne
veux plus dormir.

J'en ai assez de sortir et de rentrer dans mon sac :
il fait très froid, et l'effort nécessaire pour m'habiller ou me
déshabiller est pénible. Dans mon sac de couchage, j'étouffe
encore ; je ne supporte plus le froid qui pique le visage à
travers les petites cheminées aménagées dans ses replis, ni la
condensation qui coule sur ma barbe.

Alors je deviens insomniaque, je lis très tard, me
perfusant de berlingots, jusqu'à épuisement complet ou
extinction de la lampe par manque de carburant...

J'ai fini *Cette aveuglante absence de lumière* – stupéfiant
roman de Tahar Ben Jelloun que Rémy avait hésité à me
prêter –, et je pioche maintenant dans la bibliothèque que
m'a constituée Léo. J'avale en quelques heures romans poli-
ciers et livres de science-fiction... J'épuise ainsi la trentaine
de livres que j'ai emportée avec moi ; je tire chaque fois au
sort l'ouvrage que je commence.

La température extérieure est stabilisée à − 40 °C.
Conformément au protocole demandé, j'allume pour la première fois le prototype de la future balise « Aventure »,
confié par CLS Argos à Toulouse. J'ai dorénavant trois unités
en activité en même temps, puisque la seconde « TAT 3 »
fonctionne toujours en permanence à l'intérieur.

Jeudi 6 février : J + 110 !

... Le blizzard s'est remis à souffler du nord cette nuit. Les serpents de neige rampent tous dans la même direction ; à soixante kilomètres à l'heure, ils ondulent près du sol, poussés par les sifflements lugubres du vent, comme aimantés par le sud. Malgré un indice de refroidissement éolien de − 64 °C, je n'ai qu'un but aujourd'hui : faire le maximum d'allers-retours entre l'éolienne et la cabane pour charger une batterie. Il faut que j'en profite. Ce sera peut-être ma dernière opportunité de la recharger. Je tiens à pouvoir communiquer avec le QG et organiser ma récupération, dussé-je veiller maintenant vingt-quatre ou quarante-huit heures...

Cette nuit, il fait − 20 °C, je fais des quarts. Quand, pour dormir, j'éteins la lampe et le réchaud, la température chute de 2 °C toutes les heures... En cinq heures, je me retrouve à − 30 °C. Alors, pour enrayer cette chute infernale, je me relève et les rallume un instant afin de réchauffer un peu cette atmosphère de glace...

Je sais bien pourquoi il fait si froid en Arctique, et je le vis en ce moment : parce que, la terre étant inclinée sur son axe, ces hautes latitudes ont une courte durée d'insolation, un hiver sans soleil et des mois d'obscurité totale. Parce que, les rayons du soleil arrivant à l'oblique sur ces régions, ils doivent traverser une couche atmosphérique plus épaisse, ce qui diminue leur pouvoir d'irradiation. Parce que ces rayons, qui arrivent obliquement, s'étalent aussi sur une surface plus grande et perdent ainsi 40 % de leur quantité d'énergie calorifique. Parce que, la glace et la neige réfléchissant 90 % du rayonnement incident, seule une petite partie de l'énergie disponible permet de contribuer vraiment au réchauffement...

Mais je ne comprends toujours pas comment de l'air peut faire aussi mal. Je ne comprends toujours pas comment il peut déchirer les chairs, coller à jamais les cailloux entre eux et faire éclater les rochers, pourquoi il brûle les poumons et empêche de respirer, comment il va chercher la moindre molécule d'humidité et la congèle instantanément, comment, enfin, il attaque le cerveau, la motivation et endort à jamais...

C'est sur tous les fronts qu'il faut combattre le froid. Je m'y suis préparé et me suis armé des matériels les mieux adaptés à cette aventure. Mais, stress majeur après les ours, il reste bien l'objet d'une lutte incessante pour la survie. C'est lui qui altère la physiologie profonde du corps et impose tous les actes essentiels de la vie au camp par les dispositions incontournables qu'il faut prendre pour lui résister... Bien plus que tous les autres stress, c'est lui qui harcèle l'esprit et le corps, forçant l'un à baisser les bras, blessant l'autre à répétition. Il ne laisse aucun répit. Chaque seconde de cette expédition est directement liée au froid. Tout acte, tout état physique, technique, mental, est la conséquence de sa morsure impitoyable. Impossible de respirer sans buée, d'écrire sans gants, de manger sans eau bouillante, de bricoler les doigts libres, de dormir sans cagoule, d'uriner sans soucis. La sentence est immédiate : douleurs, brûlures, blessures et gelures !

Mais un autre stress dépend directement de lui : celui d'être en permanence engoncé. Comme le plongeur sous-marin dans sa combinaison intégrale, le pompier, le commando des élites cagoulées et suréquipées, le spationaute... Mais vingt-quatre heures sur vingt-quatre pendant quatre mois !

Du réveil au coucher, de la nuit de sommeil à la nuit de travail, il faut être équipé de plusieurs couches de sous-vêtements, de chaussettes et de cagoules, avoir les mains emprisonnées dans des gants ou des moufles, sans jamais pouvoir se déshabiller. *A fortiori* pour travailler dans la tempête : vêtements « grand froid », combinaisons intégrales, masques, capuches fermées, surmoufles... Pas de sortie du vaisseau sans préparation !

Le froid, c'est un enfer mécanique qui rend conviviale l'absence de lumière !

Il suffirait d'imaginer la même aventure en un lieu du monde qui n'existe pas, où la nuit serait permanente mais la chaleur... tropicale.

Ça ne serait pas une expédition en conditions extrêmes, mais une robinsonnade caribéenne...

Je rentre les chiots qui ne sont que des blocs de glace et de neige ; je m'en veux de leur imposer ces souffrances... Les ai-je fais sortir trop tôt de la cabane ? Ils ont pourtant soixante jours, maintenant ; les Inuit les garderaient-ils plus longtemps au chaud ?

Vendredi 7 février : Une tempête de neige s'est levée. J'ai du mal à rester debout dans les bourrasques qui soulèvent à plus de trois mètres la masse d'air blanche...

Enfin, je peux établir quelques rapides vacations ; je prends quelques notes sur mon cahier, malgré le froid. L'équipe est inquiète. L'impatience du retour se fait sentir :

« C'est bon Steph, tu as vaincu la nuit polaire, rentre...

— Je veux attendre le soleil... »

J'ai également un court entretien avec Christian Bourbon :

« Je vous envoie toute mon énergie pour finir cette aventure en beauté... »

Natalie me demande de tenir bon.

Quand on a compris que ce milieu vous a accepté, ce n'est plus pour soi que l'on avance, mais pour ceux qui croient en vous, qui vous attendent, ceux qui vous aiment.

Léo m'informe que la tension d'alimentation de la balise extérieure est faible. Je vais donc, à titre exceptionnel, avec l'accord d'Argos, remplacer la pile usée qui, dans ces conditions extrêmes, a précisément duré quatre mois. J'ai du mal à enlever la plaque métallique de protection, congelée sur le boîtier ; je la réchauffe lentement au-dessus de la lampe tempête, pour pouvoir enlever les petites vis et accéder au cœur de la balise. La mise en place du nouveau pack lithium s'opère ensuite rapidement, grâce à un simple branchement. Aussitôt fait, je referme l'ensemble, allume la balise, puis la remets à l'extérieur dans son enveloppe orange fluorescente, suspendue à un chevron du toit.

Gary m'annonce une nouvelle de tout premier ordre : le soleil est arrivé à Resolute ! Depuis quatre jours déjà. Incroyable ! Peut-être l'aurai-je demain...

Paul est inquiet pour ma santé ; à plusieurs reprises, il me pose délicatement la même question sous différentes formes : « *Do you feel all right ?* », « *Ev'rything's OK ?* » Il essaie de savoir si mon état physique ne nécessite pas un retour anticipé. Il m'informe que, si le temps le permet, il peut être là en vingt-quatre heures... Je le rassure très clairement, sans ambiguïté aucune, ne voulant pas qu'une équipe prenne des risques inutiles et rompe ainsi, à quelques jours près, mon hivernage.

Mais mon visage est déformé. Marqué de zones rouges, craquelé, gonflé par le froid. Je ne supporte plus les gants ni les chaussettes : tout ce qui comprime un tant soit peu les chairs rend la circulation sanguine difficile, et donc un réchauffement impossible. Il me faut toujours quelques heures pour la rétablir correctement dans mes pieds et les réchauffer un peu.

Je reprends donc le reconditionnement du matériel dans les caissettes puis dans les cantines.

Samedi 8 février : j'ai lu jusqu'à 5 heures du matin, puis je me suis couché après un petit déjeuner frugal. À midi, je me réveille en sursaut. J'aperçois à travers mon sac une clarté inhabituelle. La cabane est inondée de jour ! Cette lumière blanche tamisée a réussi à percer l'épaisse couche de neige placée devant les fenêtres.

Le soleil... ?

Que c'est beau ! La tempête est terminée. Le ciel est dégagé. Une immense auréole pastel cerne mon horizon sur 360 ° ! Tout autour de moi, une large couronne rose part du sol et monte dans le ciel à environ 45 °. Elle est marquée horizontalement par le bleu d'un ciel sans limite. Cet anneau de lumière est somptueux. Surprenant.

Comme si j'étais à l'intérieur d'un parfait cylindre de couleur. Je suis au cœur d'une aurore matinale, promesse d'un soleil qui ne peut plus reculer...

« IL » est là quelque part, au sud...

La tempête de neige et le blizzard ont de nouveau modelé le paysage. Tout est blanc ! L'ouverture de mon trou d'homme a complètement disparu ; je devine à peine où elle se trouve. Je regarde intensément autour de moi, incrustant encore plus dans ma mémoire ces images colorées.

Car chaque jour, chaque heure sera bientôt l'ultime ici, à Fort Eleanor...

À 16 heures, les dernières lumières du ponant s'éteignent. Mon deuxième rendez-vous avec « LUI » est reporté...

Dimanche 9 février : j'ai bien cru que je « le » verrais aujourd'hui. Mais, à l'horizon, une barre de brume noirâtre d'environ 5 ° d'épaisseur me le cache.

« Il » est juste derrière, je le sais, car une ligne très lumineuse, fine frise rouge vif, est posée comme une frange sur les nuages... Cet arc de lumière disparaît en quelques minutes et ne me laisse pas l'espoir d'une rencontre.

Le rendez-vous est encore repoussé. Je suis tellement impatient.

À 14 heures, je décide de faire une balade. Avec Chuchi pour compagnon, je prends de l'altitude. Arrivé sur la ligne de crête de la montagne qui domine le lac, je longe une étroite vallée très encaissée, aux dangereuses parois abruptes recouvertes de neige verglacée ; au fond, quelque cent mètres plus bas, on doit pouvoir creuser la neige accumulée sur au moins dix mètres d'épaisseur et construire un village... Je m'éloigne de ce précipice et reviens par le nord, le long de l'étroit passage coincé entre l'arrondi du mamelon sud et les strates déchirées du versant nord. Je progresse très précautionneusement dans ce relief découpé à la hache, scrutant le moindre mouvement de terrain.

Deux heures plus tard, de retour à la cabane, c'est un bloc cristallisé que j'enlève de ma tête, conglomérat indissociable d'une cagoule de laine et d'une chapka congelées. Les ailes de mon nez brûlent. Un givre épais recouvre ma barbe. Mes paupières sont alourdies par les cils emprisonnés par une goutte de glace.

Le ciel s'assombrit très vite. À − 43 °C, le « proto » de la balise posé sous l'éolienne émet régulièrement le flash vert de sa diode témoin : il fonctionne parfaitement bien.

Lundi 10 février, à 10 h 30 : tout est blanc, sans horizon, sans âme. Les reliefs ont disparu, gommés par cet épais brouillard, ce coton qui efface les formes et soude la terre au ciel.

Il fait − 39 °C. La brume noire et humide que j'observais hier au sud est arrivée sur Fort Eleanor. J'ai l'impression cependant que la légère brise qui l'a soufflée sur ma position va la pousser plus loin.

À 13 heures, lorsque je sors à nouveau de la cabane, le ciel est totalement dégagé.

Le sud s'éclaircit anormalement. La couche de vapeur s'est envolée et a emporté avec elle son humidité ; le thermomètre annonce − 36 °C.

Mon regard est immédiatement attiré par le premier quartier de lune.

À 380 000 kilomètres de là, il se pare d'une étrange pellicule rose... Mon cœur accélère... Je me mets à rêver... et si... et si, le soleil...

Je tourne plusieurs fois sur moi-même, je scrute toutes les lignes de crêtes. Au nord, c'est-à-dire derrière la cabane, le flanc de la colline est aussi en train de rosir... Mes yeux courent de la lune à la colline, puis de la colline au fond de la vallée, et reviennent encore à la lune rose... Le fond de la vallée devient orange. C'est pour aujourd'hui. J'en suis sûr ! Je fonce dans la cabane et m'équipe rapidement de ma veste et de ma salopette « grand froid ». J'harnache Chuchi à moi, j'attrape la carabine, le téléphone et mon appareil photo.

Je suis trop faible pour courir, mais c'est à grandes enjambées que je me lance à l'attaque de la colline, vers le « gros rocher solitaire à la cartouche d'encre »...

À mi-pente, je ne suis plus qu'à deux cents mètres du sol coloré par des rayons invisibles... En dette évidente d'oxygène, j'étouffe. Mes tempes explosent. Une seule obsession me fait avancer. Je suis sûr que c'est pour dans quelques minutes... Pour la première fois de leur courte vie, les chiots me suivent : ils essaient tant bien que mal de s'accrocher à ce rythme soutenu et font des bonds patauds sur la neige glacée. Chuchi, comme mu vers un objectif instinctivement programmé, m'aide bien en tirant avec sa laisse. Comme s'il avait compris...

Michima aiguillonne les petits et mordille les oreilles d'un Chuchi agacé. Elle est ravie de cette balade familiale improvisée.

Je ne suis plus qu'à vingt mètres de la frange lumineuse qui éclaire le permafrost. Il est 13 h 15 quand j'arrive essoufflé au rocher. Je me force à me calmer, pour réduire cette vapeur chaude que j'exhale et qui se fige devant moi, comme suspendue dans l'air glacé, car il n'y a plus le moindre souffle de vent.

Je m'assois. Puis je plonge mon regard plein sud, vers l'horizon orangé qui s'enflamme au son des battements trop cadencés de mon cœur.

Et si c'était encore trop tôt ? Pour demain ou après-demain ?

Je ne bouge plus. Carabine entre mes jambes, les yeux aimantés par ce zénith rougeoyant qui ne peut pas me décevoir, non... pas aujourd'hui...

Puis à 13 h 17, un éclat blanc jaillit de la ligne de crête. Il tire derrière lui un disque d'argent qui émerge lentement de la montagne ! Le soleil ! Le soleil !

L'horizon libère enfin la sphère de feu, la boule de vie qui embrase le ciel... La lumière de ce brasier encore sans chaleur me brûle les yeux. Le soleil allume la vallée de glace qui mêle les roses d'un jour né il y a quelques minutes aux bleus d'une nuit qui va bientôt mourir... Promesse tenue ! La lumière et la vie ont à nouveau triomphé des ténèbres, en un crime de lèse-obscurité... Le soleil remonte fièrement sur la scène froide de sa dernière apparition. Maintenant reposé et certain de la chaleur qui réchauffera bientôt ces terres de glace.

Une émotion indicible fait couler sur mes joues ces larmes de glace que je suis incapable de retenir ! Je pleure une joie sans mot...

Et je lâche un dernier cri qui résonne encore dans le cirque glacé de ma longue « désertitude »...

À 13 h 20, mon esprit revient dans son enveloppe charnelle.

Je pense enfin à immortaliser l'instant. Je prends mon appareil photo et fixe à jamais quelques sourires d'un bonheur total :

106 jours ! 106 jours que je n'avais pas vu le soleil !

J'appelle en cascade Maryse, Natalie, Rémy, Léo et Raymond. Je leur annonce que je suis face au plus extraordinaire spectacle de ma vie... et que l'on a gagné ! Parce que je suis toujours là « (...) au même endroit, pour voir apparaître le premier rayon de soleil (...) ». Le filtre trompeur des ondes satellitaires ne masque pas les voix enthousiastes de l'équipe ! Les téléphones surchauffent. Les SMS fusent : « 13 h 30 au Nunavut, la nuit polaire vient de s'achever, Stéphane vient de photographier le soleil. Sciences Aventures Extrêmes. »

À 14 heures, alors qu'il est au plus haut, c'est-à-dire à peine décollé de l'horizon, je tire une salve de trois puissantes cartouches en l'honneur de mon idole. Mais il plonge déjà derrière les montagnes noires.

Chuchi et Michima, majestueusement collés l'un à l'autre sur leur train arrière, regardent eux aussi cette boule de lumière qui se reflète dans leurs yeux. Le spectacle est magnifique. Nés dans la nuit, les chiots viennent de voir le soleil pour la première fois de leur existence. Ils sont en boule à mes pieds. Leur souci ? Essayer de préserver, difficilement, la chaleur de leurs petits corps.

Il fait − 36 °C. La glace a déjà colonisé ma barbe, mes yeux, ma capuche... J'ai les doigts qui gèlent. Ce soleil n'est pas encore prêt à chauffer l'atmosphère.

14 h 40 : après quatre-vingt-trois minutes de présence, le soleil disparaît dans un somptueux halo rouge. Il laisse poindre jusqu'au dernier moment une fine lentille aveuglante.

Puis, en s'enfonçant derrière l'horizon, il décoche dans le ciel une incroyable flèche de feu, verticale apothéose de son premier spectacle, à 75 ° de latitude nord ! Bouquet final. Chapeau bas, Monsieur le Soleil, *standing ovation...*

Le cinquième demain...

Euphorique, je regagne la cabane encore plongée dans l'ombre des reliefs.

Je me réchauffe de ce que mon corps accepte en ce moment, une soupe des pêcheurs et quelques berlingots de lait.

J'appelle Paul, et nous convenons définitivement que ma récupération aura lieu après-demain, à partir de midi. Il me reste quarante-huit heures pour tout ranger et préparer mon départ.

Le soleil s'est levé ce lundi 10 février 2003 à 13 h 17... Aussi puis-je déclarer que c'est la fin de la longue nuit polaire. Il suffit de se baser sur la définition... Oui. Mais laquelle ? Facile ! Celle de la nuit : « Intervalle de temps compris entre le coucher et le lever du soleil en un lieu donné. » Elle a duré cent six jours, dont soixante d'obscurité totale. Donc, maintenant, le jour va commencer. Dans quelques minutes, il fera nuit. C'est simple. Mais quelque chose me tracasse.

Je repense à mes livres scolaires ou autres, où l'on affirme qu'au-delà des cercles polaires, situés à 66° 33' nord ou sud, il y a six mois de jour et six mois de nuit...

C'est étonnant, parce qu'à 75° 21' de latitude nord, je viens de vivre empiriquement la disparition du soleil, l'extinction progressive de la lumière, l'obscurité totale d'une nuit qui a duré deux mois, le lent retour de la lumière et la sortie du soleil...

Le tout a duré cent six jours, soit trois mois et demi...

Subitement, tout est si court... À partir de maintenant, chaque geste que j'effectue est probablement le dernier de sa catégorie : la corvée de neige, les recomplètements en carburant, le changement des piles, les entrées dans le sac glacé, les protocoles. Toutes ces activités qui ont été le quotidien de l'embastillé des glaces. J'entreprends un grand rangement, sors les cantines, enlève les planches de contreplaqué qui assuraient la piètre isolation intérieure. Je défais mes estrades et me rapproche de nouveau dangereusement du sol glacé. Je glisse simplement les planches dans les cadres métalliques des lits pour recomposer le sommier d'appoint tel qu'il était le jour de mon arrivée. La cabane retrouve son dénuement d'origine, dégagée de ses armoires de circonstance et de toutes ces caisses qui assuraient le mobilier d'intérieur... Je découpe dans les murs de neige les blocs qui bouchent les fenêtres et je laisse ainsi pour la première fois depuis quatre mois la lumière naturelle pénétrer directement dans la cabane.

Il n'y a pas de vent. Avec émotion, je démonte définitivement mon éolienne ainsi que la longue chaîne d'alimentation. Je dois la décongeler, la sécher à la chaleur des réchauds pour la conditionner à nouveau dans ses enveloppes de polystyrène. Il me reste trois « bûchettes » sur l'Iridium.

Après-demain... Plus que quelques heures...

Ce mardi 11 février : la troisième et dernière vacation avec l'école Montalembert est réussie. Je retrouve avec émotion mes petits amis (Clément, Karline, Quentin, Ophélie, Frédo la fripouille, Élodie...) et mes professeurs. L'enregistrement de cette communication me sera remis à mon retour par Philippe Palao. Je comprendrai mieux, alors, l'inquiétude transmise aux miens par une voix d'outre-tombe, à l'articulation saccadée, à l'élocution ralentie, bridée par un froid de − 41 °C qui bloque les mâchoires. Ces vacations sont le résultat d'un remarquable travail orchestré par Martine Barbé, avec qui j'ai initié un projet pédagogique, afin d'essayer de transmettre différemment des connaissances, autour d'un projet fédérateur. Les élèves ont travaillé la littérature du Grand Nord, visité la Cité de l'Espace de Toulouse, développé des contacts avec le Centre d'étude spatial des rayonnements, présenté au CNES un dossier sur la conquête spatiale, participé à un concours national sur la planète rouge...

La surprise sera de taille lorsque, à mon retour, les élèves me remettront un cahier sur lequel ils m'ont écrit pendant les cinq mois de l'expédition, comme à un grand frère ou à un copain, comme si nous étions assis ensemble dans la cour ou autour d'une pizza « quatre fromages »...

Pour un autre cahier, un autre et encore un autre, pour ces questions des enfants, pour leurs rires, leurs doutes, leurs passions, leurs découragements, leurs interrogations,

leurs certitudes, je suis prêt à rêver encore très fort... Et au-
delà des protocoles scientifiques, techniques, médicaux et de
leurs résultats à venir, si ces moments d'école ont pu cristalliser des valeurs fortes comme l'amitié, la solidarité, le dépassement de soi, les valeurs nobles du sport et de l'aventure,
l'intérêt pour la nature et l'environnement, ou susciter une
seule passion, un seul engouement, un seul engagement ou
un seul rêve, alors cette aventure aura atteint ses objectifs...

La dernière « bûchette » clignote... Je raccroche en
promettant à Maryse de l'appeler avant de quitter Fort
Eleanor.

Je regroupe les livres, le matériel scientifique, tous
les précieux carnets de notes et les protocoles. Il va falloir des
mois pour compulser les centaines d'informations relevées
pendant cette expérience unique, étudier tous les résultats
et faire les premières publications. Je sais que les hôpitaux
m'attendent... Échographies, prises de sang, électrodes qui
vont de nouveau me triturer le crâne et les yeux : voilà le
programme. Les imprimantes vont crépiter, et les écrans cra-
cher des hypnogrammes, électroencéphalogrammes, électro-
rétinogrammes inédits... Les médecins attendent avec
impatience de pouvoir comparer les nouvelles courbes aux
premières données étalons. Je sais qu'ils vont me demander
de poursuivre les protocoles pendant encore trois mois...

Toutes les grilles de comportement psychique,
d'évaluation de la vigilance et de la performance diurne,
ainsi que les agendas du sommeil vont parler... Les évaluations quotidiennes sur l'anxiété et le moral, l'intérêt des techniques de gestion du stress et de visualisation mentale sont
précieusement consignés.

Ces données vont-t-elles fournir des renseignements sur l'adaptation de l'homme aux milieux extrêmes et

permettre d'affiner la préparation psychologique des sportifs, aventuriers et spationautes ?

L'évolution de mes capacités visuelles et la modification de ma physiologie oculaire vont-elles étayer la thèse de la « vision des extrêmes », et permettre des progrès en terme de conduite nocturne ou de malvoyance ?

Le bilan sur la démarche nutritionnelle va-t-il profiter au grand public ou à de futures aventures engagées ?

Les informations concernant ma préparation physique vont-elles pouvoir compléter les études faites sur le sport de haut niveau ?

Le prototype de la balise évoluera-t-il ?

Quant aux vêtements faits sur mesure, je sais qu'une version a déjà été présentée lors d'un salon international et mise sur le marché grand public.

Apprendre, comprendre et partager avec le plus grand nombre..., rapporter non seulement des témoignages mais des résultats, aussi infimes soient-ils « ...pour que cela serve à quelque chose... » ; le soleil n'est finalement pas le seul responsable de cette vague intense de plaisir qui m'envahit !

Mes sept crayons à papier se sont usés sur plus de mille cinq cents pages...

Ce soir, je m'autorise pour la première fois à penser aux petits plaisirs quotidiens que je vais bientôt retrouver... Je m'étais, jusque-là, interdit ces douceurs virtuelles qui auraient pu m'affaiblir. En conditions extrêmes, une dépendance trop affirmée aux éléments de confort signifie une faiblesse à terme. J'ai volontairement écarté et chassé toutes ces idées, mais j'estime aujourd'hui qu'elles peuvent être des soutiens positifs pour ces dernières heures. Je débloque... Je mets devant mon nez des feuilles de papier toilette « à la texture douce et moelleuse, très résistant et absorbant, pour une nouvelle sensation de douceur et de confort... mais, surtout, parfumé aux extraits d'aloe vera » et, en fermant les yeux, j'imagine le bain intemporel que je vais prendre à mon retour... Je vais bientôt me glisser dans une paire de draps tièdes, sans avoir à hurler contre le froid et la glace de mon sac...

Toutefois, je suis inquiet : comment mon corps, après quatre mois passés à − 30 °C de moyenne, va-t-il supporter le choc d'un air surchauffé à + 25 °C ?

Les pensées s'emmêlent. J'idéalise tour à tour l'arrivée dans la chaleur de l'hôtel de Resolute, l'accueil de Raymond à Montréal, puis celui de l'équipe à Toulouse et, sublime récompense, les spaghettis *alle vongole* de Léo : quelques palourdes dans une sauce au vin et à l'ail... Ce ne sont que quelques palourdes.

− 44 °C. Cette nuit, je ne dors pas. Je suis trop excité par le retour imminent et le film de ces mois extrêmes qui passe en boucle... Je viens de vivre la plus longue nuit de ma vie ! Je viens de réaliser mon rêve ! « Ensoleillement, axe de la terre, inclinaison, orbite, rayons de soleil, température... » Les mots du projet, rédigé dans une chambre minuscule, dansent devant mes yeux qui ne se ferment plus... Il ne me reste plus qu'une journée... Les dernières sensations de l'aventure, les dernières photos et le dégivrage des appareils congelés, les dernières douleurs...

Je confectionne deux caissettes que je laisserai à Fort Eleanor : l'une avec du matériel (lignes de pêche, boîtes d'allumettes, bougies, briquets, réchauds à alcool, carburant, scie, cordelette, lampe frontale et stock de piles), l'autre avec des vivres (soupes, nouilles chinoises, fruits secs, barres énergétiques...). En effet, la police peut très bien avoir à guider par radio d'éventuels randonneurs en difficulté. Dans cet univers hostile, la cabane sera toujours un havre de paix et pourvoira ses hôtes en matériel et nourriture variée. Ce kit permettra d'assurer à toute personne en détresse un début de survie.

Je ventile une dernière fois l'alimentation : celle que je vais consommer sur place et celle que je souhaite donner pour les camps d'été des enfants de Resolute.

Mercredi 12 février, − 46 °C ! C'est la température sous abri la plus basse de cette aventure.

21 heures, tout est prêt. Les cantines sont alignées à l'extérieur. Les vivres nécessaires sont posés sur le petit guéridon. C'est un repas de fête que je m'octroie. J'ai gardé pour l'occasion trois boîtes de conserve : cuisses de canard, haricots blancs et lychees au sirop.

Le regard dans le vague, je pense à demain : le grand jour, le départ... Je revois ma première soirée à la bougie et mon premier poisson...

Jeudi 13 février : le blizzard souffle du nord, suffisamment puissant pour faire courir la neige sur le sol. Je fais mille allers-retours entre la cabane et les cantines. Je n'ai pas nourri les chiens afin qu'ils ne soient pas malades dans le *komatik*. À l'intérieur, je racle régulièrement avec mon couteau le givre qui recouvre le Plexiglas, pour ménager un œilleton et essayer d'apercevoir au loin les phares des scooters.

À 13 heures, je suis fin prêt, vêtements « grand froid » et carabine posés sur une planche désormais nue. J'ai gardé de l'eau bouillante, des barres de course et des vivres d'appoint pour les gars qui vont arriver dans un sale état. J'ai installé dans la neige le feu d'artifice que m'avait donné Gary pour le nouvel an. J'ai préféré le garder pour accueillir dignement mes amis... Je suis impatient ! Je tourne en rond, jetant sans cesse des regards vers le fond de la vallée.

15 heures, il est bien tard... Ils ne viendront pas aujourd'hui. Je ne suis pas trop déçu. C'est comme si ce contretemps avait été sciemment programmé pour donner encore meilleur goût à ces prochaines dernières heures. Je pense à l'équipe qui doit attendre mon coup de fil, mais je veux impérativement conserver la dernière « bûchette » pour le départ... Je suis sûr qu'ils doivent appeler Resolute toutes les heures pour savoir si la récupération a eu lieu.

Tant pis. J'attrape mes sacs de couchage dans une cantine, range le feu d'artifices et m'allonge pour une sieste réparatrice. Cela fait plusieurs jours que je ne dors plus. − 27 °C dans la cabane.

C'est loupé pour aujourd'hui, mais ce n'est pas étonnant avec ce blizzard : les conditions doivent être épouvantables à Resolute...

Vendredi 14 février : réveil difficile à − 25 °C, après une nuit blanche aux mille pensées euphoriques. Je suis heureux, car c'est ma dernière matinée. Je fais quelques photos, réinstalle le feu d'artifice, peaufine le rangement des cantines, et me gèle cinq doigts... Ils sont comme brûlés à la bougie ; je ne peux même plus tenir une allumette. Quand on se brûle les doigts, la glace fait du bien. Quand ils sont gelés, même la chaleur est insupportable.

12 h 30 : je chauffe la cabane avec les deux réchauds, prépare cinq litres d'eau bouillante, du thé, du cake et des soupes prêtes à réchauffer Paul et son équipe. Je peux dorénavant utiliser trois litres de carburant par jour.

L'atmosphère s'assombrit, le temps se couvre et tourne à la tempête de neige. J'installe vite la grande bâche bleue pour protéger les cantines ; de toute façon, à Resolute, il me faudra déconditionner tout le matériel dans le garage surchauffé pour le faire décongeler et le sécher. Ensuite, je recomposerai le fret en partance pour Toulouse.

15 heures... Deuxième rendez-vous raté... Je dois de nouveau ranger mon matériel pour le spectacle d'accueil. Je tente un appel très rapide vers Maryse, l'informant que je suis toujours bloqué. Elle m'annonce que Léo a eu Franco : la récupération est prévue pour demain. Il va me falloir être patient, ça peut durer longtemps. Le préavis de vingt-quatre heures de Paul se dilue...

Il faut que je m'occupe. Je déplace toutes mes cantines pour récupérer des bougies, des piles neuves, de l'alimentation et un carnet pour écrire ; ça fera passer le temps. Un dernier travail sur les tests me confirme que ma vue diminue : je filme les exercices réalisés pour témoigner des pénibles conditions de travail... C'est épouvantable. Je ne déchiffre plus les dernières lignes, ni les plus petits pictogrammes qui sautent, dansent devant mes yeux et ne se fixent plus. Paradoxalement, depuis le retour de la lumière, mon acuité visuelle régresse ; les images troubles et floues m'exaspèrent... Il ne faut pas que je me décourage ! Je positive, ces données seront bientôt exploitées par les spécialistes... Je pense au cours de philosophie de mon ancien professeur Mme Camps, sur le temps : « La différence entre la mesure objective du temps, le temps du calendrier, de la montre, celui que l'on quantifie et la durée vécue, c'est-à-dire le temps tel qu'on le vit au fond de soi avec cette impression de lenteur, d'un temps qui se fige et des objectifs qui tardent à venir... »

Ces heures sont interminables... Dès l'arrivée de la nuit, je me cale dans le sac, toute ma petite famille coincée contre moi, sur les planches. Je regarde mon Chuchi, Michima et les deux boules de poils étendues sur ma poitrine. Le regard posé au fond de celui de mes chiens, je ne peux retenir mes larmes. Elles coulent en silence. Ils doivent deviner que la fin est proche. La séparation va être déchirante. Je les caresse longuement, je leur parle et je les remercie déjà d'avoir été mes fidèles compagnons.

Les coups de boutoirs de la tempête font craquer la cabane. Je décide de laisser la lampe allumée toute la nuit, posée contre la porte d'entrée et réglée sur un petit rendement, pour éviter l'intoxication. Je ne dors pas. Je pense au retour, demain...

Samedi 15 février : impossible de me lever. J'ai mal partout à cause des cantines que j'ai déplacées hier... Il fait − 17 °C à l'intérieur ; la lampe a donc préservé quelques degrés...

Tandis que je range de nouveau le matériel, je me mets à trembler de tous mes membres. Je fais une hypoglycémie sévère. Mon petit déjeuner était trop léger. Je ne m'alimente plus correctement depuis deux jours, ingérant surtout du liquide chaud, des soupes et des biscuits. J'ai intérêt à réagir vite, parce que le raid retour va demander un effort très important. Je prends immédiatement deux portions de nouilles chinoises, de la semoule, des barres protéinées et deux tranches de pain d'épices. Mais à 16 heures, je comprends qu'aujourd'hui non plus je ne quitterai pas Fort Eleanor...

Je suis coincé au cœur d'un immense anneau de brume qui ne laisse pas passer le soleil encore trop bas sur l'horizon. Je suis comme dans l'œil d'un typhon. C'est étonnant. J'imagine Paul qui doit observer la météo à Resolute, guettant la première bonne « fenêtre » pour venir me récupérer... Peut-être demain...

Je reste allongé dans mon sac, les yeux dans le vide, incapable de fixer mes idées, animal fatigué qui, par instinct de survie, s'alimente et se repose.

Cette longue attente en fin de parcours est une torture ! La déception des rendez-vous manqués contraste brutalement avec l'espoir qui naît chaque jour vers 13 heures... J'en ai assez de ce froid et de cette neige. Marre de cette glace qui m'empêche encore d'ouvrir la porte et que j'évacue par pelles entières.

Mais le corps et l'esprit ont des ressources insoupçonnées ; si je ne pouvais pas être récupéré avant un mois, j'attendrais encore... Deux mois ? Je m'adapterais. J'attendrais le printemps, je partirais à la pêche, j'installerais des pièges, je chasserais... Je me « recalerais » psychologiquement, changerais d'objectif, effacerais les douces idées d'un confort maintenant promis et reprendrais la bataille...

Ce matin, dimanche 16 février, j'atteins mon cent vingtième jour d'expédition ! Voilà quatre mois que je suis positivement laminé par le froid. Cent six jours sans soleil, soixante jours d'obscurité... Je filme pour immortaliser cette ambiance de glace dans laquelle je vis.

La déflagration me fait sursauter. Cette fois, ce n'est ni le lac ni le sol ; je me suis habitué à leurs plaintes. C'est ma coque de neige ou ce qu'il en reste. Les joints entre les blocs cassent net dans une détonation de gros pétard. Le toit se lézarde de plus en plus dans des claquements de fouet, des explosions de ballons de baudruche trop gonflés. La poigne du froid continue à se resserrer.

Et toujours pas de phares en vue...

À 16 heures, le ciel me gratifie d'un spectacle magnifique. Le soleil va bientôt disparaître derrière les montagnes quand deux répliques de l'astre majeur s'allument à l'horizontale, à huit diamètres environ de part et d'autre de l'original. J'ai trois soleils devant moi ! Cet effet miroir est un phénomène de réfraction de la lumière dans une atmosphère chargée de petits cristaux de glace : c'est une parhélie... L'effet est d'autant plus surprenant que les sosies sont coincés dans une frange de clarté située entre l'horizon noir des montagnes à contre-jour et d'immenses nuages sombres.

Mais je suis encore seul.

À 19 heures, je profite de la quatrième pleine lune de cette aventure.

À 22 heures, je n'en crois pas mes yeux. Un immense halo de lumière, d'environ vingt diamètres de lune, éclaire la nuit et ma cabane de neige. De part et d'autre de la lune principale, à l'horizontale, deux autres lunes à la clarté étonnante apparaissent... C'est le même phénomène que cet après-midi... Les Inuit l'appellent *Moondog* ! Je ne me couche pas, engoncé dans mes lourds vêtements.

À minuit, mes trois lunes continuent leur chemin, se reflétant sur la couverture de glace du lac. Le miroir d'Eleanor... Elles glissent vers l'ouest sur l'horizon, accompagnées, sur leur droite, d'une deuxième couronne de lumière, qui passe cette fois par le cœur de la lune principale... !

Je dessine ce que je ne peux pas prendre en photo... et souris. J'ai absolument tout prévu pour la totalité de mon expédition. Je n'ai oublié qu'une seule chose... Une gomme ! Une simple gomme. Impossible de revenir en arrière sur mes écrits et mes dessins...

Une demi-heure plus tard, une brusque bour-
rasque, qui soulève la neige dans cette nuit claire, fait violemment claquer la bâche sur les cantines. Je me mets à l'abri et
allume peut-être le réchaud pour la dernière fois...

Les yeux dans les bougies, je pense à ce cinquième
demain.

Lundi 17 février 2003 : cent vingt et unième jour...
Je suis assis sur ma chaise, devant mon petit guéridon.

14 heures : tout en avalant une gorgée de chocolat
chaud, je pousse une fois de plus sur mes jambes et tend le
cou pour essayer de voir au travers du Plexiglas. Toujours
rien.

14 h 05 : émotion paroxysmale ! J'ai vu deux éclats
de lumière. Des phares ! Très rapprochés l'un de l'autre,
comme s'il s'agissait du même véhicule. Je rêve. Un 4 × 4 ? Je
n'y crois pas et colle à nouveau mon nez au givre du Plexi.
Ce n'est pas possible.

À 14 h 10, au fond de la vallée, libérées de l'étreinte
du canyon, les lumières s'écartent... Deux machines enche-
nillées font route vers Fort Eleanor. À chacune sa trace sur
l'immense piste de neige. Sur la rivière immobile. Vers le lac
prisonnier...

À 14 h 20, elles abordent au sud-ouest le versant de
la montagne, celui-là même qui, à deux kilomètres, avait été
frappé par l'onde de la brigade légère. Cette fois, pas de
vague de poudre blanche, pas de souffle, pas de tourbillon,
pas de tempête !

Ce sont mes valeureux amis. Par − 45 °C, dans un
inimaginable raid, ils ont pris le risque de venir me récupérer... Je cours à la congère installer le feu d'artifices. Les
phares se rapprochent, le son s'amplifie, les patins décrivent
une large boucle, et deux scooters gravissent une dernière

fois la terrasse alluviale, sous les gerbes d'étincelles argentées qui crépitent enfin dans l'air glacé...

Ma gorge se serre. Je me mords les lèvres pour ne pas éclater en sanglots. Non pas de joie, mais parce que Paul découvre un visage de cire aux inquiétantes auréoles noirâtres. Qu'ils ont dû souffrir... Sans un mot, les yeux mouillés, nous nous enlaçons. Paul retire sa moufle, me tends la main et me souffle :

« *Congratulations, you made it...* »

Le retour est sans fin, cauchemardesque...

À demi conscient, ballotté à l'arrière du scooter, je me cramponne à Paul.

Dans le puissant faisceau des phares qui transpercent la nuit, je revois la beauté et la dureté indicibles de ces terres et de ces mers de glace.

Je revois ces couleurs inventées par la nature et qui n'existent sur aucune palette... Enchantements de lumières sublimes au travers des glaces bleutées, spectacles uniques des montagnes d'eau pétrifiées, prodigieuses masses torturées et modelées par d'incontrôlables forces : l'air et l'eau, les courants et les marées.

Je revois les ondes de toutes les lumières du ciel, jeux stellaires, lunaires et solaires intemporels. J'arbitre dans cet univers de glaces l'affrontement entre les ondes aveuglantes et les ténèbres.

Je revois encore un loup blanc traquant un caribou qui se réfugie dans l'eau glacée d'une petite baie, et l'assaut meurtrier de deux épaulards sur une famille de bélougas...

Ou encore une ourse qui se jette à l'eau, suivie de ses deux petits qui ont quitté le fragile esquif d'une plaque de glace en dérive...

Je croque la neige, liquide de vie cristallisée. Sur mes lèvres et ma langue, l'air glacé est si lourd qu'il en a du goût...

J'entends les rires des fils de la nature et du soleil, les aboiements de leurs compagnons quatre fois millénaires, la glace et la terre qui hurlent en se déchirant...

J'entends le silence seulement dérangé par les battements de mon cœur et par le vent, maître de l'air qui force mes cagoules...

Je sens la neige et la glace, les effluves de la cire qui crépite sous les flammes vacillantes des bougies, et « l'odeur aventure » du carburant qui se consume...

J'éprouve enfin la morsure du froid, mâchoire impitoyable qui se referme sur les chairs d'eau et de sang, mécanique d'air qui cisèle les peaux et distille l'oubli...

L'Arctique ensorceleur m'a un jour envoûté et appelé irrémédiablement pour un autre contact charnel ! Subjugués, mes cinq sens ont de nouveau succombé à son appel...

Il a fallu que je revienne.

Milieu sans concession où la vie est un défi de tous les instants, théâtre fascinant de glace, où l'engagement total, où la ténacité, l'endurance et l'abnégation tutoient la crainte, la douleur et le sacrifice, l'Arctique est résolument magnétique...

Je comprends encore mieux maintenant l'attraction irrésistible qu'ont exercé ces terres magiques, et l'acharnement des hommes à réaliser leurs rêves, malgré les souffrances et le sacrifice ultime... C'est bien au prix de leurs vies que Franklin et ses marins ont, comme tant d'autres, fait au nom de la science et de la découverte le plus dur des voyages...

Accroché à Paul sur le chemin chaotique qui me ramène dans la nuit à Resolute, je pense furtivement aux limites de ce voyage solitaire que je me suis imposé et au long chemin intérieur que je vais devoir encore parcourir...

Le visage et les mains définitivement brûlés par l'air de glace, engoncé dans cinq épaisseurs de vêtements rigidifiés par le froid extrême, je gravis péniblement, dans la nuit et le blizzard qui siffle, les marches métalliques de l'hôtel, recouvertes de neige glacée, et j'affronte, sous la lumière blafarde de l'entrée, le regard gêné de ceux qui me prennent pour un survivant...

Il n'y a plus de boutades, il n'y a plus de pari, plus de rires ni de grandes claques dans le dos...

Il n'y a que le silence, compassion muette de ceux qui se mordent les lèvres, car ils ne reconnaissent plus, au travers de leur larmes, le visage déformé de celui qui revient de la longue nuit.

À Cominac, La Grange, le 15 août 2003.

ANNEXES

ANNEXES

Annexe 1 :
la Terre, le soleil, les saisons

La Terre tourne sur elle-même et décrit dans l'espace une orbite elliptique dont le soleil occupe l'un des deux foyers. Le point de la courbe le plus éloigné du soleil est l'aphélie (152 000 000 kilomètres, vers le 1er juillet) ; le point le plus rapproché du soleil est le périhélie (147 000 000 kilomètres, vers le 1er janvier).

Si l'on considère la position des équinoxes et des solstices par rapport à la ligne des apsides (la ligne aphélie-périhélie), on se représente aisément que la Terre parcourt des secteurs inégaux, ce qui explique qu'il y a des saisons, et que celles-ci sont de durées différentes.

Dans l'hémisphère Nord, le printemps et l'été durent ensemble cent quatre-vingt-six jours et dix-huit heures, soit huit jours de soleil de plus que l'automne et l'hiver réunis.

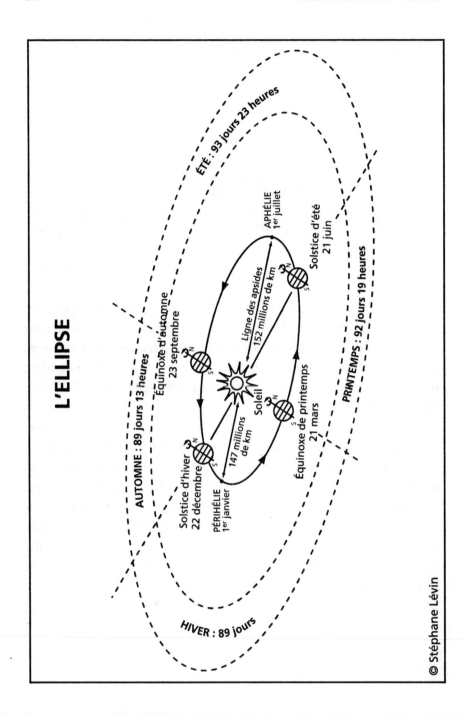

L'ELLIPSE

ÉTÉ : 93 jours 23 heures

AUTOMNE : 89 jours 13 heures

PRINTEMPS : 92 jours 19 heures

HIVER : 89 jours

Équinoxe d'automne
23 septembre

APHÉLIE
1er juillet

Solstice d'été
21 juin

Ligne des apsides
152 millions de km

Soleil

Solstice d'hiver
22 décembre

PÉRIHÉLIE
1er janvier

147 millions
de km

Équinoxe de printemps
21 mars

© Stéphane Lévin

Annexe 2 : l'Arctique

L'Arctique, dont la superficie est d'environ 25 000 000 kilomètres carrés, occupe les régions les plus septentrionales de l'hémisphère Nord. Il couvre toutes les parties continentales et insulaires situées au nord du cercle polaire (66° 33'), de l'Alaska et du Canada, de l'Europe et de la Sibérie, du Groenland et du Spitzberg, ainsi que l'océan Arctique (environ 10 000 000 kilomètres carrés), jusqu'au pôle Nord géographique.

Trajet elliptique et inclinaison de la Terre sur le plan de l'écliptique, inclinaison variable des rayons du soleil et inégales durées d'éclairement solaire sur la surface terrestre déterminent les saisons et les climats variés de notre planète. Nuit polaire, grands froids, banquise, blizzard, permafrost... évoquent bien les conditions de l'Arctique.

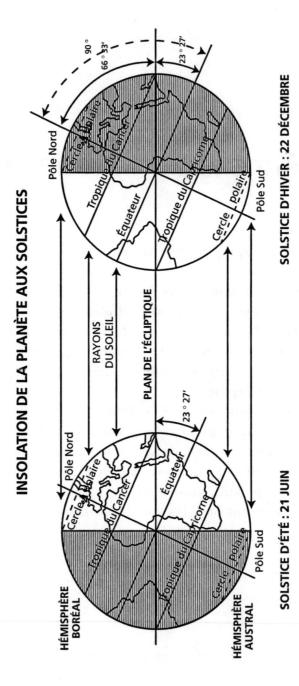

INSOLATION DE LA PLANÈTE AUX SOLSTICES

ÉPAISSEUR ET SOLIDITÉ DE LA GLACE

CHARGEMENT SÉCURITAIRE	OPÉRATION	GLACE D'EAU DOUCE	GLACE DE MER
1 personne	se déplaçant lentement	8 cm	13 cm
0,4 tonne	se déplaçant lentement	10 cm	18 cm
Véhicule de 2 tonnes	se déplaçant lentement	25 cm	40 cm
Véhicule de 10 tonnes	se déplaçant lentement	43 cm	66 cm
Avion de 13 tonnes	stationné	61 cm	102 cm

Durée du jour et de la nuit en fonction de la latitude

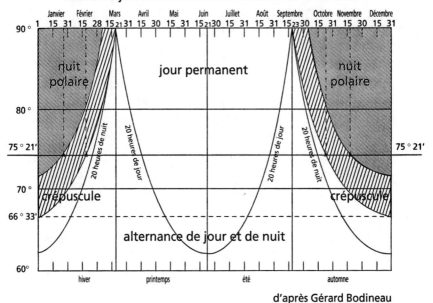

d'après Gérard Bodineau

ÉPAISSEUR DE GLACE APRÈS 24 heures

0,8 cm	à	– 5 °C
1,5 cm	à	– 10 °C
2,5 cm	à	– 15 °C
3,2 cm	à	– 20 °C
3,8 cm	à	– 25 °C
4,5 cm	à	– 30 °C
5,5 cm	à	– 35 °C
6,5 cm	à	– 40 °C

TABLEAU DE CALCUL DE L'INDICE DE REFROIDISSEMENT ÉOLIEN (I.R.E.)

Vent		5	0	-5	-10	-15	-20	-25	-30	-35	-40	-45	-50
V	5	4	-2	-7	-13	-19	-24	-30	-36	-41	-47	-53	-58
I	10	3	-3	-9	-15	-21	-27	-33	-39	-45	-51	-57	-63
T	15	2	-4	-11	-17	23	29	-35	-41	-48	-54	-60	-66
	20	1	-5	-12	-18	-24	-31	-37	-43	-49	-56	-62	-68
E	25	1	-6	-12	-19	-25	-32	-38	-45	-51	-57	-64	-70
S	30	0	-7	-13	-20	-26	-33	-39	-46	-52	-59	-65	-72
S	35	0	-7	-14	-20	-27	-33	-40	-47	-53	-60	-68	-73
E	40	-1	-7	-14	-21	-27	-34	-41	-48	-54	-61	-68	-74
	45	-1	-8	-15	-21	-28	-35	-42	-48	-55	-62	-69	-75
E	50	-1	-8	-15	-22	-29	-35	-42	-49	-56	-63	-70	-76
N	55	-2	-9	-15	-22	-29	-36	-43	-50	-57	-63	-70	-77
	60	-2	-9	-16	-23	-30	-37	-43	-50	-57	-64	-71	-78
	65	-2	-9	-16	-23	-30	-37	-44	-51	-58	-65	-72	-79
	70	-2	-9	-16	-23	-30	-37	-44	-51	-59	-66	-73	-80
km/h	75	-3	-10	-17	-24	-31	-38	-45	-52	-59	-66	-73	-80
	80	-3	-10	-17	-24	-31	-38	-45	-52	-60	-67	-74	-81

AIR — TEMPÉRATURE EN DEGRÉ CELSIUS °C

① : Gelures possibles en moins de 1 heure   Exemple : – 40 °C / 50 km/h : I.R.E. = – 63 °C
② : Gelures en moins de 10 minutes
③ : Gelures en moins de 2 minutes

Annexe 3 : protocole sur la préparation physique

CENTRE D'ÉVALUATION ET DE SUIVI MÉDICO-SPORTIF

Plateau Technique Agréé pour le Suivi des Sportifs de Haut Niveau

M. Stéphane Lévin
44, rue de Puymaurin
31400 Toulouse

Cornebarrieu, le 26 octobre 2001

Cher Stéphane,

Étant extrêmement intéressés par le défi physique et physiologique que représente votre expédition « Nuit Polaire » nous désirons vous assurer de notre complet soutien face à ce challenge humain et scientifique

Le développement et la mise en place d'un protocole d'entraînement des qualités physiologiques et neuromusculaires pendant l'hivernage sont impératifs pour éviter les problèmes de santé associés à l'inactivité physique et permettre la reprise d'une activité physique vigoureuse et prolongée dès la fin de la période l'hivernage.

Plateau technique spécialisé dans l'évaluation physiologique et le suivi médico-sportif de sportifs de haut niveau et nous désirons, en mettant gratuitement à votre disposition nos installations et nos compétences professionnelles, vous proposer notre assistance en ce qui concerne la planification de votre préparation physique et la réalisation de votre suivi physiologique.

Nous vous prions de recevoir tous nos vœux de réussite dans votre entreprise.

Cordialement,

François Gazzano,
Directeur Technique

Communication sur l'isolement dans les Pyrénées
(François Gazzano)
Rapport du 28 février 2002

I – Objectifs

Mesure des effets du désentraînement provoqué par une sédentarité forcée d'une semaine (du 26 novembre 2001 au 2 décembre 2002) en environnement froid.

Estimation des impacts de ces effets sur des périodes de trente et soixante jours par régression linéaire.

II – Méthode

La méthode utilisée est l'évaluation physiologique et musculaire avant et après la phase d'isolement. Aucune activité physique n'a été réalisée pendant cette phase, mis à part les trente flexions de jambes effectuées au réveil et à 18 heures, pour les relevés du rythme cardiaque, associés à la température ambiante de la cabane.

III – Résultats

Les tests en montagne ont permis de mettre en lumière la rapidité de la désadaptation du système cardiovasculaire, que ce soit au repos (fréquence cardiaque de repos augmentée de 28 %), à l'effort (fréquence cardiaque après effort augmentée de 10 %) ou en phase de récupération (fréquence cardiaque après une minute de récupération augmentée de 22 %).

Les tests de laboratoire au retour ont montré que, si la force maximale isométrique n'est que très peu affectée par la sédentarité forcée d'une semaine, il n'en est pas de même pour les paramètres physiologiques, notamment pour ceux du système aérobie. En effet, l'équivalent ventilatoire est réduit de 1 % par jour, et le seuil ventilatoire 2 (seuil anaérobie) de 1,59 %.

La puissance musculaire est également réduite de 0,87 % par jour.

Le poids corporel et la somme des quatre plis cutanés (biceps, triceps, muscle sous-scapulaire et muscle supra-iliaque) ne sont pas modifiés. Ceci atteste du maintien d'une composition corporelle constante (masse grasse et masse maigre), malgré une alimentation hyperlipidique et une activité physique extrêmement réduite.

IV – En conclusion

On a noté des diminutions de performance, qu'il va maintenant falloir projeter sur la période de quatre mois d'isolement sédentaire forcé en Arctique... Le maintien d'un niveau d'activité physique minimal est indispensable pour conserver les adaptations physiologiques acquises lors de l'entraînement et éviter une trop importante baisse de la condition physique, une bonne condition étant nécessaire pour pouvoir faire face aux situations d'urgence. Stéphane réalisera ce maintien grâce à un programme d'entraînement adapté aux exigences de la situation (grand froid, équipement limité, espace confiné, etc.).

François Gazzano
(© 2002, François Gazzano, fgazzano@hotmail.com)

Annexe 4 :
protocole sur le stress

DOCTEUR CHRISTIAN BOURBON
Médecin attaché des hôpitaux
Chargé de cours à l'université

SYSTÈME NERVEUX
MÉDECINE DU SOMMEIL

4, ALLÉES FRÉDÉRIC MISTRAL
31400 TOULOUSE
TEL:05-61-25-26-38
FAX : 05-61-55-52-23

TOULOUSE, LE 20/10/2001

Monsieur Stéphane LEVIN
44, rue de Puymaurin
31400 TOULOUSE

Monsieur,

C'est avec beaucoup d'intérêt que je vous ai écouté au cours de nos entretiens et que j'ai lu votre dossier "Nuit Polaire" concernant le projet d'hivernage en Arctique pendant six mois en solitaire et en autonomie complète.

Mes impressions en tant que clinicien ont été très favorables, et l'étude et la réflexion que vous avez menées dans la présentation détaillée de votre projet ont renforcé mon soutien à votre égard.

C'est pourquoi je vous propose le protocole d'études suivant concernant l'évaluation de l'évolution du système veille-sommeil d'une part, et de certaines composantes médico-psychologiques qui me paraissent intéressantes, d'autre part.

Ce type d'expérience est d'autant plus utile que nous avons besoin d'études concernant le comportement psychique et vigile de l'individu pour des durées prolongées. J'ai eu la confirmation de l'intérêt de ce type de projet lors de ma participation au Congrès "Stress et environnement extrême" organisé par l'ESA pour les futures missions spatiales inter-planétaires (Mars).

J'espère donc que vous allez mener ce projet comme vous le désirez. Je suis à votre disposition pour appliquer le protocole proposé.

Je vous prie de croire, Cher Monsieur, à l'assurance de mes sentiments les meilleurs.

Docteur Christian BOURBON

Communication octobre 2003
« Expérience Stéphane Lévin »
(Dr. Christian Bourbon)

I – Cette expérience de vie humaine permet, en situation extrême (hivernage en Arctique pendant la durée de la nuit polaire), d'étudier et d'évaluer

1) l'influence des facteurs environnementaux tels que le froid intense, l'obscurité prolongée, l'isolement et le stress sur

a) le comportement vigile de l'être humain, à savoir l'évolution du rythme veille-sommeil, le besoin de sommeil tant nocturne que diurne, la qualité de l'éveil et de la performance décisionnelle ;

b) le comportement médico-psychologique de l'être humain au niveau de l'évolution de son « moral », de son anxiété, de son stress, de sa capacité d'adaptation et de concentration mentale et, enfin, de la rapidité de sa perception visuelle ;

2) l'efficacité des techniques de préparation mentale basées sur les principes des thérapies cognitivo-comportementales :

a) gestion du stress,
b) techniques de visualisation mentale,
c) stratégies cognitives.

II – Cette expérience permet d'appréhender le problème comportemental d'adaptation de l'être humain quand il se retrouve dans un environnement hostile pendant une longue durée. En ce sens, le site de cette expérience peut être assimilé à un véritable « vaisseau polaire » évoluant dans des conditions simulant une expédition interplanétaire.

III – Pour cela, Stéphane Lévin a été soumis à une batterie de tests tant neurophysiologiques que médico-psychologiques pendant une période comprise entre septembre 2001 et mars 2003.

Nous avons pu comparer la période témoin (hiver 2001-2002) à la période d'hivernage (hiver 2002-2003).

Pendant la durée de l'expérience, Stéphane Lévin a appris et pratiqué les techniques de préparation mentale.

1) L'exploration de la vigilance a reposé sur l'application de méthodes objectives et subjectives :

a) exploration électrophysiologique en laboratoire de sommeil, pour apprécier qualitativement et quantitativement ses nuits de sommeil (« nuits basales »). Cette investigation a été mensuelle.

b) Exploration par passation d'un agenda de sommeil couplé à l'échelle de somnolence (échelle d'Epworth). Cette évaluation a été quotidienne pendant toute la durée de l'expérience.

2) L'exploration médico-psychologique a été réalisée une fois par semaine, par la passation d'une échelle appréciant le tonus mental (autoquestionnaire d'évaluation, échelle de Beck) et la passation de l'échelle d'anxiété (échelle de Catell).

3) Des bilans psychomoteurs appréciant la régulation tonico-posturale, l'étude des temps de réaction, et des tests de rapidité et de perception visuelle ont été effectués mensuellement pendant toute la durée de l'expérience.

IV – Les premiers résultats permettent, semble-t-il, de mettre en évidence un processus physiologique naturel que l'on peut assimiler aux vestiges archaïques d'un processus d'hibernation.

On observe une augmentation significative du besoin de sommeil nocturne, associée à une augmentation significative de la somnolence diurne.

Le synchroniseur « activité » ne semble pas avoir un rôle aussi important que les études antérieures le laissaient paraître.

Cette expérience a permis de démontrer l'efficacité des stratégies de préparation mentale pour une meilleure adaptation de l'être humain aux conditions de stress.

Cette expérience est l'objet d'une thèse portant sur la neurophysiologie de la vigilance et l'influence du froid sur cette dernière. Elle sera soutenue à la faculté de médecine de Toulouse.

Docteur Christian Bourbon

Annexe 5 :
protocole sur la vision

Communication Palais des Congrès mai 2003
Salon de la Société française d'ophtalmologie
(Dr. Natalie Lévin)

Stéphane Lévin, explorateur polaire, s'est prêté à une expérience unique, testant ses capacités visuelles dans un environnement nocturne, et l'influence de la nuit polaire sur son système oculaire.

I – La principale variable permettant de déterminer l'acuité visuelle est la luminance ; une autre est le contraste découlant de la modulation de la luminance. L'œil humain est un système optique sophistiqué. La physiologie de la pupille et de l'accommodation vont se combiner à divers phénomènes physiques pour influencer la résolution de l'œil. (Ainsi, il est déjà bien établi qu'une augmentation du diamètre pupillaire permet une augmentation de l'acuité visuelle.) Finchan et Freeman (1980) avaient déjà observé qu'une pupille de 2,5 à 3 millimètres permettait une augmentation de l'acuité visuelle à 15 dixièmes, alors qu'en myosis serré par une forte illumination, l'acuité n'atteindra jamais des valeurs supranormales.

II – Par ailleurs, l'utilisation de la vision dans des conditions normales ne met en jeu les capteurs sensoriels qu'à 40 % de leurs possibilités. Comme Stéphane Lévin, les sportifs de haut niveau et les spationautes ont une mobilisation maximale des capteurs visuels et sensoriels, conduisant à une utilisation optimale de la recherche de stimulations dans des conditions particulières, ce que l'on pourrait qualifier de vision des extrêmes (Pr. Corbé, *PDV*, n° 47, 2002).

III – Enfin, l'électrophysiologie faite chez Stéphane Lévin avant son départ, et celle faite à son retour, après cent six jours sans soleil, dont soixante jours d'obscurité totale et à une température inférieure à – 15 °C, montrent des différences significatives. Une ischémie périphérique avec « épargne maculaire » liée à la vasoconstriction des capillaires par le froid pourrait expliquer ces modifications spontanément résolutives au bout de trois mois avec un retour à des températures supérieures à 10 °C.

Docteur Natalie Lévin
Centre hospitalier de PAU,
service d'ophtalmologie, docteur Williamson

ÉLECTRORÉTINOGRAMME AVANT ET APRÈS L'EXPÉDITION
Centre hospitalier de Pau
(Service du Dr. Williamson)

nom : LEVIN Stéphane   date examen : 24/09/2002 11 h

ERGBscot Bl
enreg 1947/   12 mn 35 s

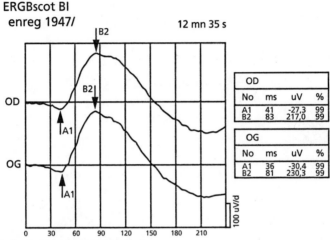

OD			
No	ms	uV	%
A1	41	-27,3	99
B2	83	217,0	99

OG			
No	ms	uV	%
A1	36	-30,4	99
B2	81	230,3	99

Val = 8   Rej = 0   PB ELECT. 1-, 2+,
observations : Dr. Natalie Lévin

nom : LEVIN Stéphane   date examen : 04/03/2003 11 h

ERGBscot Bl
enreg 2134/   14 mn 30 s

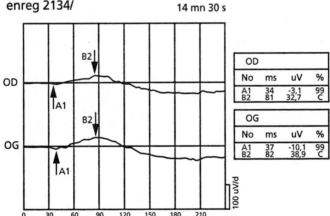

OD			
No	ms	uV	%
A1	34	-3,1	99
B2	81	32,7	C

OG			
No	ms	uV	%
A1	37	-10,1	99
B2	82	38,9	C

Val = 8   Rej = 0   PB ELECT. 1-, 2-,
observations : Dr. Natalie Lévin

Annexe 6 : protocole sur la nutrition

CENTRE de NUTRITION : 100 Quai de Tounis 31000 TOULOUSE
05 61 25 52 80 – 05 34 31 80 39
Fax : 05 61 25 81 75

CATHERINE DERACHE   **&**   **VERONIQUE SEGRIA**
Diplômes Universitaires Supérieurs de Diététique et Génie Alimentaire
Docteur ès Sciences Physiologie de la Nutrition   DUS Biologie, Psychologie Médicale

Toulouse le 30 avril 2002

Monsieur Stéphane Lévin
44, rue de Puymaurin
31400 Toulouse

Cher Stéphane,

Etant particulièrement intéressées par le défi physique, physiologique et psychologique que représente votre expédition « nuit polaire », nous sommes heureuses de pouvoir y apporter notre contribution en mettant en place avec votre collaboration un protocole alimentaire le mieux adapté à ce projet.

En effet la nutrition a une part essentielle pour la réussite d'une telle entreprise : rôle primordial dans le maintien de bonnes conditions physiques et morales et obligatoire pour la survie dans ce milieu hostile.

Avec tous nos vœux de réussite.

Amicalement,

Catherine DERACHE & Véronique SEGRIA
Nutritionnistes

Communication septembre 2003
Centre de nutrition
(Catherine Derache et Véronique Segria)

I – Présentation

En décembre 2001, au retour de son isolement dans les Pyrénées, Stéphane Lévin a poussé la porte de notre centre de nutrition situé à Toulouse. Il nous a présenté son expédition de cinq mois en solitaire et les conditions extrêmes de son hivernage en Arctique :

— cent vingt jours d'isolement,

— habitat réduit,

— grands froids permanents de – 20 °C à – 50 °C,

— absence de soleil pendant trois mois,

— obscurité totale pendant deux mois.

Il nous a confié le suivi de son alimentation pour la suite de sa préparation physique et le programme nutritionnel de l'expédition, sachant qu'il ne souhaitait emporter qu'une alimentation « grand public ».

Nous avions les données qui concernaient

— la ration alimentaire du raid au pôle nord magnétique en 2001 (1 000 g pour 3 700 kcal par jour – glucides : 53 %, protides : 12 %, lipides : 35 % – et Stéphane avait perdu 8 kg en un mois...) ;

— la ration alimentaire de son isolement dans les Pyrénées (650 g pour 2 500 kcal par jour – glucides : 38 %, protides : 12 %, lipides : 50 % –, une ration hyperlipidique) ;

— et le détail de la préparation physique en cours (intense).

II – Informations générales

1) L'alimentation est composée de nutriments énergétiques (glucides, protides, lipides) et de micronutriments (vitamines, minéraux, oligoéléments).

2) 1 g de glucides libère 4 kcal, 1 g de protides libère 4 kcal et 1 g de lipides libère 9 kcal.

3) C'est à partir du poids de la personne que sont définis les apports de base quotidien. Il est généralement conseillé

— glucides : 4 à 5 g/kg par jour.

— protides : 0,8 à 1,2 g/kg par jour

— lipides : 1 à 1,2 g/kg par jour.

4) Les dépenses énergétiques d'un adulte à jeun, allongé au repos, à température neutre, varient de 1 000 à 1 500 kcal : c'est le métabolisme de base, qui permet à l'organisme d'assurer sa survie (vie cellulaire, activités cardiaque et respiratoire, etc.).

5) Les besoins énergétiques moyens d'un adulte en situation normale sont d'environ 2 500 kcal par jour (glucides : 55 %, protides : 15 %, lipides : 30 %).

6) La dépense énergétique engagée au cours d'une activité physique se décompose de la manière suivante :

— un quart sert à produire un travail mécanique (contraction des muscles),

— trois quarts sont dissipés sous forme de chaleur, et ceci quelle que soit la température extérieure (thermorégulation).

L'exercice musculaire est donc un facteur important de la lutte contre le froid ; encore faut-il avoir suffisamment de réserves alimentaires pour recomposer les stocks énergétiques de l'organisme.

III – Bilans, préparation et programme

1) Nous avons réalisé le bilan nutritionnel global de Stéphane à partir d'une « enquête » alimentaire (la répartition énergétique des nutriments est *alors* de glucides : 46 %, protides : 34 %, lipides : 20 %). Puis nous avons déterminé par impédancemétrie quelques valeurs physiologiques, dont son métabolisme de base, qui était de 2 000 kcal.

2) Afin d'optimiser la préparation physique, nous avons augmenté (3 000 kcal) et rééquilibré (glucides : 55 %, protides : 15 %, lipides : 30 %) ses apports énergétiques.

3) Enfin, le programme nutritionnel de l'expédition a été défini. Les aliments devaient permettre à Stéphane de couvrir ses besoins énergétiques pour lutter contre le froid et ne pas perdre de poids. Nous avons

— augmenté les apports de base des différents nutriments pour atteindre un apport énergétique moyen de 4 500 kcal par jour.

— décidé de répartir son alimentation en six prises quotidiennes : trois repas principaux et trois collations.

Afin d'éviter une « lassitude » et de prévenir une « saturation », l'alimentation (350 kg) a été constituée d'une grande variété de vivres : conserves de légumes, conserves de fruits, plats cuisinés, conserves de viande, fruits secs, céréales, plaquettes de chocolat, barres énergétiques, chocolat, café et lait en poudre...

Stéphane pouvait ainsi composer lui-même ses menus.

Compte tenu de la nuit et du froid, nous avons prescrit des éléments essentiels et obligatoires :

— des vitamines, minéraux et oligoéléments, en particulier de la vitamine D,

— des nutriments indispensables (acides gras polyinsaturés, acides aminés essentiels).

C'est la seule contrainte que nous avons imposée à Stéphane.

IV – Le retour...

Dès son retour à Toulouse, un bilan nutritionnel a été réalisé.

Nous avons recueilli les informations relevées quotidiennement par Stéphane sur les carnets d'alimentation que nous lui avions remis : y était scrupuleusement noté ce qu'il mangeait et buvait (quantité, poids et volume).

À partir de ces données, nous avons calculé l'apport énergétique des cent vingt-et-un jours de l'expédition, ainsi que les moyennes pour chacune des dix-sept semaines, puis nous avons établi la courbe « Évolution de l'apport énergétique ».

V – La courbe

L'analyse de la courbe permet de définir quatre périodes.

1) Durant les sept premières semaines, Stéphane consomme en moyenne plus de 3 500 kcal par jour : son activité physique est importante (installation, construction de l'igloo, etc.).

2) Entre la septième et la dixième semaine, ses apports énergétiques chutent : 2 744 kcal par jour en moyenne (1 397 kcal pour l'apport le plus bas). C'est le cœur de la nuit polaire.

3) Au cours des onzième et douzième semaines, sa consommation augmente : 4 307 kcal par jour – ce qui correspond à la moyenne la plus élevée de l'expédition (pic à 5 241 kcal pour une journée). Stéphane doit faire face à un

environnement de plus en plus hostile (tempête, forte baisse des températures, problèmes techniques, etc.).

4) De la treizième à la dix-septième semaine (dernier mois de l'expédition), ses apports énergétiques passent de 4 300 kcal à 2 790 kcal. Le thermomètre atteint − 32 °C à l'intérieur de la cabane, − 46 °C à l'extérieur...

VI − En conclusion

Conformément au protocole, les vivres emportés permettaient de couvrir des besoins énergétiques supérieurs à 4 500 kcal par jour. Nous n'avions pas imposé de répartition en glucides, protides, lipides.

Sur le terrain, Stéphane a adapté son alimentation en fonction des conditions, de ses besoins et de ses envies, soit en moyenne 3 551 kcal par jour.

La répartition obtenue *a posteriori* est la suivante :
— glucides : 47 %,
— protides : 15 %,
— lipides : 38 %,

soulignant une appétence pour les lipides, au détriment des glucides.

Au cœur de la nuit polaire, les prises alimentaires ont atteint leur niveau le plus bas... Pendant les quatre dernières semaines, son alimentation est même restée au-dessous de 3 000 kcal. Pourtant, Stéphane a été au bout de son expédition... et il a pris 4 kg !

Quatre mois de grand froid, cent six jours sans soleil, dont soixante jours d'obscurité totale ont sans aucun doute modifié les métabolismes de Stéphane.

Y aurait-il eu un « processus d'hibernation » ?

Cette communication est un extrait de la publication qui sera faite ultérieurement.

Catherine Derache et Véronique Segria

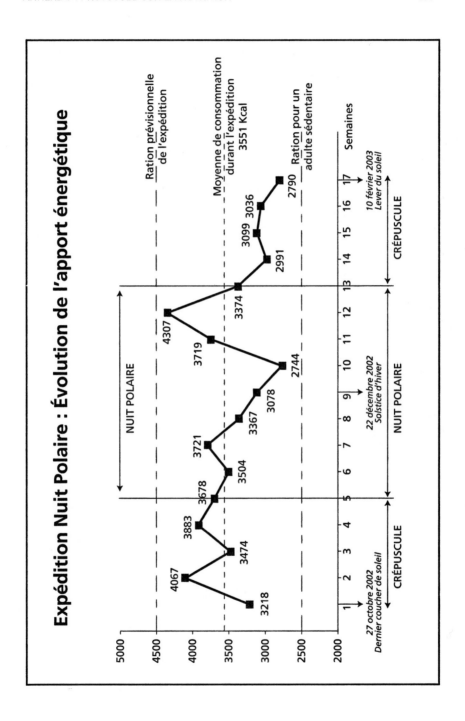

Expédition Nuit Polaire : Évolution de l'apport énergétique

Annexe 7 : protocole sur le prototype de la balise Argos

ARGOS
COLLECTE LOCALISATION SATELLITES

M. Stéphane LEVIN
44, rue de Puymaurin
31400 TOULOUSE

Toulouse, le 30 Septembre 2002

Nos réf. :
Our réf. :   CLS/DC n° 02/1088
               Réf. : Expédition NUIT POLAIRE

Dans le cadre d'un protocole de test, CLS confie à Monsieur LEVIN Stéphane une balise « aventure n° 3726 » avec batterie lithium, afin que celui-ci teste cette balise dans des conditions extrêmes.

Antoine Monsaingeon
Directeur Commercial

CLS Collecte localisation satellites

8-10, rue Hermès
Parc Technologique du Canal
31526 Ramonville Cedex, France
Tél. (33) 05 61 39 47 00
Télécopie (33) 05 61 75 10 14
Mél. : info@cls.fr
Site Web : www.cls.fr

SA au capital de 15 000 000 F
SIREN 338 034 390 RCS Toulouse
TVA FR95 338034390
APE 742 C

Relevés de températures par le prototype (extraits)

date	heure	temp. °C	tens. batterie
11/02/2003	03 :04 :47 F4DA7400	-38	6,38 Faible
11/02/2003	03 :07 :49 F4DA7400	-38	6,38 Faible
11/02/2003	03 :10 :47 F4DA7400	-38	6,38 Faible
11/02/2003	03 :50 :17 F4DA7400	-38	6,38 Faible
11/02/2003	03 :53 :35 F4DA7C00	-38	6,51 Faible
11/02/2003	04 :02 :35 F4DA7C00	-38	6,51 Faible
11/02/2003	04 :02 :35 F4DA7C00	-38	6,51 Faible
11/02/2003	04 :42 :50 F4DA6C00	-38	6,24 Faible
11/02/2003	04 :46 :02 F4DA7C00	-38	6,51 Faible
11/02/2003	04 :49 :03 F4DA7C00	-38	6,51 Faible
11/02/2003	04 :52 :04 F4DA7C00	-38	6,51 Faible
11/02/2003	05 :32 :44 F4DA5C00	-38	5,98 Faible
11/02/2003	05 :36 :00 F4D97C00	-39	6,51 Faible
11/02/2003	05 :39 :03 F4D97C00	-39	6,51 Faible
11/02/2003	05 :42 :01 F4D97C00	-39	6,51 Faible
11/02/2003	05 ·42 :01 F4D97C00	-39	6,51 Faible
11/02/2003	06 :25 :00 F4D97C00	-39	6,51 Faible
11/02/2003	06 :31 :16 F4D97C00	-39	6,51 Faible
11/02/2003	07 :14 :14 F4D97C00	-39	6,51 Faible
11/02/2003	07 :17 :29 F4D97400	-39	6,38 Faible
11/02/2003	07 :20 :30 F4D97400	-39	6,38 Faible
11/02/2003	07 :23 :31 F4D97400	-39	6,38 Faible
11/02/2003	07 :26 :31 F4D97400	-39	6,38 Faible
11/02/2003	08 :09 :01 F4D97400	-39	6,38 Faible
11/02/2003	08 :12 :15 F4D87400	-40	6,38 Faible
11/02/2003	08 :59 :02 F4D77400	-41	6,38 Faible
11/02/2003	09 :01 :59 F4D77400	-41	6,38 Faible
11/02/2003	09 :08 :17 F4D85C00	-40	5,98 Faible
11/02/2003	09 :11 :16 F4D85C00	-40	5,98 Faible
11/02/2003	10 :36 :45 F4D85C00	-40	5,98 Faible
11/02/2003	10 :40 :03 F4D77400	-41	6,38 Faible
11/02/2003	10 :43 :01 F4D77400	-41	6,38 Faible
11/02/2003	10 :46 :02 F4D77400	-41	6,38 Faible
11/02/2003	10 :49 :02 F4D77400	-41	6,38 Faible
11/02/2003	10 :52 :01 F4D77400	-41	6,38 Faible
11/02/2003	11 :36 :03 F4D77400	-41	6,38 Faible
11/02/2003	11 :39 :18 F4D77800	-41	6,44 Faible

11/02/2003	12 :17 :47 F4D77800	-41	6,44 Faible
11/02/2003	12 :21 :04 F4D67400	-42	6,38 Faible
11/02/2003	12 :27 :04 F4D67400	-42	6,38 Faible
11/02/2003	12 :30 :04 F4D67400	-42	6,38 Faible
11/02/2003	12 :33 :03 F4D67400	-42	6,38 Faible
11/02/2003	12 :36 :03 F4D67400	-42	6,38 Faible
11/02/2003	13 :17 :36 F4D67400	-42	6,38 Faible
11/02/2003	13 :20 :53 F4D67400	-42	6,38 Faible
11/02/2003	13 :23 :51 F4D67400	-42	6,38 Faible
11/02/2003	13 :58 :22 F4D67400	-42	6,38 Faible
11/02/2003	14 :01 :37 F4D67400	-42	6,38 Faible
11/02/2003	14 :04 :51 F4D66C00	-42	6,24 Faible
11/02/2003	14 :10 :53 F4D66C00	-42	6,24 Faible
11/02/2003	14 :13 :52 F4D66C00	-42	6,24 Faible
11/02/2003	14 :16 :54 F4D66C00	-42	6,24 Faible
11/02/2003	14 :19 :52 F4D66C00	-42	6,24 Faible
11/02/2003	14 :58 :51 F4D66C00	-42	6,24 Faible
11/02/2003	14 :58 :51 F4D66C00	-42	6,24 Faible
11/02/2003	15 :02 :08 F4D67800	-42	6,44 Faible
11/02/2003	15 :02 :08 F4D67800	-42	6,44 Faible
11/02/2003	15 :05 :23 F4D65C00	-42	5,98 Faible
11/02/2003	15 :38 :21 F4D65C00	-42	5,98 Faible
11/02/2003	15 :41 :37 F4D57800	-43	6,44 Faible
11/02/2003	15 :44 :35 F4D57800	-43	6,44 Faible
11/02/2003	15 :50 :37 F4D57800	-43	6,44 Faible
11/02/2003	15 :53 :37 F4D57800	-43	6,44 Faible
11/02/2003	15 :56 :37 F4D57800	-43	6,44 Faible
11/02/2003	15 :59 :35 F4D57800	-43	6,44 Faible
11/02/2003	16 :39 :34 F4D57800	-43	6,44 Faible
11/02/2003	16 :39 :34 F4D57800	-43	6,44 Faible
11/02/2003	16 :42 :50 F4D57400	-43	6,38 Faible
11/02/2003	16 :45 :51 F4D57400	-43	6,38 Faible
11/02/2003	17 :21 :49 F4D57400	-43	6,38 Faible
11/02/2003	17 :24 :49 F4D57400	-43	6,38 Faible
11/02/2003	17 :27 :49 F4D57400	-43	6,38 Faible
11/02/2003	17 :33 :50 F4D57400	-43	6,38 Faible
11/02/2003	17 :36 :50 F4D57400	-43	6,38 Faible
11/02/2003	17 :39 :51 F4D57400	-43	6,38 Faible
11/02/2003	18 :19 :48 F4D57400	-43	6,38 Faible
11/02/2003	18 :19 :48 F4D57400	-43	6,38 Faible

11/02/2003	18 :23 :04 F4D57400	-43	6,38	Faible
11/02/2003	18 :26 :03 F4D57400	-43	6,38	Faible
11/02/2003	18 :29 :04 F4D57400	-43	6,38	Faible
11/02/2003	19 :00 :01 F4D57400	-43	6,38	Faible
11/02/2003	19 :03 :16 F4D57800	-43	6,44	Faible
11/02/2003	19 :06 :33 F4D55C00	-43	5,98	Faible
11/02/2003	19 :09 :32 F4D55C00	-43	5,98	Faible
11/02/2003	19 :12 :32 F4D55C00	-43	5,98	Faible
11/02/2003	19 :15 :33 F4D55C00	-43	5,98	Faible
11/02/2003	19 :18 :34 F4D55C00	-43	5,98	Faible
11/02/2003	20 :00 :02 F4D55C00	-43	5,98	Faible
11/02/2003	20 :00 :02 F4D55C00	-43	5,98	Faible
11/02/2003	20 :03 :15 F4D57400	-43	6,38	Faible
11/02/2003	20 :06 :31 F4D55C00	-43	5,98	Faible
11/02/2003	20 :09 :34 F4D55C10	-43	5,98	Faible
11/02/2003	20 :42 :02 F4D55C00	-43	5,98	Faible
11/02/2003	20 :45 :18 F4D57800	-43	6,44	Faible
11/02/2003	20 :48 ·18 F4D57800	-43	6,44	Faible
11/02/2003	20 :48 :18 F4D57800	-43	6,44	Faible
11/02/2003	20 :51 :17 F4D57800	-43	6,44	Faible
11/02/2003	20 :51 :17 F4D57000	-43	6,31	Faible
11/02/2003	20 :54 :16 F4D57800	-43	6,44	Faible
11/02/2003	20 :57 :18 F4D57800	-43	6,44	Faible
11/02/2003	21 :39 :31 F4D55C00	-43	5,98	Faible
11/02/2003	21 :42 :45 F4D47400	-44	6,38	Faible
11/02/2003	21 :42 :45 F4D47400	-44	6,38	Faible
11/02/2003	21 :45 :46 F4D47400	-44	6,38	Faible
11/02/2003	21 :48 :45 F4D47400	-44	6,38	Faible
11/02/2003	22 :28 :47 F4D47400	-44	6,38	Faible
11/02/2003	22 :28 :47 F4D47400	-44	6,38	Faible
11/02/2003	22 :31 :48 F4D47400	-44	6,38	Faible
11/02/2003	22 :31 :48 F4D47400	-44	6,38	Faible
11/02/2003	22 :34 :46 F4D47400	-44	6,38	Faible
11/02/2003	22 :37 :47 F4D47400	-44	6,38	Faible
11/02/2003	23 :19 :16 F4D47400	-44	6,38	Faible
11/02/2003	23 :22 :31 F4D57400	-43	6,38	Faible
11/02/2003	23 :22 :31 F4D57400	-43	6,38	Faible
11/02/2003	23 :25 :32 F4D57400	-43	6,38	Faible
12/02/2003	00 :10 :31 F4D57400	-43	6,38	Faible
12/02/2003	00 :13 :45 F4D46C00	-44	6,24	Faible

12/02/2003	00 :16 :45 F4D46C00	-44	6,24 Faible
12/02/2003	00 :58 :45 F4D46C00	-44	6,24 Faible
12/02/2003	01 :01 :58 F4D47400	-44	6,38 Faible
12/02/2003	01 :01 :58 F4D47400	-44	6,38 Faible
12/02/2003	01 :05 :12 F4D45C00	-44	5,98 Faible
12/02/2003	01 :05 :12 F4D45C00	-44	5,98 Faible
12/02/2003	02 :41 :57 F4D37800	-45	6,44 Faible
12/02/2003	02 :44 :57 F4D37800	-45	6,44 Faible
12/02/2003	02 :47 :58 F4D37800	-45	6,44 Faible
12/02/2003	03 :38 :54 F4D37800	-45	6,44 Faible
12/02/2003	03 :38 :55 F4D37800	-45	6,44 Faible
12/02/2003	03 :42 :09 F4D37400	-45	6,38 Faible
12/02/2003	04 :19 :39 F4D37400	-45	6,38 Faible
12/02/2003	04 :22 :54 F4D37800	-45	6,44 Faible
12/02/2003	04 :28 :54 F4D37800	-45	6,44 Faible
12/02/2003	05 :21 :22 F4D37800	-45	6,44 Faible
12/02/2003	05 :24 :35 F4D37400	-45	6,38 Faible
12/02/2003	05 :27 :35 F4D37400	-45	6,38 Faible
12/02/2003	05 :27 :35 F4D37400	-45	6,38 Faible
12/02/2003	05 :30 :36 F4D37400	-45	6,38 Faible
12/02/2003	06 :02 :04 F4D37400	-45	6,38 Faible
12/02/2003	06 :05 :16 F4D34C00	-45	5,71 Faible
12/02/2003	06 :08 :17 F4D34C00	-45	5,71 Faible
12/02/2003	07 :03 :14 F4D34C00	-45	5,71 Faible
12/02/2003	07 :06 :29 F4D35C00	-45	5,98 Faible
12/02/2003	07 :09 :31 F4D35C00	-45	5,98 Faible
12/02/2003	07 :48 :46 F4D27800	-46	6,44 Faible
12/02/2003	08 :44 :30 F4D24C00	-46	5,71 Faible
12/02/2003	08 :44 :30 F4D24C00	-46	5,71 Faible
12/02/2003	08 :47 :43 F4D27400	-46	6,38 Faible
12/02/2003	08 :47 :43 F4D27400	-46	6,38 Faible
12/02/2003	09 :29 :29 F4D34C00	-45	5,71 Faible
12/02/2003	10 :25 :39 F4D37400	-45	6,38 Faible
12/02/2003	10 :28 :54 F4D37400	-45	6,38 Faible
12/02/2003	10 :28 :54 F4D37400	-45	6,38 Faible
12/02/2003	10 :31 :54 F4D37400	-45	6,38 Faible
12/02/2003	10 :31 :54 F4D37400	-45	6,38 Faible
12/02/2003	10 :34 :54 F4D37400	-45	6,38 Faible
12/02/2003	12 :06 :37 F4D47400	-44	6,38 Faible
12/02/2003	12 :06 :37 F4D47400	-44	6,38 Faible

12/02/2003	12 :09 :53 F4D45C00	-44	5,98 Faible
12/02/2003	12 :09 :53 F4D45C00	-44	5,98 Faible
12/02/2003	12 :12 :51 F4D45C00	-44	5,98 Faible
12/02/2003	12 :12 :51 F4D45C00	-44	5,98 Faible
12/02/2003	12 :15 :51 F4D45C00	-44	5,98 Faible
12/02/2003	12 :54 :51 F4D45C00	-44	5,98 Faible
12/02/2003	12 :58 :06 F4D57C00	-43	6,51 Faible
12/02/2003	13 :01 :06 F4D57C00	-43	6,51 Faible
12/02/2003	13 :04 :20 F4D55400	-43	5,84 Faible
12/02/2003	13 :07 :21 F4D55400	-43	5,84 Faible
12/02/2003	13 :46 :49 F4D55400	-43	5,84 Faible
12/02/2003	13 :46 :49 F4D55400	-43	5,84 Faible
12/02/2003	13 :50 :02 F4D57800	-43	6,44 Faible
12/02/2003	13 :50 :02 F4D57800	-43	6,44 Faible
12/02/2003	13 :53 :02 F4D57800	-43	6,44 Faible
12/02/2003	13 :56 :04 F4D57800	-43	6,44 Faible
12/02/2003	14 :36 :13 F4D55C00	-43	5,98 Faible
12/02/2003	14 :39 :28 F4D57C00	-43	6,51 Faible
12/02/2003	14 :42 :27 F4D57C00	-43	6,51 Faible
12/02/2003	14 :45 :28 F4D57C00	-43	6,51 Faible
12/02/2003	15 :27 :27 F4D57C00	-43	6,51 Faible
12/02/2003	15 :27 :27 F4D57C00	-43	6,51 Faible
12/02/2003	15 :30 :39 F4D77C00	-41	6,51 Faible
12/02/2003	15 :30 :39 F4D77C00	-41	6,51 Faible
12/02/2003	15 :33 :41 F4D77C00	-41	6,51 Faible
12/02/2003	15 :33 :41 F4D77C00	-41	6,51 Faible
12/02/2003	15 :36 :40 F4D77C00	-41	6,51 Faible
12/02/2003	16 :16 :41 F4D77C00	-41	6,51 Faible
12/02/2003	16 :19 :55 F4D77C00	-41	6,51 Faible
12/02/2003	16 :22 :57 F4D77C00	-41	6,51 Faible
12/02/2003	16 :25 :56 F4D77C00	-41	6,51 Faible
12/02/2003	16 :28 :56 F4D77C00	-41	6,51 Faible
12/02/2003	17 :07 :24 F4D77C00	-41	6,51 Faible
12/02/2003	17 :10 :38 F4D77800	-41	6,44 Faible
12/02/2003	17 :10 :38 F4D77800	-41	6,44 Faible
12/02/2003	17 :13 :39 F4D77800	-41	6,44 Faible
12/02/2003	17 :13 :39 F4D77800	-41	6,44 Faible
12/02/2003	17 :16 :40 F4D77800	-41	6,44 Faible
12/02/2003	17 :28 :39 F4D77800	-41	6,44 Faible
12/02/2003	17 :57 :08 F4D77800	-41	6,44 Faible

12/02/2003	18 :00 :26 F4D87C00	-40	6,51 Faible
12/02/2003	18 :03 :39 F4D86C00	-40	6,24 Faible
12/02/2003	18 :06 :39 F4D86C00	-40	6,24 Faible
12/02/2003	18 :06 :39 F4D86C00	-40	6,24 Faible
12/02/2003	18 :09 :37 F4D86C00	-40	6,24 Faible
12/02/2003	18 :48 :38 F4D86C00	-40	6,24 Faible
12/02/2003	18 :51 :53 F4D87400	-40	6,38 Faible
12/02/2003	18 :51 :53 F4D87400	-40	6,38 Faible
12/02/2003	18 :54 :54 F4D87400	-40	6,38 Faible
12/02/2003	18 :54 :54 F4D87400	-40	6,38 Faible
12/02/2003	19 :38 :38 F4D95C00	-39	5,98 Faible
12/02/2003	19 :41 :55 F4D97400	-39	6,38 Faible
12/02/2003	19 :44 :54 F4D97400	-39	6,38 Faible
12/02/2003	19 :47 :54 F4D97400	-39	6,38 Faible
12/02/2003	19 :50 :54 F4D97400	-39	6,38 Faible
12/02/2003	20 :34 :06 F4DB7900	-37	6,44 Moyen
12/02/2003	20 :34 :06 F4DB7900	-37	6,44 Moyen
12/02/2003	20 :40 :04 F4DB7900	-37	6,44 Moyen
12/02/2003	20 :52 :04 F4DB7900	-37	6,44 Moyen
12/02/2003	21 :17 :36 F4DB7900	-37	6,44 Moyen
12/02/2003	21 :20 :49 F4DC7500	-36	6,38 Moyen
12/02/2003	21 :23 :51 F4DC7500	-36	6,38 Moyen
12/02/2003	21 :26 :49 F4DC7500	-36	6,38 Moyen
12/02/2003	21 :26 :49 F4DC7500	-36	6,38 Moyen
12/02/2003	21 :29 :49 F4DC7500	-36	6,38 Moyen
12/02/2003	22 :14 :17 F4DC7500	-36	6,38 Moyen
12/02/2003	22 :20 :33 F4DD7D00	-35	6,51 Moyen

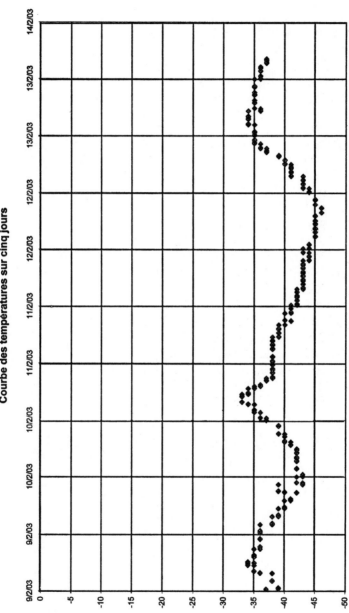

Remerciements

Je n'ai jamais été seul...

Je remercie ceux qui, très nombreux, bénévoles, professionnels et partenaires ont permis à cette nuit polaire de voir « le jour ».

Merci à ma famille et à mes amis : depuis toujours ils m'encouragent, m'aident et s'inquiètent. L'aventure, c'est un choix... que l'on impose aux autres.

Merci
aux membres actifs de l'association **Sciences Aventures Extrêmes** pour leur aide et leur soutien financier : Léo La Rocca, Maryse Labadie-Rodriguez, Natalie Lévin, Christophe Louet, Michel et Marie-Do Santin, Rémy Marion, Claude et Chantal Dezandez, Laurent et Séverine Salinier, Pierre et Nicole Tountevich, Maryline Ruper, Christine Ricard, Roland Mathieu, Jean-Michel Rodriguez, Emmanuel Mounier, Sylvain Mahuzier, Christian et Christine Berbon, Gilles et Sylvie Bellefont. www.sciences-aventures-extremes.com

À mes amis Daniel et Michèle Bringer.

À Alain Baquié, « ambassadeur de l'extrême ».

Merci à ceux qui m'ont fait confiance, ont conçu

les protocoles médicaux et techniques de cette expédition et travaillent encore sur les résultats : docteur Christian Bourbon, docteur Natalie Lévin, les nutritionnistes Catherine Derache et Véronique Segria, François Gazzano.

Merci pour leur accueil aux équipes du Laboratoire du sommeil de l'hôpital Rangueil, du service de médecine du sport de l'hôpital Purpan, du plateau technique des sportifs de haut niveau de la clinique des Cèdres, du centre hospitalier de Pau.

Merci au docteur Michel Tiberge, au docteur Sablayrolle, au docteur Williamson.

Merci au chirurgien dentiste Bernard Naudan qui, depuis des années, me prépare pour les fonds sous marins, les hautes altitudes et les grands froids.

Merci à ceux qui m'ont aidé à supporter un entraînement intense, m'ont reconstruit, apaisé, chouchouté... : mon ami ostéopathe Frédéric Broué, les superkinés Luc Froissart, Christian Mages, Corinne Rouanet, Stéphanie Corbères.

Un merci tout particulier au docteur Dominique Rivière.

Merci à Patrice Dheu (Francital).

Merci à Michel Cazenave, Nadine Lucas et Louis Mesnier (C.L.S. Argos).

Pour leur soutien financier,

merci à mon partenaire principal, les Laboratoires Gilbert d'Hérouville-Saint-Clair, en Normandie, à leur président, monsieur Laurent Batteur, à Olivier de Marcellus, à Frédéric Guesdon, à Florence Belmont, et au merveilleux accueil de tout le personnel de l'entreprise.

À la bourse « Rêve de Vue », au Super U Mende, au

Rotary Club Toulouse nord, à Area Veranda, aux laboratoires AMO.

À tous les membres sympathisants et bienfaiteurs de Sciences Aventures Extrêmes.

Pour leur aide logistique, technique et leurs précieux conseils,
merci à monsieur Claude Beauverger de l'Institut océanographique de Paris, Fondation Albert Ier, prince de Monaco.

À monsieur Bernard Burel et toute la dynamique équipe de la Cité de l'espace de Toulouse.

Merci à La Pleïade, La Presse Saint-Michel, l'agence Métropole, Pôles d'Images, MMA, SARL Tountevich, Pub Roller, Vestiair, Jean-Luc Albouy, Cécile, Caroline et Emmanuel (Grand Nord-Grand Large), Alain Moreau (Air France), Pascal Cros (Thales), Jean-Yves Marianne et son équipe (Exel), Monsieur Manson (Sidam), Gilles Sigro et Joe Lafont (Atelier Saint-Étienne), Frédéric Jung et Jérôme Thibal (Ontario), monsieur et madame Stein Jensen (Pronor-Ullfrotte), Robert Boursier (Lowe Alpine), Jean-Christophe Vincent (Objectif Bastille), Fred et Nathalie Michel (photographes à Valréas), Alain Cauquil et Bernard Michault (laboratoire Photon), Nicolas Larger et Erik Borg (emballages Fleuret), Patrick Deschamp (Carrefour), monsieur Gilles Demetz (Demetz, optique de sport), Xavier Gamel (Nutergia), Michel Nava (Transam), Imexis, Symax Technologies, Mod Optic, Mille et Une Piles, Copie Conforme, les Frères Siari de Pau, Flashback.

Et aussi à Philippe Dubois et Laurence Gastal, Serge Fontquernie et Eric Boufie, Patrick Ellof-Petros, Louis-Philippe Lopez, Marcel Bruegghe, Gérard Massignac, Martine

Tavela, Laurent Cuzacq, Yannick Marsal et Marie-France Pascal.

Merci à Bernard et Titane Causse, Daniel et Françoise Isafo qui, depuis des années, me prêtent leurs granges dans les Pyrénées.

Merci à tous ceux qui, au travers de leur plume, leur micro ou leurs images m'ont permis de communiquer et de témoigner
et, plus particulièrement, depuis le début du projet, à monsieur Jean-François Lardy-Gaillot (La Dépêche du Midi), Thierry Pons et Sébastien Vaissière (Toulouse Mag), Marie-Hélène Fraïssé (France Culture), Emmanuel Wat et Jean-François Bataille (France 3 Sud), Pascale Soler, Bruno Canredon et Sophie Voinis (TLT).

Merci à Jean-Christophe Tortora, Étienne Ducos, Jean Puchaux et Céline Charbonniéras (Hima Media), Christian Berbon et Jo Marette (Le Journal de l'Ariège), Claire Manaud (Le Journal Toulousain), Gilbert Roux (L'Ariégeois Magazine), Philippe Font (Le Parisien), Laurent Armand (L'Opinion Indépendante), Christian Delahaye (Le Quotidien du Médecin), Olivier Sanguy (Espace Magazine), Sophie Bordet (Mon Quotidien), Sophie Crépon (Le Monde des Ados), Danielle Mc Caffrey (Ça m'intéresse), Renée Mourgues (L'Éclair), Jean-Jacques Nicomette (Sud-Ouest), Bruno Robaly (La République des Pyrénées).

Marie-Odile Monchicourt et Régis Picart (France Info), Jacques Pradel (Europe 1), Jean-Christophe Vincendon et Éric Lenoir (Sud Radio), Liliane Bourgeois (Le Mouv), Cécile Guérin et Franck Bennedetti (Radio Suisse Romande).

À Alain Gouri et Virginie Digneton (Voyage), Nicolas Albrand et Jean-Marc Fournis (M6 Toulouse), Frédéric

Lopez et Leslie Gelrubin (Match TV), Carole Gaesler et Jérome Sesquin (France 2), Dorothée Moisan (AFP), Patrick Blainville (Transpol'Air).

Merci à tous ceux qui ont participé à cette aventure
À ma grand mère, madame Mériadec de Byans, ma mère, madame Mériadec de Byans-Lévin, Sonia Lévin, Valérie Ronflet, Christian et Christine Dubon, Jean-Claude et Irène Orsor, monsieur et madame Manaud, Jean-Pierre et Patricia Manaud, Richard Anouilh, Alain Paillole, Nathalie Blanquet, Cathy et Guillaume Marion, Patrick Ratsimbazafy, Patrick et Nicolas Perrotet, Marc Rafitoson, Loïc Mériadec de Byans, Hélène Laziosi, David Desnoyers, Michel Bonnefond, Nathalie Latremolière, Thierry et Sylvie Fréchaud, Frédéric Guerri, monsieur Christian Bosca, le docteur Bernard Giral, le professeur Treilhou, monsieur Daniel Baudoux, Jean et Arlette Gardet, Rose-Marie Montserrat, Louis et Monique Marette, Françoise Lhomme, Daniel et Nanie Desaint, l'école Montalembert, avec monsieur Orhan, frère Pierre Nussbaumer, Christian et Marie-Renée Camps, Joël et Claire Leber, Philippe Palao, Martine Bénézet, Jean-Marc Allioux, Daniel Baudières, Véronique Descamps, Yannick Legat, Martine Barbé, l'ensemble des enseignants et tous les élèves.

Merci à monsieur Alain Bombard, à l'astronaute Philippe Perrin, à Michel Siffre et à Michel Fournier d'avoir donné de leur précieux temps pour établir des vacations téléphoniques que je n'oublierai jamais.

Au Canada,

merci à mes amis Raymond, Mariette et Kim Jourdain, au capitaine Sylvain Desgagnes.

À Diane Mercier (gouvernement du Canada, direction des Permis), Linda Lebeau, Paul-André Parent (Exel Canada), Jean-Guy Paul (Oceanic Navigation Electronic), Michelle (Marina Gosselin), Yasmine Berthou (Le Soleil).

À Resolute Bay,

merci à Paul Amagoalik, mon guide, Gary Johnson et Diana Fisher (Co-op), Mike Turner et Franco Radeschi (police montée canadienne), Terry Jesudason, Paul Diamond, Mickey Riley.

Merci à la communauté de Resolute Bay.

J'ai été très touché par l'accueil que m'ont réservé à mon retour

monsieur Philippe Douste-Blazy, député-maire de Toulouse,

monsieur Louis Marette, maire de Mazères-sur-l'Hers,

monsieur Pierre Verdier, maire de Couffouleux.

Je remercie le « déclencheur » éditorial, monsieur Jean-Luc Labourdette, directeur des ventes des Éditions Flammarion.

Je remercie chaleureusement Sophie Lajeunesse, responsable éditoriale des Éditions Arthaud, qui me permet, grâce à ce livre, de partager cette aventure avec le plus grand nombre.

Je remercie Christel Mouchard et Noëlle Meimaroglou pour leurs lectures attentives, Antoine du Peyrat, directeur artistique des Éditions Flammarion, et Axel Buret pour leur investissement personnel.

Je remercie la Société des explorateurs français d'avoir primé ce manuscrit pour inaugurer leur collection.

Et, bien évidemment, puisque vous les connaissez désormais, ma petite famille polaire :
Chuchi, Michima et les petits...

Cet ouvrage a été imprimé par la
SOCIÉTÉ NOUVELLE FIRMIN-DIDOT
Mesnil-sur-l'Estrée
pour le compte des Éditions Flammarion
en décembre 2003

Composition et mise en page

NORD COMPO
m u l t i m é d i a

Imprimé en France
Dépôt légal : janvier 2004
N° d'édition : FZ 0152-01 - N° d'impression : 66392